Cuisine végétarienne à la mijoteuse

200 recettes pour des repas complets, sains et nourrissants qui sont prêts quand vous l'êtes

Robin Robertson

Traduit de l'américain par M.

AdA Inc.

Recette de couverture : Ragoût épicé aux haricots blancs, aux patates douces et au chou vert, p. 82
Recettes de quatrième de couverture : Courge farcie au couscous, aux abricots et aux pistaches, p. 167,
Merveilleuse fondue au chocolat, p. 243

Éditeur : François Doucet
Traduction : Martin Kurt
Révision linguistique : Nicole Demers et André St-Hilaire
Révision : Nancy Coulombe
Graphisme : Sébastien Rougeau
Illustrations : ©2004 Neverne Covington
Photos de la couverture : Susie Cushner Photography
ISBN 2-89565-369-0
Première impression : 2006
Dépôt légal : 2006
Bibliothèque et Archives nationales du Québec
Bibliothèque Nationale du Canada

Éditions AdA Inc.
1385, boul. Lionel-Boulet
Varennes, Québec, Canada, J3X 1P7
Téléphone : 450-929-0296
Télécopieur : 450-929-0220
www.ada-inc.com
info@ada-inc.com

Diffusion
Canada :   Éditions AdA Inc.
France :   D.G. Diffusion
              Rue Max Planck, B. P. 734
              31683 Labege Cedex
              Téléphone : 05.61.00.09.99
Suisse :   Transat - 23.42.77.40
Belgique :   D.G. Diffusion - 05.61.00.09.99

Imprimé au Canada   SODEC

Participation de la SODEC.
Nous reconnaissons l'aide financière du gouvernement du Canada par l'entremise du Programme d'aide au
développement de l'industrie de l'édition (PADIÉ) pour nos activités d'édition.
Gouvernement du Québec - Programme de crédit d'impôt pour l'édition de livres - Gestion SODEC.

Catalogage avant publication de Bibliothèque et Archives Canada

Robertson, Robin (Robin G.)

      Cuisine végétarienne à la mijoteuse
      Traduction de : Fresh from the vegetarian slow cooker.
      Comprend un index.

      ISBN 2-89565-369-0

      1. Cuisine végétarienne. 2. Cuisson lente à l'électricité. 3. Plats uniques. I. Titre.

TX837.R6314 2006   641.5'636   C2005-941840-0

Table des matières

Remerciements

Je tiens à remercier Gloria Siegel, Linda Levy Elsenbaumer et Janet Aaronson pour leur aide précieuse ; elles constituaient mon équipe de « vérification » qui souvent a supervisé trois mijoteuses à la fois. Je me dois de mentionner leurs assistants et dégustateurs : Mel Siegel, Ron Elsenbaumer, Gerald Aaronson, Anita Vanetti, Jamie Mowry, John Mowry, Fran Levy et Monte Shaw. Je désire également témoigner ma gratitude à mon mari, Jon Robertson, mon assistant et dégustateur domestique, pour son enthousiasme à tailler des montagnes de légumes et à goûter de nombreuses recettes, souvent plus d'une fois. Mes remerciements s'adressent aussi à ma sœur Carol Lazur, ma nièce Kristen Lazur, mes amis Pat Davis, Kay et Larry Sturgis, et particulièrement à Samantha Ragan qui m'a permis de renouer avec la mijoteuse. Je ne pourrais passer sous silence l'extraordinaire travail accompli par l'équipe de la *Harvard Common Press* et celui de mon agent, Stacey Glick, de Dystell and Goderich Literary Management. Ma gratitude va aussi à la West Bend Company qui a fourni une des mijoteuses utilisées pour élaborer et tester les recettes du présent ouvrage.

Introduction

La simplicité et la commodité constituent les véritables avantages de la mijoteuse. Une fois branché et mis en marche, ce petit appareil autonome cuira votre dîner pendant que vous faites autre chose. « Réglez la mijoteuse et oubliez-la », disent les fabricants pour en vanter les vertus. Lorsque vous revenez après plusieurs heures d'absence, les effluves odoriférants d'un repas maison remplissent votre cuisine. C'est comme si vous aviez un chef à la maison qui cuisinerait toute la journée pendant que vous êtes au travail ou au centre commercial.

Les possibilités de la mijoteuse ne se limitent plus seulement à cuire des morceaux de viande coriace. La mijoteuse permet de tout préparer, du déjeuner au pudding de pain perdu. Elle convient aussi parfaitement à la cuisine végétarienne ; la cuisson lente est une excellente façon de préparer de nombreuses légumineuses, des plats de riz et d'autres recettes sans viande. En plus d'être pratique, la mijoteuse permet d'obtenir des mets nutritifs et savoureux puisque la lente cuisson, tout en extrayant le maximum de saveur des ingrédients, favorise la concentration des nutriments dans les aliments.

Le paradoxe intéressant de la mijoteuse est que, même si le temps de cuisson est plus long, le cuisinier a davantage de temps à sa disposition. Un sentiment libérateur vous envahit lorsque vous mettrez le souper à cuire tôt le matin en sachant qu'il sera prêt quand vous le serez. Vous n'avez plus besoin de revenir à la course à la maison pour préparer le repas du soir. De plus, la mijoteuse vous permet de manger des plats économiques et équilibrés, surtout les soirs où vous êtes en retard ou trop fatigué pour cuisiner, ces soirs où l'on opte pour des plats préparés, des mets à emporter ou d'autres repas prêts à consommer. Vous n'avez besoin que d'un minimum de planification pour que la cuisson à la mijoteuse vous fournisse les meilleurs repas prêts à consommer.

En parcourant les pages de *Cuisine végétarienne à la mijoteuse*, vous verrez que ce mode de cuisson permet de réaliser beaucoup plus que les potages ou les ragoûts. Les chapitres de cet ouvrage couvrent l'ensemble des services, des hors-d'œuvre aux plats principaux et des boissons chaudes aux desserts. Ainsi, chacun y trouvera une recette pour le petit-déjeuner, le déjeuner et le dîner. En élaborant et en testant les différentes recettes de ce livre, je suis devenue de plus en plus impressionnée par les vertus de la cuisine végétarienne à la mijoteuse. Je suis convaincue que, lorsque vous soulèverez le couvercle de votre mijoteuse pour la première fois, les arômes envoûtants qui s'en dégageront vous feront adopter ce mode de cuisson.

Les notions de base
pour la cuisine végétarienne
à la mijoteuse

• • •

Celui qui a dit « Tout ce qui est ancien redevient nouveau » avait peut-être les mijoteuses à l'esprit. Au début des années 1970, une mijoteuse (*Crock-Pot*) ornait plusieurs comptoirs de cuisine et se chargeait de cuire le repas du soir pendant que son propriétaire se trouvait au travail. Ce type de cuisson représentait une façon commode et simple de préparer des recettes qui demandaient plus de temps à faire que celui qui était disponible. Plusieurs ont néanmoins fini par reléguer leur mijoteuse au grenier. Je ne sais vraiment pas pourquoi : peut-être n'était-elle tout simplement plus à la mode.

Je dois admettre que je n'ai pas repensé à ma mijoteuse jusqu'à tout récemment, lorsque j'ai remarqué un regain d'intérêt pour les nouvelles mijoteuses améliorées. Ma vieille mijoteuse avait depuis longtemps été vendue dans une vente-débarras, et je n'étais pas certaine d'avoir besoin d'un nouvel appareil dans ma cuisine déjà surchargée. En outre, j'en étais venue à associer la mijoteuse aux coupes de viande coriace et, en tant que végétarienne, je pensais tout simplement pouvoir m'en passer.

Un jour, Sam, une amie très occupée, m'a parlé des fantastiques plats végétariens qu'elle préparait dans sa nouvelle mijoteuse, des parfums envoûtants qui l'accueillaient chaque soir au retour du travail, des soupes savoureuses, des ragoûts et des plats de haricots qu'elle n'aurait pas eu le temps de préparer autrement, même avec un autocuiseur. J'ai alors commencé à considérer la mijoteuse sous un nouvel angle et je suis devenue intriguée par ses possibilités. Le jour suivant, je me suis acheté une mijoteuse noire, étroite et en acier inoxydable. Elle avait bien meilleure mine que mon modèle désuet de couleur or. Je me suis vite rendu compte que ce nouveau modèle n'avait pas seulement fière allure ; il pouvait cuire, bien sûr, mais aussi « penser » puisqu'il se règle automatiquement à la position réchaud (*warm*) lorsque le temps de cuisson préréglé est terminé.

Dès la première soupe préparée à la mijoteuse, je suis devenue une adepte de ce mode de cuisson, et ce n'était pas seulement une raison de simplicité et de commodité. J'ai été attirée par quelque chose de plus primitif et de plus fondamental : l'impression de revenir à la vieille marmite en fonte utilisée par nos ancêtres. C'est immanquable, chaque fois que je commence une recette à la mijoteuse, un sentiment de « retour aux sources » m'envahit. Rien de surprenant, il suffit de se rappeler que les cuissons à basse température ont été la marque de commerce de nombreuses cuisines autour du monde ; on n'a qu'à penser aux soupes et aux ragoûts simples, par exemple le cassoulet, le tian et la tagine.

La mijoteuse a été longtemps associée aux viandes braisées et à d'autres plats de viande. Cependant, à l'instar de mon amie, le chef végétarien trouvera de nombreuses manières de l'utiliser. En plus des soupes végétariennes habituelles, des ragoûts, des chilis et des plats de haricots, vous pourrez préparer des légumes braisés, des risottos, des puddings, des plats en daube, des chutneys, des sauces, des pains et des desserts. Certaines des recettes de ce livre ont été élaborées à partir de classiques de la cuisine et adaptées pour les végétariens ; d'autres, mes recettes végétariennes favorites, ont été adaptées pour la mijoteuse afin d'en faciliter la préparation et de leur donner un goût incomparable. La cuisson à basse température enrichit la saveur des plats d'une manière inimitable par les autres modes de cuisson. Les saveurs complexes des chilis et des ragoûts, par exemple, ressortent davantage à la mijoteuse que lors d'une cuisson sur la plaque. Voilà ce que je préfère des recettes végétariennes pour la mijoteuse.

Pourquoi utiliser une mijoteuse ?

Les gens vivant seuls, les couples et les familles apprécient la mijoteuse et les raisons de cet envoûtement sont aussi nombreuses qu'il y a d'utilisateurs. La plupart s'entendent pour dire que la commodité, les économies et le goût savoureux sont les raisons principales qui les ramènent encore et encore vers cet appareil. Combinez simplement vos ingrédients dans la mijoteuse, mettez en marche et le tour est joué ! De plus, le plat interne en céramique peut être réfrigéré ; vous pouvez ainsi préparer vos ingrédients la veille et les mettre au réfrigérateur dans le plat de cuisson. Pour vous faciliter la tâche davantage, vous pouvez servir vos recettes directement à partir du plat de cuisson en céramique. Puisque de plus en plus de personnes s'échinent à manger sainement malgré leur mode de vie mouvementé, la cuisine végétarienne à la mijoteuse peut s'avérer une solution.

La mijoteuse est particulièrement utile pour préparer des mets végétariens puisqu'elle cuit à merveille de nombreux légumes, légumineuses et plats de riz. L'avantage d'un appareil que vous pouvez laisser sans surveillance est difficile à concurrencer : c'est tout le contraire de l'autocuiseur ou des autres modes de cuisson sur la cuisinière. Même si les aliments prennent plus de temps à cuire dans la mijoteuse, vous pouvez gagner du temps.

Puis, il y a la question de la saveur. Un plat qui a mijoté pendant des heures aura souvent meilleur goût que la même recette préparée rapidement sur la cuisinière. La raison est que la cuisson lente à feu doux dans le plat de cuisson interne en céramique permet aux saveurs des ingrédients de s'exprimer pleinement et de se mélanger. L'utilisation de la mijoteuse vous offre la possibilité d'apprécier les saveurs intenses de soupes consistantes, de ragoûts et d'autres recettes mijotées, sans être « esclave » de votre cuisinière. De plus, une mijoteuse ne réchauffe pas la cuisine de la même façon que la cuisinière, ce qui constitue un avantage appréciable lors des journées chaudes. Finalement, la mijoteuse est moins « énergivore », ce qui vous fait économiser.

La cuisson à la mijoteuse vous permet aussi de réaliser des économies en ce qui concerne les ingrédients parce qu'elle se prête bien à la préparation de plats de légumineuses peu coûteux, ce qui vous donne la possibilité de confectionner de grandes quantités de nourriture qui peuvent être congelées et vous évite d'acheter des repas prêts à consommer. Vous prendrez peut-être même plaisir à cuisiner davantage. Par exemple, pendant que votre plat principal mijotera dans l'appareil, vous aurez le temps de laisser votre créativité s'exprimer en ce qui a trait aux salades et aux autres plats d'accompagnement.

Puisque la cuisson à la mijoteuse est la façon idéale de préparer les soupes, les ragoûts et les plats de haricots, vous aurez tendance à consommer plus souvent ces choix santé plutôt que d'acheter des repas moins nourrissants par manque de temps pour cuisiner. Après que vous aurez déposé vos ingrédients dans la mijoteuse, votre nourriture sera prête à consommer à l'heure que vous aurez choisie. La nourriture ne brûlera pas si on ne la surveille pas parce que les éléments de la mijoteuse répartissent la chaleur doucement et uniformément par le fond et les côtés de l'appareil. Puisque le couvercle permet de garder la chaleur prisonnière, la cuisson peut se faire sans qu'on ait à s'en occuper. Non seulement la mijoteuse est-elle avantageuse pour ceux qui travaillent à l'extérieur, mais aussi est-elle d'un grand secours pour les personnes qui demeurent à la maison mais qui n'ont pas le temps de s'attarder dans la cuisine.

La mijoteuse est aussi attrayante en raison de sa polyvalence. Les différents formats de mijoteuses actuellement disponibles permettent de pratiquement tout faire, des hors-d'œuvre aux desserts. La mijoteuse est aussi pratique lorsqu'on reçoit des convives puisqu'elle garde la soupe ou le plat principal au chaud pendant qu'on s'occupe des invités. Ce petit appareil permet en outre de libérer les autres plans de travail, ce qui peut s'avérer particulièrement pratique lors de la préparation des repas de fête. Si vous planifiez cuisiner un buffet, vous pourrez placer la mijoteuse directement sur la table. Elle conservera la nourriture à la température adéquate pendant des heures, tandis que vous profiterez de la fête. Les plats préparés à la mijoteuse sont également fabuleux pour les repas-partage qui se tiennent ailleurs que chez vous : vous n'avez qu'à emmener la mijoteuse qui contient la préparation et à la brancher une fois sur place afin de servir un bon repas chaud.

Tout ce que vous devez savoir sur les mijoteuses

Les mijoteuses, d'une capacité variant de 1 à 7 L, se présentent en forme ronde ou ovale. Les formats les plus populaires sont de 3,5 à 4 L et de 5,5 à 6 L. Dans ce livre, la capacité la plus appropriée est indiquée pour chacune des recettes ; la plupart de ces dernières recommandent le format de 3,5 à 4 L, qui convient parfaitement pour un plat de 4 à 6 portions. Les plus gros modèles conviennent pour la préparation d'importantes quantités de nourriture et permettent de placer des supports ou d'autres plats de cuisson à l'intérieur de la mijoteuse. Les modèles de 1 à 1,5 L sont idéaux pour les trempettes et les hors-d'œuvre, mais ne conviennent pas pour la cuisine de tous les jours.

Plusieurs recettes de ce livre demanderont une mijoteuse de 4 L. Dans la plupart des cas, on les réussira également dans un format de 3,5 L, aussi bien que dans des modèles de 5,5 à 6 L. Il n'y aura pratiquement pas d'ajustements à faire. Rappelez-vous que les mijoteuses donnent un meilleur rendement lorsqu'elles sont remplies au moins à moitié (par exemple, les ingrédients recommandés pour une mijoteuse de 4 L seront suffisants pour remplir à moitié une mijoteuse de 6 L).

Le plat de cuisson en céramique est amovible. Il va au four, au micro-ondes et au lave-vaisselle, mais on ne peut l'utiliser directement sur la cuisinière. Au lieu d'être muni d'un cadran de sélection des températures, la mijoteuse possède deux intensités : faible (*low*) et élevée (*high*). Vous pouvez également doter votre mijoteuse d'une minuterie qui peut établir ou couper le courant à un moment choisi, ce qui vous procurera une certaine tranquillité d'esprit si vous avez un contretemps et devez rentrer à la maison plus tard que prévu. Certains modèles possèdent un réglage supplémentaire (*warm*) qui permet de garder les aliments au chaud lorsque le temps de cuisson est écoulé. Vous devez quand même respecter les règles d'hygiène alimentaire : un plat cuisiné à la mijoteuse ne devrait pas rester à la température ambiante plus de deux heures après la fin de la cuisson, sinon les bactéries contamineront les aliments.

Questions de format

Si vous ne pouvez acheter qu'une seule mijoteuse, et que votre maisonnée est composée de plus d'une personne, je vous recommande de vous procurer un gros modèle (de 5,5 à 6 L), ce qui vous donnera plus de flexibilité. En effet, la plupart des recettes conçues pour les modèles de 4 L peuvent facilement être préparées dans un modèle plus gros, et ce, sans aucun ajustement. Une mijoteuse de grand format vous permettra également de faire des recettes plus volumineuses que vous pourrez ensuite diviser en portions et congeler. De plus, certaines recettes (comme les pains et les desserts) vous demanderont d'introduire un moule dans la mijoteuse, ce que vous permettra de faire un gros modèle. Chez moi, je me sers régulièrement des modèles de 4 et 6 L, parfois simultanément. J'utilise toutefois le modèle de 6 L plus fréquemment.

Précautions d'usage

- Ne déposez jamais d'ingrédients froids dans une mijoteuse chaude. Le plat en céramique risquerait de se fissurer.
- Laissez refroidir complètement le plat de cuisson en céramique avant de le laver. Un changement soudain de température (par exemple, une plongée dans l'eau froide) risquerait de le casser.
- Ne plongez pas la partie externe de la mijoteuse dans l'eau. Contentez-vous d'essuyer l'intérieur et l'extérieur avec un linge ou une éponge humide.

De nombreuses compagnies fabriquent des mijoteuses, incluant le *Crock-Pot* original offert par la compagnie Rival et des produits similaires vendus par West Bend, Proctor Silex, etc. De plus, il existe des appareils, appelés *multicookers*, qui offrent la possibilité de faire mijoter les plats et de réaliser d'autres tâches, comme la grande friture. Ces appareils possèdent des thermostats réglables qui permettent de faire mijoter à faible intensité (100 °C ou 200 °F) ou à intensité élevée (150 °C ou 300 °F). Cependant, les *multicookers* ne sont pas de véritables mijoteuses puisque leurs éléments chauffants se retrouvent uniquement dans la base, ce qui se traduit par une diffusion plus directe de la chaleur. Les aliments peuvent donc brûler s'ils sont laissés sans surveillance. Dans une véritable mijoteuse, les éléments chauffants sont situés dans les parois de l'appareil, et la chaleur est diffusée plus doucement et plus uniformément. Les véritables mijoteuses n'ont pas d'indicateur de température numérique, mais offrent deux ou trois intensités : faible (*low*), élevée (*high*) et réchaud (*keep warm*). Les recettes de ce livre ont été testées dans des *Crock-Pots* de Rival, ainsi que dans des appareils de Hamilton Beach/Proctor Silex et West Bend.

Le volume d'ingrédients et le format de la mijoteuse

Au début de chaque recette de ce livre, je vous suggère un format de mijoteuse à utiliser. Cependant, puisque la quantité d'ingrédients aide à déterminer le volume, il est important de vérifier à quel point ceux-ci remplissent la mijoteuse. Par exemple, si mes « petits » oignons, mes « grosses » pommes de terre, etc., n'ont pas la même grosseur que les vôtres, il est possible que la quantité d'ingrédients remplisse votre mijoteuse de 3,5 ou 4 L à pleine capacité. Dans certains cas, vous devrez vérifier cette information en préparant la recette. Si vous deviez découvrir que vous avez trop d'ingrédients, vous pouvez : préparer la recette dans une mijoteuse de plus grand format, ou réduire les quantités d'ingrédients à utiliser. Une mijoteuse donne de meilleurs résultats lorsqu'elle est remplie au moins à moitié, mais pas plus qu'aux deux tiers. Vous pouvez réussir la plupart des recettes pour les mijoteuses de 3,5 à 4 L dans des mijoteuses de 5,5 à 6 L. *Je vous conseille la prudence si vos ingrédients se retrouvent trop près du rebord supérieur, dans le cas des soupes et des ragoûts notamment, car vous courez le risque de voir le contenu bouillonner et se renverser sur le comptoir de la cuisine.* Gardez cette consigne à l'esprit en ajoutant les ingrédients, et n'oubliez pas que vous devrez peut-être apporter quelques ajustements selon le format de votre mijoteuse et le volume de vos ingrédients.

Dix conseils pour réussir vos plats à la mijoteuse

Voici quelques règles élémentaires à respecter. Ces dernières feront la différence entre un plat fabuleux et une recette moins bien réussie.

1. Ne soulevez pas le couvercle pendant la cuisson, ce qui ferait diminuer la température de manière significative et augmenter du coup le temps de cuisson. On estime que, chaque fois qu'on soulève le couvercle de la mijoteuse, il faut ajouter 20 minutes au temps de cuisson.

2. Remplissez toujours votre mijoteuse au moins à la moitié de sa capacité. Pour éviter les débordements pendant la cuisson, évitez de la remplir plus qu'aux deux tiers de sa capacité.

3. De manière générale, la quantité d'ingrédients pour les mijoteuses de 3,5 à 4 L peut être augmentée de moitié pour convenir aux modèles de 5,5 à 6 L. Cependant, plusieurs recettes ont déjà un volume d'ingrédients suffisant pour ces derniers modèles et n'ont pas besoin d'être adaptées.

4. Remarquez que certaines recettes demandent de faire cuire partiellement ou de faire brunir certains ingrédients avant de les déposer dans la mijoteuse. Le petit surplus de temps qu'entraîne cette étape

supplémentaire peut faire une énorme différence pour le goût, la texture et l'apparence du plat. Dans certains cas, cette étape peut être réalisée directement dans la mijoteuse, notamment pour ramollir de petites quantités de légumes lorsque ces derniers n'ont pas besoin d'être saisis.

5. Certaines recettes qui utilisent la cuisson rapide et des ingrédients fragiles vous demanderont d'ajouter ces derniers à la fin de la cuisson. Cette attention aux détails rapportera des dividendes lorsque viendra le temps de déguster le plat.

6. Puisque le couvercle demeure en place durant la préparation de la plupart des recettes, le liquide ne s'évapore pas autant que lors des préparations sur la cuisinière. Ainsi, en adaptant vos propres recettes pour la cuisson à la mijoteuse, vous découvriez que vous avez besoin d'une quantité moindre de liquide. S'il devait rester trop de liquide à la fin de la cuisson, vous pouvez retirer le couvercle et ajouter de 30 à 40 minutes de cuisson à forte intensité pour le réduire.

7. Faites toujours tremper les haricots secs ; ils se digéreront mieux et la cuisson sera de 8 heures au lieu de 18 heures.

8. Lorsque vous cuisinez des haricots secs, n'ajoutez pas de sel, de tomates ou d'autres ingrédients acides avant qu'ils aient ramolli, sinon ils resteront un peu durs. Lorsque les haricots sont cuits, videz l'eau de cuisson avant de les utiliser dans une recette, ce qui les rendra plus faciles à digérer.

9. Il existe deux façons d'ajouter des pâtes ou du riz aux recettes. Vous pouvez mettre des pâtes ou du riz crus durant la dernière heure de cuisson ou cuire le riz et les pâtes séparément avant de les ajouter au plat juste avant de servir. Je préfère cette dernière méthode car elle me permet d'obtenir la texture désirée. Les pâtes et le riz cuits à la mijoteuse sont souvent trop collants et farineux. De plus, l'un ou l'autre de ces ingrédients ajoutés dans la mijoteuse absorbera une bonne quantité de liquide et changera la texture du plat. Le riz à l'étuvée donne de meilleurs résultats lorsqu'on l'ajoute cru. Si vous préférez le riz brun, il est préférable de le cuire à part.

10. N'oubliez pas de lire les instructions du manufacturier pour l'entretien et le nettoyage de votre mijoteuse. Prenez-en soin et elle prendra soin de vous.

Le temps de cuisson des livres de recettes à la mijoteuse

Lorsque les mijoteuses sont apparues sur le marché, elles offraient des temps de cuisson de 8 à 10 heures qui convenaient parfaitement aux femmes actives ; les temps de cuisson étaient suffisants pour que les plats cuisent le jour pendant que les dames étaient au travail. Si ces temps conviennent pour certaines recettes, ils sont parfois trop longs pour d'autres. En évaluant les recettes de ce livre, mon équipe de vérification et moi-même avons trouvé que plusieurs recettes étaient prêtes à servir avant ce délai de 8 à 10 heures, même si certaines recettes auraient pu cuire une heure de plus sans problème. Plutôt que de respecter la tradition en indiquant le temps de cuisson le plus long, j'ai pensé qu'il valait mieux m'en tenir au temps de cuisson adéquat, en précisant toutefois que vous pourriez ajouter environ une heure de plus sans comprometre le résultat du plat ; vous pourrez alors sélectionner la fonction réchaud (*warm*) pendant une période additionnelle. Si cela ne vous donne toujours pas assez de temps pendant que vous n'êtes pas à la maison, la solution consiste à acheter une minuterie électrique. De cette façon, vous pourrez préparer les ingrédients la veille, réfrigérer le plat interne amovible, puis l'insérer dans la base le matin et régler la minuterie pour qu'elle mette la mijoteuse en marche jusqu'à deux heures après votre départ. Vous pourrez ainsi concocter des recettes, même celles de cuisson plus rapide, si vous devez sortir durant toute la journée.

En altitude

 Ceux qui cuisinent en altitude (plus de 1070 m ou 3500 pi) s'apercevront que les temps de cuisson à la mijoteuse s'avèrent un peu plus longs que les temps recommandés dans ce livre.

Les autres choses à savoir sur les mijoteuses

La mijoteuse n'est pas un objet magique. Il n'est pas nécessairement vrai que vous puissiez y jeter une poignée d'ingrédients, la mettre en marche et obtenir un repas fantastique. Certaines fois, cela peut fonctionner ; d'autres fois, non. Une certaine dose de bon sens, et parfois un petit effort supplémentaire, vous permettra d'obtenir d'excellents résultats avec votre mijoteuse.

Afin d'obtenir le maximum de saveur et la couleur la plus appétissante possible ou simplement pour accélérer la cuisson, il est important dans certains cas de faire sauter quelques-uns des ingrédients avant de les placer dans la mijoteuse. Les oignons en sont l'exemple parfait. Plusieurs recettes de ce livre demandent de faire ramollir les oignons dans un peu d'huile végétale. C'est une étape qui rapporte beaucoup et qui peut être exécutée la veille de la cuisson.

Pour réduire l'utilisation de vaisselle

Afin d'éviter de laver des chaudrons supplémentaires, vous pouvez faire ramollir les oignons et les légumes durs directement dans la mijoteuse. Pour ce faire, mettez l'huile et les légumes coriaces dans la mijoteuse, couvrez cette dernière et réglez-la à intensité élevée pendant que vous préparez le reste des ingrédients. Le temps requis variera en fonction de la grosseur et du volume des légumes utilisés. Par exemple, 15 ml (1 c. à table) d'ail émincé prendront 15 minutes à ramollir, tandis que 120 ml (1/2 tasse) d'oignon haché le feront en 30 minutes. Cette méthode ne sera pratique que si vous avez encore des petites tâches à accomplir dans la cuisine. Si vous êtes pressé, vous choisirez peut-être de salir un poêlon supplémentaire pour faire sauter les légumes sur la cuisinière pendant 5 minutes.

En revanche, il vaut mieux ajouter certains ingrédients fragiles à la fin de la cuisson ou au moment de servir afin que les saveurs ne se dissipent pas ou pour éviter que les ingrédients cuisent trop. Les herbes fraîches, qui perdent leur saveur si elles sont ajoutées trop tôt, constituent un bon exemple de ce type d'ingrédients. Les pâtes et le riz cuits doivent également être ajoutés à la fin du temps de cuisson afin de ne pas devenir mous et détrempés.

Un mot sur les temps de cuisson

La raison principale pour laquelle nous adorons nos mijoteuses, c'est qu'elles font cuire le repas du soir pendant que nous sommes absents durant toute la journée. De ce point de vue, les recettes qui cuisent pendant 8 heures seront particulièrement appréciées.

Celles qui demandent un tel temps de cuisson se font habituellement à feu doux, soit à faible intensité (100 °C ou 200 °F). Si vous réalisez la même recette à intensité élevée (150 °C ou 300 °F), la nourriture sera cuite deux fois plus rapidement. Chaque fois que c'est possible, je cuisine à faible intensité plutôt qu'à intensité élevée ; j'estime que la cuisson lente fait davantage ressortir les parfums des aliments. À moins d'indication contraire, la plupart des recettes de ce livre se font à feu doux (*low*), bien que vous puissiez régler la mijoteuse à intensité élevée (*high*) si le temps vous presse.

Même si certaines recettes requièrent chaque minute des 8 heures de cuisson, plusieurs plats seront pratiquement prêts à consommer après 6 heures seulement. Dans ces cas, j'ai indiqué un temps de cuisson de 6 à 8 heures pour les personnes qui ne peuvent se permettre d'attendre 8 heures. Inversement, si vous deviez être absent plus de 8 heures, plusieurs recettes supporteront très bien un court délai supplémentaire. Certains modèles de mijoteuse possèdent un réglage permettant de faire cuire les plats, pendant 6 à 8 heures par exemple, avant de basculer sur la fonction réchaud (*warm*). Ce genre de mijoteuse est idéal pour les personnes qui ne rentrent pas à la même heure tous les jours. Pour des raisons d'hygiène alimentaire, vous ne devez pas laisser vos

Prolonger les temps de cuisson

Si vous devez passer une journée exceptionnellement longue au travail, la dernière chose que vous avez envie de faire en revenant à la maison, c'est de préparer un repas. Qui plus est, la plupart des recettes pour la mijoteuse sont prêtes en 6 à 8 heures, alors que vous ne serez pas de retour avant une dizaine d'heures ! La solution ne se trouve pas plus loin que votre quincaillerie : branchez votre mijoteuse à une minuterie électrique et vous pourrez la faire démarrer jusqu'à 2 heures après votre départ de la maison. Une autre solution, moins technologique celle-là, consiste à préparer les ingrédients la veille et à les réfrigérer dans le plat interne en céramique. Avant de partir le matin, déposez le plat froid dans la mijoteuse que vous réglerez à faible intensité. Il faudra environ une heure supplémentaire avant que les ingrédients commencent à cuire, ce qui vous permettra de prolonger d'autant le temps de cuisson. Si votre modèle de mijoteuse possède un réglage réchaud (*warm*), il gardera votre repas au chaud jusqu'à ce que vous rentiez. Toutefois, souvenez-vous qu'il ne faut pas laisser la nourriture plus de 2 heures à la température ambiante.

aliments cuits pendant plus de 2 heures à la position réchaud. Si votre horaire impose un délai plus long, je vous suggère d'acheter une minuterie électrique sur laquelle vous brancherez votre mijoteuse. Vous pourrez régler le démarrage de l'appareil jusqu'à 2 heures après votre départ.

Certaines marques ou certains modèles cuisent plus rapidement que d'autres. Vous devrez probablement ajuster les temps de cuisson selon vos préférences. Les autres variables influençant les temps de cuisson sont la température des aliments au moment où vous commencez la cuisson (sont-ils à la température ambiante ou sortent-ils du réfrigérateur ?) et la grosseur des différents ingrédients à cuire.

Si les ingrédients sont froids lorsque vous commencez la cuisson dans la mijoteuse, le temps de cuisson sera plus long que s'ils sont à la température ambiante. Si la nourriture et le plat en céramique sont froids (ce qui sera le cas si vous avez préparé vos ingrédients la veille et les avez réfrigérés jusqu'au matin dans le plat en céramique), le temps de cuisson sera encore plus long. N'oubliez pas de tenir compte de ce délai supplémentaire (de 30 à 45 minutes) lorsque vous évaluerez vos temps de cuisson.

Les ingrédients végétariens

Puisque le livre que vous tenez entre vos mains se consacre à la cuisine végétarienne, vous n'y trouverez pas les recettes qui sont typiques à la mijoteuse, c'est-à-dire celles qui utilisent des coupes de viande économiques. Au lieu de cela, vous trouverez des recettes qui demandent différentes légumineuses, des céréales et des légumes. De plus, certaines recettes utilisent le tofu, le tempeh, le seitan et d'autres substituts de viande comme les saucisses et les burgers végétariens. Voici un bref aperçu des substituts de viande utilisés dans ce livre.

Tofu

Il faut d'abord savoir que le tofu (en chinois *doufu* et en japonais *tofu*) se présente sous différentes formes. Celui que l'on trouve en pot de 454 g (16 oz) dans les magasins d'aliments naturels et les supermarchés est appelé *tofu régulier* ou parfois *fromage de soja chinois*. Un autre type de tofu, que l'on retrouve souvent dans des contenants de 340 g (12 oz) hermétiques porte le nom de *tofu velouté* ou *tofu de style japonais*. Le tofu régulier et le velouté se trouvent sous différentes textures, allant de molle à très ferme.

Plus le tofu est mou, plus il contient d'eau. De façon générale, toutefois, le tofu velouté est plus moelleux et crémeux que le tofu régulier.

Puisque le tofu possède une texture délicate, il ne garde pas sa forme dans les recettes pour la mijoteuse, à moins de l'ajouter à la toute fin du temps de cuisson. Le type de recettes à la mijoteuse qui convient bien au tofu est celui où on l'incorpore aux autres ingrédients, par exemple dans les terrines, les lasagnes, les farces et les desserts. Les recettes qui utilisent le tofu régulier ne contiennent dans leur liste que le mot *tofu* (habituellement ferme ou extraferme), sans autres précisions. Par ailleurs, pour celles qui demandent le tofu velouté, il est fait mention de ce dernier dans la liste des ingrédients.

Le tofu régulier scellé se conservera au réfrigérateur jusqu'au moment de son utilisation (il faut cependant respecter la date de péremption indiquée sur l'emballage). Une fois que l'emballage est ouvert, le tofu doit être consommé le plus rapidement possible. Il se conservera de 3 à 5 jours au réfrigérateur s'il est gardé couvert d'eau fraîche dans un contenant hermétique.

Puisque le tofu est emballé avec de l'eau, il est important de l'égoutter avant de l'utiliser, sinon il risquera d'ajouter du liquide à votre recette. Après avoir égoutté le tofu, vous devriez même l'assécher avec un papier absorbant afin d'en retirer le maximum de liquide. Coupez le tofu en grosses tranches et déposez ces dernières sur une plaque de cuisson tapissée de deux ou trois épaisseurs de papier absorbant. Couvrez le tofu avec d'autres épaisseurs de papier que vous presserez délicatement. Pour obtenir de meilleurs résultats, placez une seconde plaque de cuisson sur le tofu couvert afin d'exercer une pression uniforme. Vous pouvez également déposer de lourdes boîtes de conserve sur la deuxième plaque et les laisser faire le travail à votre place. Le tout peut reposer 1 heure. Retirer l'excédent de liquide donnera une texture plus ferme au tofu et lui permettra d'absorber plus facilement les saveurs de votre recette.

Tempeh

Le tempeh, un produit élaboré à partir de graines de soja fermentées qui sont émincées pour former un pain, possède une texture caoutchouteuse qui rappelle la viande. Puisqu'il absorbe facilement les parfums des autres ingrédients, il est particulièrement indiqué pour les ragoûts et autres recettes pour la mijoteuse. Le tempeh peut être tranché, coupé en cubes ou râpé. Il est souhaitable de le faire sauter dans un peu d'huile avant de le déposer dans la mijoteuse, ce qui formera une belle croûte dorée qui donnera une allure plus appétissante au résultat.

Recherchez le tempeh dans la section des produits réfrigérés ou surgelés de votre magasin d'aliments naturels. Selon la marque de commerce, il se présente en paquets de 227 g (8 oz) ou de 340 g (12 oz). Conservez-le au réfrigérateur ou au congélateur. Tant que l'emballage n'est pas ouvert, le tempeh gardera sa fraîcheur pendant des semaines ou des mois (selon la date de péremption). Une fois l'emballage ouvert, il est préférable d'utiliser le tempeh dans les 3 à 4 jours suivants.

Seitan

Le seitan, un aliment riche en protéines, est préparé à base de gluten de blé. Sa texture, qui évoque celle de la viande, et son apparence en font un ingrédient polyvalent qui convient parfaitement bien à la mijoteuse. Le seitan absorbe les parfums des autres ingrédients et conserve son aspect durant la cuisson. Vous pouvez le couper en cubes pour les ragoûts et les soupes, le râper dans les chilis ou le trancher pour le braiser dans du vin ou un bouillon de légumes. Des pièces plus grosses peuvent être préparées comme un rôti.

Faire le seitan soi-même (recette à la page 141) est chose facile, mais demande beaucoup de temps parce qu'on doit le pétrir et le rincer plusieurs fois avant qu'il soit prêt pour la cuisson. C'est pourquoi, il vaut mieux en préparer une bonne quantité à la fois et en congeler des portions. La préparation du seitan demande de la patience et un peu de foi : pendant le processus, il ressemblera à une masse visqueuse de gluten ayant peu de chance de se raffermir. Finalement, il se transformera en une boule solide de gluten de blé riche en protéines. Si la fabrication du seitan maison vous rebute, il existe un produit conditionné nommé *Seitan Quick Mix* qu'il suffit de mélanger avec de l'eau pour obtenir sans effort du seitan frais. Vous pouvez également acheter du seitan précuit, que l'on trouve dans les magasins d'aliments naturels et les marchés asiatiques. Le seitan précuit du commerce doit être rincé et égoutté avant utilisation puisqu'il peut contenir une marinade qui ne se mariera pas très bien à votre recette.

Saucisses et burgers végétariens

En plus du tofu, du tempeh et du seitan, il existe d'autres substituts de viande commerciaux dans la section des produits surgelés. On y trouve des saucisses et burgers végétariens, et même des brisures de burger, qui ont la saveur et l'apparence du bœuf haché. Ces produits sont polyvalents et pratiques ; ils ont un bon goût et une belle texture. Puisqu'ils sont déjà cuits, il vaut mieux les ajouter à la fin du temps de cuisson dans vos recettes à la mijoteuse. Faites brunir les saucisses végétariennes avant de les déposer dans la mijoteuse, ce que vous n'avez pas besoin de faire pour les autres produits.

Substituts pour les œufs et les produits laitiers

Pour rendre mes recettes plus universelles, afin qu'elles conviennent également aux végétaliens, je précise les substituts pour les œufs et les produits laitiers. Ces produits de remplacement comprennent le lait de soja, la mozzarella de soja, le parmesan de soja et le fromage à la crème au tofu. Les crèmes glacées sans produits laitiers (comme celles de la marque Tofoutti) sont également suggérées. Je propose un mélange qui remplace les œufs, un produit en poudre qu'il faut mélanger avec de l'eau avant d'inclure dans les recettes. Le produit le plus facile à trouver se nomme Ener-G Egg Replacer. La plupart de ces ingrédients se trouvent dans les supermarchés bien garnis et les magasins d'aliments naturels.

Les hors-d'œuvre
et les casse-croûte

• • •

Les hors-d'œuvre ne sont pas nécessairement les premiers plats qui nous viennent à l'esprit lorsque nous pensons à la mijoteuse. Il n'en demeure pas moins que cette dernière adore les petites fêtes !

Lorsque vous attendez des invités, votre mijoteuse peut vous aider de plusieurs manières. Tout d'abord, elle peut être utilisée comme un réchaud. Placez-la sur la table du buffet pour garder les trempettes et les autres aliments chauds pendant la fête. Ensuite, en utilisant une grille ou un dessous-de-plat et en versant 2,5 à 5 cm (1 à 2 po) d'eau, vous pourrez vous servir de votre mijoteuse pour préparer des pâtés et des terrines pendant que vous ferez cuire autre chose au four. La mijoteuse est aussi utile pour libérer un rond de la cuisinière lorsque vous préparez une variété d'amuse-gueules. Certains de mes amuse-gueules favoris, tels les *dolmas* et les *caponatas*, profiteront de la cuisson lente à la mijoteuse. De surcroît, cette dernière est idéale pour la préparation de nombreux casse-croûte, comme les noix épicées et les préparations de fantaisie, qui autrement demanderaient une surveillance constante pour ne pas brûler.

Terrine de haricots blancs et de tomates séchées

Servez cette terrine avec des craquelins ou des légumes crus ou tartinez-en des tranches grillées de pain italien ou d'une baguette. Si vous n'avez pas grille qui peut s'insérer dans votre mijoteuse, un simple plat allant au four ou un ramequin fera l'affaire.

Format de la mijoteuse :
6 L

Temps de cuisson :
4 h

Intensité : faible

Donne 6 à 8 portions

120 ml (1/2 tasse) de tomates séchées
Eau bouillante autant que nécessaire
15 ml (1 c. à table) d'huile d'olive
1 petit oignon jaune haché
1 gousse d'ail émincée
120 ml (1/2 tasse) d'amandes entières mondées
720 ml (3 tasses) de *cannellinis* cuits à la mijoteuse (page 107) ou 2 boîtes de 440 g (15 1/2 oz) de *cannellinis* ou d'autres haricots blancs en conserve, rincés et égouttés
30 ml (2 c. à table) de persil frais ciselé
Sel, et poivre du moulin

1.   Déposez les tomates dans un bol à l'épreuve de la chaleur et couvrez-les d'eau bouillante. Laissez-les ramollir pendant 30 minutes. Égouttez et réservez 120 ml (1/2 tasse) du liquide de trempage.
2.   Dans un poêlon de format moyen, faites suer l'oignon et l'ail dans l'huile à feu moyen pendant 5 minutes. Réservez.
3.   Hachez grossièrement les amandes au robot culinaire. Ajoutez les haricots, les tomates égouttées et le liquide de trempage réservé, le mélange d'oignon et d'ail, et le persil. Salez et poivrez. Actionnez le robot jusqu'à l'obtention d'un mélange homogène.
4.   Huilez légèrement une terrine de 1 L (4 tasses) ou un petit moule (selon la forme de votre mijoteuse). Transvasez le mélange dans le moule, pressez-le et lissez-en la surface. Couvrez d'un papier d'aluminium dans lequel vous ferez plusieurs trous afin de permettre à la vapeur de s'échapper. Déposez le moule ou la terrine sur une grille ou un dessous-de-plat dans la mijoteuse de 6 L. Ajoutez 2,5 cm (1 po) d'eau au fond de la mijoteuse. Couvrez la mijoteuse, réglez-la à faible intensité et laissez cuire pendant 4 heures.
5.   Retirez le moule de la mijoteuse et laissez-le refroidir complètement avant de démouler la terrine. Réfrigérez pendant plusieurs heures, voire toute la nuit, avant de servir. Servez froid ou à la température ambiante.

Pâté aux épinards, à l'ail et aux pignons

Ce pâté a une saveur qui rappelle le *spanakopita*, mais sans la pâte filo. On peut le présenter tel quel pour tartiner des craquelins ou en servir des tranches en entrée.

Format de la mijoteuse :
6 L

Temps de cuisson :
4 h

Intensité : faible

Donne 6 à 8 portions

1 paquet de 283 g (10 oz) d'épinards hachés surgelés, décongelés

15 ml (1 c. à table) d'huile d'olive

2 gousses d'ail émincées

227 g (8 oz) de tofu extraferme bien égoutté

360 ml (1 1/2 tasse) de *cannellinis* cuits à la mijoteuse (page 107) ou 1 boîte de 440 g (15 1/2 oz) de *cannellinis* ou d'autres haricots blancs en conserve, rincés et égouttés

120 ml (1/2 tasse) de pignons rôtis (voir encadré) hachés grossièrement

15 ml (1 c. à table) de jus de citron frais

5 ml (1 c. à thé) de graines d'aneth broyées

Sel, et poivre du moulin

Comment rôtir les pignons

Faites dorer les pignons dans un poêlon sans matière grasse, à feu moyen, en remuant constamment. Retirez-les immédiatement de la poêle pour éviter qu'ils ne brunissent.

1.   Faites cuire les épinards selon le mode d'emploi inscrit sur le paquet. Égouttez-les bien pour retirer le surplus de liquide. Vous pouvez les presser dans un torchon propre. Réservez.

2.   Dans un poêlon de format moyen, faites revenir l'ail dans l'huile à feu moyen pendant 30 secondes. Ajoutez les épinards et faites cuire jusqu'à ce que tout le liquide se soit évaporé.

3.   Dans un robot culinaire, combinez le mélange d'épinards, le tofu, les haricots blancs, les pignons, le jus de citron et l'aneth. Salez et poivrez. Actionnez le robot et mélangez jusqu'à l'obtention d'une texture homogène.

4.   Huilez légèrement un moule à pain ou un moule à charnière de 17,5 cm (7 po), selon la forme de votre mijoteuse. Transvidez le mélange dans le moule, pressez-le et lissez-en la surface. Couvrez d'un papier d'aluminium dans lequel vous ferez plusieurs trous afin de permettre à la vapeur de s'échapper. Déposez le moule ou la terrine sur une grille ou un dessous-de-plat dans la mijoteuse de 6 L. Ajoutez 2,5 cm (1 po) d'eau au fond de l'appareil. Couvrez la mijoteuse, réglez-la à faible intensité et laissez cuire pendant 4 heures.

5.   Retirez le moule de la mijoteuse et laissez-le refroidir complètement avant de démouler. Réfrigérez pendant plusieurs heures, voire toute la nuit, avant de servir. Servez froid ou à la température ambiante.

Pâté de campagne végétarien

J'aime la saveur robuste de ce pâté de campagne fait d'aubergine, de lentilles, de noix et de tofu. Vous obtiendrez de meilleurs résultats si vous préparez le pâté à l'avance et que vous le réfrigérez pendant la nuit.

Format de la mijoteuse :
6 L

Temps de cuisson :
4 h

Intensité : faible

Donne 6 à 8 portions

1 aubergine de grosseur moyenne, pelée et tranchée
15 ml (1 c. à table) d'huile d'olive
1 petit oignon jaune haché
2 gousses d'ail émincées
480 ml (2 tasses) de lentilles brunes cuites et bien égouttées
240 ml (1 tasse) de noix de Grenoble finement hachées
80 ml (1/3 tasse) de beurre de sésame (tahini)
240 ml (1 tasse) de tofu ferme égoutté
30 ml (2 c. à table) de tamari ou autre sauce soja
30 ml (2 c. à table) de persil frais ciselé
5 ml (1 c. à thé) de thym séché
5 ml (1 c. à thé) de paprika doux
1,25 ml (1/4 c. à thé) de piment de la Jamaïque
0,50 ml (1/8 c. à thé) de piment de Cayenne broyé
Sel, et poivre du moulin
30 ml (2 c. à table) de farine tout usage

1. Préchauffez le four à 190 °C (375 °F). Déposez les tranches d'aubergine sur une tôle à biscuits légèrement huilée. Faites-les cuire environ 20 minutes jusqu'à ce qu'elles ramollissent, en les retournant à mi-cuisson. Laissez refroidir.
2. Dans un poêlon de format moyen, faites revenir l'oignon et l'ail dans l'huile à feu moyen pendant 5 minutes.
3. Déposez le mélange d'oignon avec l'aubergine dans un robot culinaire. Ajoutez les autres ingrédients, sauf la farine, et mélangez quelques secondes. Goûtez et, au besoin, rectifiez l'assaisonnement. Incorporez la farine.
4. Huilez légèrement un moule à pain ou un moule à charnière de 17,5 cm (7 po), selon la forme de votre mijoteuse. Mettez le mélange à pâté dans le moule, pressez-le et lissez-en la surface. Couvrez d'un papier d'aluminium dans lequel vous ferez des trous afin de permettre à la vapeur de s'échapper. Déposez le moule ou la terrine sur une grille ou un dessous-de-plat dans une mijoteuse de 6 L. Ajoutez 2,5 cm (1 po) d'eau au fond de l'appareil. Couvrez, réglez la mijoteuse à faible intensité et laissez cuire pendant 4 heures.
5. Retirez le moule de la mijoteuse et laissez refroidir complètement avant de démouler. Réfrigérez pendant plusieurs heures, voire toute la nuit, avant de servir.

Gâteau au fromage garni de chutney de tofu

Ce savoureux mélange à tartiner m'a été inspiré par un hors-d'œuvre au brie garni de chutney que je servais lorsque je travaillais dans le domaine de la restauration. Il parera à merveille votre table de buffet et aura un goût exquis sur des craquelins légers et croustillants.

Format de la mijoteuse :
6 L

Temps de cuisson :
4 h

Intensité : faible

Donne 12 portions

240 ml (1 tasse) de noix de cajou crues non salées et hachées finement
1 paquet de 227 g (8 oz) de fromage à la crème régulier ou au tofu
1 paquet de 227 g (8 oz) de tofu velouté
15 ml (1 c. à table) de fécule de maïs
15 ml (1 c. à table) de poudre de cari
5 ml (1 c. à thé) de sel
1,25 ml (1/4 c. à thé) de piment de Cayenne broyé
240 ml (1 tasse) de chutney parfumé à la mangue

1. Préchauffez le four à 200 °C (400 °F). Huilez légèrement un moule à charnière de 17,5 cm (7 po). Saupoudrez les noix de cajou au fond du moule et pressez-les pour former une croûte uniforme. Faites cuire la croûte au four environ 5 minutes ou jusqu'à ce qu'elle soit légèrement dorée. Faites attention à ne pas faire brûler les noix. Retirez du four et réservez.
2. Au robot culinaire ou avec un mélangeur manuel, battez le fromage à la crème jusqu'à ce qu'il soit en pommade. Ajoutez le tofu, la fécule de maïs, la poudre de cari, le sel et le piment de Cayenne broyé, et mélangez jusqu'à l'obtention d'une texture homogène. Répartissez le mélange uniformément dans le moule tapissé de la croûte. Couvrez d'un papier d'aluminium dans lequel vous ferez plusieurs trous afin de permettre à la vapeur de s'échapper. Déposez le moule sur une grille, un dessous-de-plat ou un petit bol à l'épreuve de la chaleur dans une mijoteuse de 6 L. Ajoutez 2,5 cm (1 po) d'eau bouillante au fond de la mijoteuse. Couvrez, réglez la mijoteuse à faible intensité et laissez cuire pendant 4 heures.
3. Retirez le moule de la mijoteuse, enlevez le papier d'aluminium et laissez refroidir. Une fois le gâteau refroidi, réfrigérez-le pendant plusieurs heures, voire toute la nuit. Laissez-le refroidir complètement avant de le démouler.
4. Pour le service, détacher le gâteau de la paroi du moule à l'aide d'un couteau, si nécessaire. Garnissez de chutney.

Crostinis à la duxelles parfumée au thym

La première fois que j'ai préparé de la duxelles — un mijoté de champignons, d'échalotes et d'herbes —, je me suis demandé si tout ce remue-ménage en valait vraiment la peine ; après tout, ce ne sont que des champignons. Une fois que j'y eus goûté, j'en suis cependant devenue une adepte. Lorsque vous préparez la druxelles à la mijoteuse, vous avez accès au meilleur des deux mondes : un produit savoureux et la liberté de faire autre chose pendant que les champignons cuisent sans surveillance. Si vous n'utilisez pas toute la duxelles sur les crostinis, ajoutez le reste à des sauces et des ragoûts ou utilisez-le pour préparer des farces ou un délicieux risotto aux champignons. La duxelles se conservera jusqu'à une semaine si elle est réfrigérée dans un contenant hermétique.

Format de la mijoteuse :
4 L

Temps de cuisson :
6 à 8 h

Intensité : faible

Donne environ 600 ml (2 1/2 tasses)

60 ml (1/4 tasse) d'huile d'olive
3 échalotes françaises de grosseur moyenne hachées
908 g (2 lb) de champignons blancs, pieds enlevés, nettoyés
10 ml (2 c. à thé) de thym frais ciselé ou 5 ml (1 c. à thé) de thym séché
2,5 ml (1/2 c. à thé) de sel
Poivre du moulin
60 ml (1/4 tasse) de fromage à la crème régulier ou au tofu
45 ml (3 c. à table) de vin blanc sec
1 baguette découpée en tranches à griller

1. Mettez l'huile et les échalotes françaises dans la mijoteuse de 4 L. Couvrez la mijoteuse, réglez-la à intensité élevée et faites suer les échalotes pendant que vous préparez les champignons.

2. En utilisant un robot culinaire ou un couteau, hachez grossièrement les champignons. Déposez-les dans la mijoteuse et maintenant réglez cette dernière à faible intensité. Couvrez-la de nouveau et laissez cuire de 6 à 8 heures ou jusqu'à ce que les champignons soient très tendres.

3. Une fois les champignons cuits, retirez l'excédent de liquide que vous réserverez pour une autre recette.

4. Transvidez le mélange de champignons dans un robot culinaire. Ajoutez le thym, le sel et le poivre, et mélangez bien. Incorporez ensuite le fromage à la crème et le vin blanc. Goûtez et, au besoin, rectifiez l'assaisonnement.

5. Pour servir, tartinez la duxelles sur les morceaux de pain grillés. Vous pouvez également présenter la duxelles dans un bol et laisser les convives tartiner leur pain eux-mêmes.

Feuilles de vigne farcies

Traditionnellement nommés « dolmades », ces petits balluchons sont confectionnés avec des feuilles de vigne que l'on peut trouver dans les épiceries fines et les supermarchés bien garnis. Vous risquez de brûler les dolmades si vous les préparez sur la cuisinière. La mijoteuse élimine cependant ce problème.

Format de la mijoteuse :
3,5 à 4 L

Temps de cuisson :
4 à 6 h

Intensité : faible

Donne environ 24 dolmades

1 pot de 454 g (1 lb) de feuilles de vigne, égouttées
30 ml (2 c. à table) d'huile d'olive
1 petit oignon jaune émincé
2 gousses d'ail émincées
180 ml (3/4 tasse) de riz basmati cru
60 ml (1/4 tasse) de pignons rôtis (page 28)
2,5 ml (1/2 c. à thé) de piment de la Jamaïque
480 ml (2 tasses) de bouillon de légumes
  (voir « Remarques sur le bouillon de légumes », page 44)
Sel, et poivre du moulin
30 ml (2 c. à table) de persil frais ciselé
15 ml (1 c. à table) de jus de citron frais

1. Rincez les feuilles de vigne à l'eau courante. Asséchez-les et retirez-en les tiges. Réservez.

2. Dans un poêlon de format moyen, à feu moyen, faites revenir l'oignon et l'ail dans 15 ml (1 c. à table) d'huile pendant environ 5 minutes. Incorporez le riz, les pignons, le piment de la Jamaïque et 240 ml (1 tasse) de bouillon. Salez et poivrez. Couvrez et laissez mijoter pendant environ 20 minutes, en remuant de temps à autre, ou jusqu'à ce que le liquide se soit évaporé et que le riz soit juste tendre. Transvasez la farce dans un bol, incorporez le persil et laissez refroidir.

3. Déposez une feuille de vigne sur un plan de travail, le côté lustré vers le bas, la base de la tige pointant vers vous. Déposez 15 ml (1 c. à table) du mélange de riz près de la tige et pliez les côtés de la feuille sur la farce. Roulez la feuille vers l'avant, fermement mais sans trop la serrer. Répétez jusqu'à ce que toutes les feuilles et toute la farce soient utilisées.

4. Empilez les feuilles farcies dans une mijoteuse de 3,5 à 4 L. Versez sur les feuilles la dernière tasse de bouillon, 15 ml (1 c. à table) d'huile d'olive et le jus de citron. Ajoutez une petite quantité d'eau si nécessaire, de façon à tout juste couvrir les dolmades. Couvrez la mijoteuse, réglez-la à faible intensité et laissez cuire de 4 à 6 heures.

5. Retirez le couvercle de la mijoteuse et laissez refroidir. Après avoir égoutté les feuilles de vigne, placez-les dans un plat de service. Servez les dolmades à la température ambiante.

Caponata

Ce mélange aigre-doux à l'aubergine provient du sud de l'Italie. On peut le déguster comme accompagnement ou dans un plateau d'hors-d'œuvre à l'italienne (antipasto). Délicieuse à la température ambiante, la caponata fait aussi merveille sur des craquelins, des crostinis ou des pâtes. Préparez la caponata au moins quelques heures à l'avance ou la veille afin que les saveurs aient le temps de se mélanger.

Format de la mijoteuse :

4 L

Temps de cuisson :

6 h

Intensité : faible

Donne 6 portions

30 ml (2 c. à table) d'huile d'olive
1 petit oignon jaune haché
1 branche de céleri émincée
1 grosse aubergine pelée et coupée en dés
1 poivron rouge ou vert de grosseur moyenne, épépiné
  et coupé en dés
3 gousses d'ail émincées
1 boîte de 411 g (14 1/2 oz) de tomates en conserve en dés,
  égouttées et hachées
15 ml (1 c. à table) de pâte de tomates
30 ml (2 c. à table) de vinaigre de vin rouge
15 ml (1 c. à table) de sucre
2,5 ml (1/2 c. à thé) de basilic séché
1,25 ml (1/4 c. à thé) d'origan séché
1,25 ml (1/4 c. à thé) de piment de Cayenne broyé (ou au goût)
Sel, et poivre du moulin
80 ml (1/3 tasse) d'olives noires égouttées, dénoyautées
  et émincées
15 ml (1 c. à table) de câpres égouttées et hachées
15 ml (1 c. à table) de persil frais ciselé

1. Dans un poêlon de format moyen, à feu moyen et à couvert, faites sauter l'oignon et le céleri dans l'huile environ 5 minutes. Ajoutez l'aubergine, couvrez et faites cuire environ 5 minutes de plus en remuant occasionnellement jusqu'à ce que l'aubergine commence à ramollir.
2. Transvasez le mélange dans une mijoteuse de 4 L. Ajoutez le poivron, l'ail, les tomates, la pâte de tomates, le vinaigre, le sucre, le basilic, l'origan et le piment de Cayenne broyé. Salez et poivrez. Couvrez la mijoteuse, réglez-la à faible intensité et laissez cuire 6 heures ou jusqu'à ce que les légumes soient tendres mais gardent leur forme.
3. Lorsque les légumes sont cuits, ajoutez les olives, les câpres et le persil. Goûtez et, au besoin, rectifiez l'assaisonnement. Mettez la caponata dans un bol et laissez refroidir. Servez à la température ambiante. Si vous ne servez pas immédiatement, couvrez le bol et réfrigérez-le jusqu'au moment de servir.

Confit de tempeh et d'échalotes

Un confit est traditionnellement fait d'ingrédients qui mijotent dans un gras animal. Cette version utilise l'huile d'olive pour faire cuire le tempeh et les échalotes à la mijoteuse. En raison de sa saveur intense et franche, il n'en faut pas nécessairement une grande quantité pour satisfaire vos convives. Déposez le confit sur des craquelins ou du pain grillé, ou servez-le pour accompagner le « Cassoulet facile aux haricots blancs» (page 114).

Format de la mijoteuse :
1 à 1,5 L

Temps de cuisson :
4 h

Intensité : faible

**Donne environ 480 ml
(2 tasses)**

60 ml (1/4 tasse) d'huile d'olive
4 échalotes françaises émincées
227 g (8 oz) de tempeh haché grossièrement
30 ml (2 c. à table) de vinaigre de cidre
30 ml (2 c. à table) de cassonade blonde tassée
  ou d'un édulcorant naturel
Sel, et poivre du moulin

1. Dans un poêlon de format moyen, à feu moyen et à couvert, faites suer les échalotes dans 30 ml (2 c. à table) d'huile pendant environ 5 minutes.

2. Transvidez les échalotes dans la mijoteuse de 1 à 1,5 L et réglez-la à intensité élevée. Ajoutez le reste de l'huile, le tempeh, le vinaigre et la cassonade. Salez et poivrez. Couvrez la mijoteuse, réglez-la maintenant à faible intensité et laissez cuire environ 4 heures ou jusqu'à ce que le mélange devienne épais et sirupeux.

3. Transvasez dans un bol et laissez refroidir. Servez froid ou à la température ambiante. Réfrigérez le reste du confit dans un contenant hermétique.

Note : En raison du faible volume de cette recette, il est préférable d'utiliser une mijoteuse de 1 à 1,5 L.

Trempette épicée au chili

Cette trempette, facile à réaliser, est idéale pour vos petites réceptions. Vous pouvez la faire et la servir dans la mijoteuse où elle restera chaude pendant des heures sans brûler.

Format de la mijoteuse :
1 à 1,5 L

Temps de cuisson :
2 h

Intensité : faible

**Donne environ 840 ml
(3 1/2 tasses)**

480 ml (2 tasses) de brisures de burger végétarien surgelées ou 3 burgers végétariens surgelés, dégelés et émiettés ou hachés
180 ml (3/4 tasse) de salsa (au choix)
15 ml (1 c. à table) de poudre de chili
1,25 ml (1/4 c. à thé) de piment de Cayenne broyé
120 ml (1/2 tasse) de fromage cheddar ou de cheddar de soja râpé
Sel
45 ml (3 c. à table) de chilis verts en conserve coupés en dés
45 ml (3 c. à table) d'olives noires en lamelles
Croustilles de maïs

1. Déposez les brisures de burger, la salsa, la poudre de chili, le piment de Cayenne broyé, le fromage et le sel dans une mijoteuse de 1 à 1,5 L. Mélangez le tout. Couvrez la mijoteuse, réglez-la à faible intensité et laissez cuire pendant 2 heures.
2. Au moment de servir, retirez le couvercle et ajoutez les chilis et les olives. Servez chaud avec des croustilles de maïs.

Note : En raison du faible volume de cette recette, il est préférable d'utiliser une mijoteuse de 1 à 1,5 L.

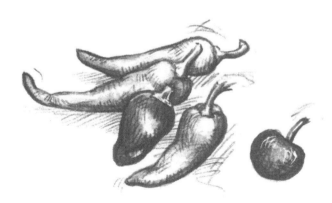

Trempette piquante aux artichauts

Une généreuse portion de tabasco donne du piquant à cette trempette habituellement douce. Cette version utilise des cœurs d'artichauts nature et des cœurs d'artichauts marinés pour obtenir une saveur plus harmonieuse. Laissez la trempette directement dans la mijoteuse, et réglez cette dernière à faible intensité pour maintenir la température adéquate de service pendant des heures. Servez-la avec des craquelins ou des tranches de baguette légèrement grillées.

Format de la mijoteuse :
1 à 1,5 L

Temps de cuisson :
2 h

Intensité : faible

**Donne environ 840 ml
(3 1/2 tasses)**

1 paquet de 255 g (9 oz) de cœurs d'artichauts surgelés, cuits (selon le mode d'emploi du paquet) et égouttés

1 pot de 227 g (8 oz) de cœurs d'artichauts marinés, égouttés et hachés

1 paquet de 227 g (8 oz) de fromage à la crème régulier ou au tofu à la température ambiante

4 oignons verts émincés

120 ml (1/2 tasse) de parmesan frais ou de parmesan au soja râpé

15 ml (1 c. à table) de jus de citron frais

2,5 ml (1/2 c. à thé) de tabasco (ou au goût)

Sel

1. Hachez grossièrement les cœurs d'artichauts, puis déposez-les dans un bol de format moyen. Ajoutez le fromage à la crème, les oignons verts, le parmesan, le jus de citron et le tabasco. Salez et mélangez bien.

2. Huilez légèrement le plat interne de la mijoteuse et répartissez-y la préparation uniformément. Couvrez la mijoteuse, réglez-la à faible intensité et laissez cuire pendant 2 heures.

Note : En raison du faible volume de cette recette, il est préférable d'utiliser une mijoteuse de 1 à 1,5 L.

Pacanes cajun

Ayez cet amuse-gueule sous la main lorsque des invités se pointent à l'improviste : il fait merveille avec une bière fraîche. Si vous le préférez moins épicé, réduisez la quantité de poudre de chili et de piment de Cayenne broyé.

Format de la mijoteuse :
3,5 à 4 L

Temps de cuisson :
2 h 45

Intensité : élevée pour 15 min ; faible pour 2 h 30

**Donne environ 1 L
(4 tasses)**

**454 g (1 lb) de cerneaux de pacanes crues non salées
(environ 1 L ou 4 tasses)**
60 ml (1/4 tasse) d'huile d'olive
15 ml (1 c. à table) de poudre de chili
5 ml (1 c. à thé) de thym séché
5 ml (1 c. à thé) de sel
2,5 ml (1/2 c. à thé) d'origan séché
2,5 ml (1/2 c. à thé) de poudre d'oignon
1,25 ml (1/4 c. à thé) de poudre d'ail
1,25 ml (1/4 c. à thé) de sel de céleri
1,25 ml (1/4 c. à thé) de piment de Cayenne broyé

1. Mélangez les pacanes et l'huile dans une mijoteuse de 3,5 à 4 L, de façon à bien enrober les pacanes. Couvrez la mijoteuse, réglez-la à intensité élevée et laissez cuire pendant 15 minutes.
2. Dans un petit bol, mélangez les herbes et les épices. Retirez le couvercle de la mijoteuse, saupoudrez le mélange sur les pacanes pour bien les enduire. Réglez la mijoteuse à faible intensité et laissez cuire à découvert pendant 2 heures 30 en remuant de temps à autre.
3. Répartissez les noix en une seule couche sur une plaque à pâtisserie et laissez refroidir complètement. Une fois que les pacanes seront refroidies, vous pourrez les conserver dans un contenant hermétique au réfrigérateur jusqu'au moment de les utiliser. Servez-les tièdes ou à la température ambiante. Bien entreposées, elles se conserveront jusqu'à 4 semaines au réfrigérateur et de 2 à 3 mois au congélateur.

Noix au gingembre

J'aime préparer à l'avance ces noix pour le temps des fêtes. Elles font de jolis cadeaux lorsqu'on les offre dans un pot décoré d'un ruban. Le gingembre confit se vend en petits morceaux. Utilisez un moulin à épices pour le moudre.

Format de la mijoteuse :
3,5 à 4 L

Temps de cuisson :
2 h 15

Intensité : élevée pour 15 min ; faible pour 2 h

Donne environ 1 L (4 tasses)

454 g (1 lb) de cerneaux de noix de Grenoble crues non salées (environ 1 L ou 4 tasses)
60 ml (1/4 tasse) d'huile de maïs ou d'une autre huile au goût discret
80 ml (1/3 tasse) de cassonade blonde tassée
15 ml (1 c. à table) de gingembre confit moulu
5 ml (1 c. à thé) de cannelle moulue
2,5 ml (1/2 c. à thé) de piment de la Jamaïque moulu

1.   Mélangez les noix et l'huile dans la mijoteuse de 3,5 à 4 L de façon à bien enrober les noix. Tout en remuant bien, ajoutez la cassonade. Couvrez la mijoteuse, réglez-la à intensité élevée et laissez cuire pendant 15 minutes. Réglez ensuite la mijoteuse à faible intensité et laissez cuire à découvert pendant environ 2 heures en remuant de temps à autre jusqu'à ce que les noix soient glacées.

2.   Dans un petit bol, mélangez le gingembre, la cannelle et le piment de la Jamaïque. Saupoudrez ce mélange sur les noix, en remuant pour bien le distribuer. Répartissez les noix en une seule couche sur une plaque à pâtisserie et laissez refroidir complètement. Ces noix se conserveront dans un contenant hermétique jusqu'à 1 mois au réfrigérateur et de 2 à 3 mois au congélateur.

Amandes au tamari

Ces amandes vous coûteront moins cher que celles que vous achetez habituellement au supermarché. De plus, vous pouvez utiliser un tamari à faible teneur en sodium.

Format de la mijoteuse :
3,5 à 4 L

Temps de cuisson :
2 h 45

Intensité : élevée pour 15 min ; faible pour 2 h 30

Donne environ 1 L (4 tasses)

454 g (1 lb) d'amandes entières crues non salées (environ 1 L ou 4 tasses)
45 ml (3 c. à table) d'huile d'arachide
45 ml (3 c. à table) de tamari
0,50 ml (1/8 c. à thé) de piment de Cayenne broyé

1. Mélangez tous les ingrédients dans la mijoteuse de 3,5 à 4 L en remuant le tout de façon à bien enrober les amandes. Couvrez la mijoteuse, réglez-la à intensité élevée et laissez cuire pendant 15 minutes. Retirez le couvercle, réglez ensuite la mijoteuse à faible intensité et laissez cuire à découvert pendant 2 heures 30 en remuant de temps à autre.

2. Répartissez les amandes en une seule couche sur une plaque à pâtisserie et laissez refroidir complètement. Une fois que les amandes seront refroidies, vous pourrez les garder dans un contenant hermétique au réfrigérateur jusqu'au moment de les utiliser. Servez-les tièdes ou à la température ambiante. Bien entreposées, elles se conserveront jusqu'à 1 mois au réfrigérateur et de 2 à 3 mois au congélateur.

Mélange de randonnée Santa Fe

À votre prochaine petite fête, essayez cette version du fameux mélange montagnard qui nous vient du sud-ouest des États-Unis. Utilisez le sel d'ail ou le sel de céleri selon votre préférence. Vous pouvez même employer un peu des deux si vous le désirez.

Format de la mijoteuse :
3,5 à 4 L

Temps de cuisson :
3 h

Intensité : faible

Donne environ 2 L (8 1/2 tasses)

480 ml (2 tasses) de croustilles de maïs (comme les Fritos)
480 ml (2 tasses) d'arachides rôties non salées
480 ml (2 tasses) de bretzels en petits bâtons
360 ml (1 1/2 tasse) de carrés de céréales de maïs croustillantes
240 ml (1 tasse) de graines de citrouille
80 ml (1/3 tasse) d'huile de maïs
60 ml (1/4 tasse) de cassonade blonde tassée
30 ml (2 c. à table) de tamari ou d'une autre sauce soja
15 ml (1 c. à table) de poudre de chili (ou au goût)
5 ml (1 c. à thé) de sel d'ail ou de sel de céleri (ou au goût)

1. Dans un grand bol, mélangez les croustilles de maïs, les arachides, les bretzels, les céréales et les graines de citrouille.
2. Dans un autre bol, fouettez l'huile, la cassonade, le tamari, la poudre de chili et le sel d'ail. Versez le mélange liquide sur le mélange sec tout en remuant délicatement pour bien le répartir.
3. Mettez le mélange dans la mijoteuse de 3,5 à 4 L. Réglez-la à faible intensité et laissez cuire à découvert pendant 3 heures tout en remuant de temps à autre.
4. Répartissez le mélange en une seule couche sur une plaque à pâtisserie et laissez-le refroidir complètement. Réfrigérez-le dans un contenant hermétique jusqu'au moment de l'utiliser. Bien entreposé, il se conservera plusieurs semaines.

Mélange festif de style asiatique

Les craquelins de riz asiatiques, les pois rôtis et l'amanori (l'algue utilisée pour fabriquer les sushis) se trouvent dans les marchés asiatiques, les magasins d'aliments naturels et les supermarchés bien garnis.

Format de la mijoteuse :
3,5 à 4 L

Temps de cuisson :
3 h

Intensité : faible

Donne environ 2 L (8 1/2 tasses)

720 ml (3 tasses) de carrés de céréales de riz croustillantes
480 ml (2 tasses) de petits craquelins de riz asiatiques
480 ml (2 tasses) de graines de soja rôties
360 ml (1 1/2 tasse) de pois rôtis (réguliers ou assaisonnés au wasabi)
30 ml (2 c. à table) de graines de sésame
120 ml (1/2 tasse) de sirop de riz brun
60 ml (1/4 tasse) d'huile de sésame grillé
30 ml (2 c. à table) d'huile d'arachide
30 ml (2 c. à table) de tamari ou d'une autre sauce soja
30 ml (2 c. à table) de cassonade blonde tassée
1 feuille d'amanori

1. Dans un grand bol, mélangez les céréales, les craquelins, les graines de soja, les pois et les graines de sésame.

2. Dans une casserole de format moyen, mélangez le sirop, les huiles, le tamari et la cassonade. Faites cuire 5 minutes à feu moyen en remuant jusqu'à ce que la cassonade soit fondue et que le mélange soit chaud. Tout en remuant doucement pour bien combiner les ingrédients, versez la préparation liquide sur le mélange sec.

3. Transvasez le mélange dans la mijoteuse de 3,5 à 4 L. Réglez la mijoteuse à faible intensité et laissez cuire à découvert pendant 3 heures en remuant de temps à autre.

4. Répartissez le mélange en une seule couche sur une plaque à pâtisserie et laissez refroidir complètement. Gardez-le dans un contenant hermétique jusqu'au moment de l'utiliser. Bien entreposé, le mélange se conservera plusieurs semaines.

5. Juste avant de servir, utilisez des ciseaux pour couper la feuille d'amanori en bandes de 2,5 cm (1 po) dans le sens de la longueur. Coupez de nouveau les bandes en pièces de 1/4 de po (0,6 cm) de longueur. Incorporez l'amanori au mélange et servez. Une fois que les bandes d'amanori seront ajoutées, le mélange devra être consommé dans les heures qui suivent.

Les potages et les soupes

• • •

Grâce à la mijoteuse, les soupes maison n'ont plus à n'être qu'un vague souvenir de celles que préparait votre grand-mère. Même les personnes qui ont un horaire chargé et une vie mouvementée peuvent maintenant apprécier le simple plaisir d'une bonne soupe chaude faite maison.

Les soupes et les mijoteuses forment une combinaison parfaite : vous n'avez qu'à réunir vos ingrédients, mettre l'appareil en marche et ne plus y penser jusqu'à l'heure du souper. Lorsque vous plongerez votre louche dans un somptueux bouillon relevé d'ingrédients frais, vous aurez l'impression d'avoir cuisiné toute la journée.

Les recettes de soupes pour la mijoteuse sont les plus malléables de toutes. Vous pouvez ajouter, augmenter ou omettre certains ingrédients, selon votre goût, et la soupe a de fortes chances d'être toujours aussi bonne. De plus, même si vous laissez cuire (ou gardez au chaud) les soupes plus longtemps que prévu, elles seront toujours délicieuses. La plupart des soupes et potages, tout comme les ragoûts d'ailleurs, se pré-parent plus facilement dans les mijoteuses de 5,5 à 6 L parce qu'ils ont besoin d'un peu « d'espace » pour bouillonner sans renverser. En outre, les différences de grosseur de certains ingrédients peuvent influencer le volume de ce qui entre dans la mijoteuse. Un modèle plus grand permettra d'éviter toutes ces tracasseries.

Utilisez votre mijoteuse pour essayer les soupes nourrissantes de ce chapitre : ce dernier présente d'abord deux excellents bouillons de légumes pour passer à plusieurs soupes de légumineuses copieuses et à de nombreuses soupes aux légumes. Vous trou-verez également des potages sans produits laitiers ajoutés, dont la texture veloutée sera due à l'addition de pommes de terre, de haricots et de purée de légumes. Ces potages sont si crémeux et délicieux que vous ne regretterez ni la crème ni les calories.

Remarques sur le bouillon de légumes

Lorsqu'une recette demande un bouillon de légumes, vous avez plusieurs choix. Vous pouvez d'abord utiliser les bouillons maison décrits dans les deux recettes suivantes : « Bouillon de légumes léger et facile à préparer » (page 46) ou « Bouillon de légumes corsé » (page 47). Sinon, il existe plusieurs marques de bouillon de légumes dans le commerce qui peuvent être employées. Une troisième option consiste à prendre de l'eau à laquelle vous ajouterez une quantité proportionnée de base en poudre. La quan-tité de sel changera en fonction de votre choix. La plupart des recettes qui demandent un bouillon de légumes suggéreront de saler « au goût » afin que les ajustements néces-saires puissent être apportés.

Bouillon de légumes léger et facile à préparer

Ce bouillon est si facile à préparer qu'il serait impardonnable de ne pas en avoir sous la main pour enrichir les soupes, les ragoûts ou les autres recettes. Il se prépare plus facilement dans une mijoteuse de 5,5 à 6 L parce que cette dernière lui offre « l'espace » nécessaire pour bouillir. Si vous utilisez une plus petite mijoteuse, il vous faudra peut-être couper un peu sur la quantité des ingrédients.

Format de la mijoteuse :
4 à 6 L

Temps de cuisson :
8 à 10 h

Intensité : faible

Donne environ 1,9 L
(8 tasses)

15 ml (1 c. à table) d'huile d'olive
2 oignons jaunes de grosseur moyenne, coupés en quatre
2 grosses carottes coupées en morceaux de 2,5 cm (1 po)
1 branche de céleri coupée en tronçons de 2,5 cm (1 po)
2 ou 3 gousses d'ail non épluchées et écrasées
Pelures de 2 grosses pommes de terre, nettoyées à fond
80 ml (1/3 tasse) de persil frais grossièrement haché
1 grosse feuille de laurier
2,5 ml (1/2 c. à thé) de poivre noir entier
1,9 L (8 tasses) d'eau
10 ml (2 c. à thé) de tamari ou d'une autre sauce soja
5 ml (1 c. à thé) de sel

1. Badigeonnez d'huile le fond de la mijoteuse de 4 à 6 L. Ajoutez les oignons, les carottes, le céleri, l'ail, les pelures de pommes de terre, le persil, la feuille de laurier et le poivre. Versez l'eau, puis ajoutez le tamari. Salez. Couvrez la mijoteuse, réglez-la à faible intensité et laissez cuire de 8 à 10 heures.

2. Laissez le bouillon refroidir quelque peu avant de le passer au tamis fin pour le recueillir dans un pot ou un bol. Pressez les légumes dans le tamis pour soutirer le maximum de liquide. Réfrigérez le bouillon refroidi dans des contenants hermétiques. Il se conservera ainsi de 3 à 5 jours au réfrigérateur et jusqu'à 3 mois au congélateur.

Bouillon de légumes corsé

Même si ce bouillon demande un peu plus de travail que le précédent, vous serez récompensé par son goût extraordinaire. La saveur corsée et la couleur riche proviennent du rôtissage des légumes avant l'ajout de ces derniers dans la mijoteuse.

Format de la mijoteuse :
4 à 6 L

Temps de cuisson :
8 h

Intensité : faible

Donne environ 1,9 L
(8 tasses)

1 gros oignon jaune coupé en gros morceaux
2 grosses carottes coupées en morceaux de 2,5 cm (1 po)
1 grosse pomme de terre non pelée et coupée en morceaux de 2,5 cm (1 po)
1 gros panais pelé et coupé en morceaux de 2,5 cm (1 po)
1 branche de céleri coupée en tronçons de 2,5 cm (1 po)
3 gousses d'ail non épluchées et écrasées
15 ml (1 c. à table) d'huile d'olive
Sel, et poivre du moulin
120 ml (1/2 tasse) de persil frais grossièrement haché
4 champignons shiitake ou bolets comestibles (*porcini*) séchés, ramollis dans 240 ml (1 tasse) d'eau chaude, puis égouttés (réservez le liquide de trempage après l'avoir filtré)
2 feuilles de laurier
2,5 ml (1/2 c. à thé) de poivre noir entier
15 ml (1 c. à table) de tamari ou d'une autre sauce soja
7 tasses (1,7 L) d'eau

1.   Préchauffez le four à 230 °C (450 °F). Déposez l'oignon, les carottes, la pomme de terre, le panais, le céleri et l'ail dans un plat de cuisson légèrement huilé. Humectez les légumes avec l'huile d'olive. Salez et poivrez. Faites rôtir les légumes pendant 30 minutes, en les retournant à mi-cuisson, ou jusqu'à ce qu'ils soient légèrement brunis.

2.   Transvidez les légumes dans la mijoteuse de 4 à 6 L. Ajoutez le persil, les champignons et leur eau de trempage, les feuilles de laurier, les grains de poivre, le tamari, 5 ml (1 c. à thé) de sel et l'eau. Couvrez la mijoteuse, réglez-la à faible intensité et laissez cuire pendant 8 heures ou jusqu'à ce que les légumes aient ramolli et que le bouillon ait pris une belle couleur dorée.

3.   Laissez le bouillon refroidir un peu avant de le passer au tamis fin pour le recueillir dans un pot ou un bol. Pressez les légumes dans le tamis pour soutirer le maximum de liquide. Utilisez le bouillon immédiatement ou laissez-le refroidir complètement. Réfrigérez le bouillon refroidi dans des contenants hermétiques ; il se conservera ainsi jusqu'à 5 jours au réfrigérateur et jusqu'à 3 mois au congélateur.

Potage aux haricots noirs

La réduction de certains des ingrédients en purée ne fera pas qu'épaissir le potage, elle lui donnera plus de saveur et une texture plus crémeuse.

Format de la mijoteuse :
4 à 6 L

Temps de cuisson :
8 h

Intensité : faible

Donne 4 à 6 portions

15 ml (1 c. à table) d'huile d'olive
1 oignon jaune de grosseur moyenne haché
1 carotte de grosseur moyenne coupée en dés
1/2 petit poivron vert épépiné et coupé en dés
2 gousses d'ail émincées
720 ml (3 tasses) de haricots noirs cuits à la mijoteuse
(page 107) ou 2 boîtes de 440 g (15 1/2 oz) de haricots noirs
en conserve, rincés et égouttés
1 boîte de 411 g (14 1/2 oz) de tomates en conserve en dés
avec le liquide
1 L (4 tasses) de bouillon de légumes (voir « Remarques sur le
bouillon de légumes », page 44)
2 feuilles de laurier
5 ml (1 c. à thé) de cumin moulu
5 ml (1 c. à thé) de thym séché
1,25 ml (1/4 c. à thé) de piment de Cayenne broyé
Sel, et poivre du moulin
10 ml (2 c. à thé) de jus de citron frais (facultatif)

1. Dans un grand poêlon, à feu moyen et à couvert, faites sauter dans l'huile l'oignon, la carotte, le poivron et l'ail pendant 5 minutes ou jusqu'à ce qu'ils ramollissent.

2. Mettez les légumes sautés dans la mijoteuse de 4 à 6 L. Ajoutez les haricots, les tomates et leur jus, le bouillon, les feuilles de laurier, le cumin, le thym et le piment de Cayenne broyé. Salez et poivrez. Remuez le tout. Couvrez la mijoteuse, réglez-la à faible intensité et laissez cuire pendant 8 heures.

3. Retirez les feuilles de laurier. Goûtez et, au besoin, rectifiez l'assaisonnement. Juste avant de servir, incorporez le jus de citron si vous le souhaitez. Pour épaissir, réduisez en purée au moins 480 ml (2 tasses) ou la moitié des ingrédients solides de la recette à l'aide d'un mélangeur manuel placé directement dans la mijoteuse, ou transvasez-les dans un mélangeur ou un robot culinaire et remettez la purée dans la mijoteuse. Servez chaud.

Soupe toscane aux haricots blancs et à la scarole

Réconfortante et délicieuse, cette soupe possède des qualités fortifiantes qui semblent redonner de la vigueur dès la première cuillérée. La scarole est trop amère pour cuire directement dans la soupe ; c'est pourquoi il faut la cuire séparément et l'ajouter au moment de servir. Pendant ce temps, vous pouvez faire cuire une petite quantité de pâtes que vous ajouterez à la soupe. Si vous préférez, vous pouvez ajouter les pâtes crues directement dans la soupe environ 1 heure avant la fin de la cuisson. Je préfère cuire la scarole et les pâtes à l'avance, et les ajouter à la soupe au moment de servir.

Format de la mijoteuse :
4 à 6 L

Temps de cuisson :
6 à 8 h (les pâtes sont ajoutées durant la dernière heure de cuisson)

Intensité : élevée

Donne 6 portions

15 ml (1 c. à table) d'huile d'olive
1 oignon jaune de grosseur moyenne haché
3 grosses gousses d'ail émincées
720 ml (3 tasses) de haricots blancs cuits à la mijoteuse
    (page 107) ou 2 boîtes de 440 g (15 1/2 oz) de haricots blancs
    en conserve, rincés et égouttés
1,5 L (6 tasses) de bouillon de légumes (voir « Remarques sur
    le bouillon de légumes », page 44)
1,25 ml (1/4 c. à thé) de piment de Cayenne broyé (ou au goût)
Sel, et poivre du moulin
1 petite pomme de scarole grossièrement hachée
120 ml (1/2 tasse) de *ditalinis* ou d'autres petites pâtes

1. Mettez l'huile dans une grande casserole, et faites-y suer l'oignon environ 5 minutes à couvert. Ajoutez l'ail et faites cuire 1 minute de plus.
2. Mettez l'oignon et l'ail dans la mijoteuse de 4 à 6 L. Ajoutez les haricots, le bouillon et le piment de Cayenne broyé. Salez et poivrez. Remuez le tout. Couvrez la mijoteuse, réglez-la à faible intensité et laissez cuire de 6 à 8 heures.
3. Faites blanchir la scarole dans une marmite d'eau bouillante salée pendant environ 5 minutes. Égouttez et réservez. Dans une petite casserole d'eau bouillante salée, faites cuire les *ditalinis* pendant 5 minutes ou jusqu'à ce qu'ils soient *al dente*. Égouttez et incorporez à la soupe, avec la scarole, juste avant de servir.

Soupe française aux haricots blancs et au chou

Semblable à la soupe toscane nommée *ribollita*, cette soupe campagnarde française est une recette du terroir. Appelée « garbure » dans le sud-ouest de la France, elle inclut du confit d'oie et du porc ; cette version végétarienne à la mijoteuse conserve la riche saveur de cette recette. Toutefois, si vous souhaitez ajouter une saveur de « viande », vous pouvez faire brunir de la saucisse végétarienne coupée en rondelles de 2,5 cm (1 po) et l'ajouter à la soupe au moment de servir ou incorporer du « Confit de tempeh et d'échalotes » (page 34). La baguette de pain est le compagnon naturel de ce plat.

J'utilise ma mijoteuse de 6 L pour préparer cette soupe puisque la grande quantité d'ingrédients peut surcharger un plus petit format. Si vous ne possédez qu'une mijoteuse de 3,5 à 4 L, vous pouvez simplement réduire la quantité de chacun des ingrédients.

Format de la mijoteuse :
6 L

Temps de cuisson :
8 h

Intensité : faible

Donne 6 portions

30 ml (2 c. à table) d'huile d'olive
1 oignon jaune de grosseur moyenne haché
1 carotte de grosseur moyenne coupée en dés
3 gousses d'ail émincées
1 petit chou étrogné et râpé
1 grosse pomme de terre Yukon Gold pelée et coupée en dés
360 ml (1 1/2 tasse) de *cannellinis* cuits à la mijoteuse (page 107) ou 1 boîte de 440 g (15 1/2 oz) de *cannellinis* ou d'autres haricots blancs en conserve, rincés et égouttés
1,5 L (6 tasses) de bouillon de légumes (voir « Remarques sur le bouillon de légumes », page 44)
3,75 ml (3/4 c. à thé) de thym séché
Sel, et poivre du moulin
5 ml (1 c. à thé) d'arôme de fumée liquide (facultatif)
15 ml (1 c. à table) de persil frais ciselé

1. Dans une casserole, à feu moyen, faites revenir l'oignon dans l'huile pendant environ 5 minutes. Ajoutez l'ail et faites suer pendant 1 minute de plus.
2. Transvasez les légumes sautés dans la mijoteuse de 6 L. Ajoutez le chou, la pomme de terre, les haricots, le bouillon et le thym. Salez et poivrez. Couvrez la mijoteuse, réglez-la à faible intensité et laissez cuire pendant 8 heures.
3. Juste avant le service, incorporez l'arôme de fumée liquide, si vous le désirez, et le persil. Goûtez et, au besoin, rectifiez l'assaisonnement.

Soupe aux lentilles aux rubans de chou frisé

Du chou vert, des bettes à carde ou d'autres légumes verts peuvent remplacer le chou frisé. Je préfère préparer les légumes verts à l'avance et les ajouter quand la soupe est prête à servir ; cuits directement dans la soupe, ils peuvent rendre celle-ci quelque peu amère.

Format de la mijoteuse :
4 à 6 L

Temps de cuisson :
8 h

Intensité : faible

Donne 6 portions

15 ml (1 c. à table) d'huile d'olive
1 gros oignon jaune haché
1 branche de céleri émincée
1 grosse carotte en dés
2 gousses d'ail émincées
300 ml (1 1/4 tasse) de lentilles brunes séchées, triées et rincées
1,5 L (6 tasses) de bouillon de légumes (voir « Remarques sur le bouillon de légumes », page 44) ou d'eau
15 ml (1 c. à table) de tamari ou d'une autre sauce soja
Sel, et poivre du moulin
4 ou 5 grandes feuilles de chou frisé, tiges dures enlevées

1. Dans une casserole, à feu moyen et à couvert, faites sauter l'oignon, le céleri, la carotte et l'ail dans l'huile de 8 à 10 minutes.

2. Transvidez les légumes sautés dans la mijoteuse de 4 à 6 L. Ajoutez les lentilles, le bouillon et le tamari. Couvrez la mijoteuse, réglez-la à faible intensité et laissez cuire pendant 8 heures. Salez et poivrez.

3. Pendant ce temps, ou avant, roulez les feuilles de chou frisé pour en faire des cigares et coupez-les en biais pour obtenir des rubans. Faites cuire le chou frisé dans une casserole d'eau bouillante salée 5 minutes ou jusqu'à ce qu'il soit tendre. Ajoutez-le à la soupe au moment de servir.

Soupe aux lentilles et aux pois chiches à la marocaine

Inspirée de la harira, la soupe traditionnelle de légumineuses et de légumes du Maroc, cette soupe épaisse et épicée est particulièrement délicieuse quand elle a frémi toute la journée dans la mijoteuse.

Format de la mijoteuse :
4 à 6 L

Temps de cuisson :
8 h

Intensité : faible

Donne 6 portions

15 ml (1 c. à table) d'huile d'olive
1 oignon jaune de grosseur moyenne, haché
1 petite carotte en dés
3 gousses d'ail émincées
2,5 ml (1/2 c. à thé) de gingembre frais, pelé et haché
2,5 ml (1/2 c. à thé) de curcuma
2,5 ml (1/2 c. à thé) de cannelle moulue
1,25 ml (1/4 c. à thé) de cumin moulu
1,25 ml (1/4 c. à thé) de cardamome moulue
120 ml (1/2 tasse) de lentilles séchées, triées et rincées
1 boîte de 411 g (14 1/2 oz) de tomates italiennes en conserve, égouttées et hachées
360 ml (1 1/2 tasse) de pois chiches cuits à la mijoteuse (page 107) ou 1 boîte de 440 g (15 1/2 oz) de pois chiches en conserve, rincés et égouttés
1,5 L (6 tasses) de bouillon de légumes (voir « Remarques sur le bouillon de légumes », page 44)
15 ml (1 c. à table) de jus de citron frais
5 à 10 ml (1 à 2 c. à thé) de sauce harissa (ou au goût), et davantage pour le service (la recette de cette sauce se trouve à la page suivante)
Sel, et poivre du moulin

1. Dans un grand poêlon, à feu moyen et à couvert, faites sauter l'oignon, la carotte et l'ail dans l'huile 5 minutes ou jusqu'à ce que les légumes ramollissent. Ajoutez le gingembre, le curcuma, la cannelle, le cumin et la cardamome, en remuant pour enrober les légumes.
2. Mettez le mélange dans la mijoteuse de 4 à 6 L. Ajoutez les lentilles, les tomates, les pois chiches et le bouillon. Couvrez la mijoteuse, réglez-la à faible intensité et laissez cuire pendant 8 heures.
3. Environ 10 minutes avant le service, ajoutez le jus de citron et la sauce harissa. Salez et poivrez. Un petit plat de harissa pourra être déposé sur la table pour ceux et celles qui voudront en ajouter.

Sauce harissa

En plus d'utiliser ce condiment épicé dans la soupe marocaine, vous pouvez l'employer pour relever d'autres soupes, des ragoûts ou des légumes grillés. Des piments plus doux peuvent remplacer les piments épicés, si vous le souhaitez. Vous pouvez également trouver de la sauce harissa préparée dans les épiceries fines.

4 piments chilis rouges séchés, épépinés et tiges enlevées
2 grosses gousses d'ail pelées
15 ml (1 c. à table) d'huile d'olive
3,75 ml (3/4 c. à thé) de graines de carvi moulues
3,75 ml (3/4 c. à thé) de coriandre moulue
2,5 ml (1/2 c. à thé) de sel
45 ml (3 c. à table) d'eau

1. Cassez les chilis en morceaux et déposez-les dans un bol à l'épreuve de la chaleur. Ajoutez suffisamment d'eau bouillante pour les couvrir et laissez-les tremper pendant 5 minutes.
2. Égouttez les chilis et mettez-les dans un robot culinaire. Ajoutez l'ail, l'huile, le carvi, la coriandre et le sel. Réduisez ce mélange en purée. Ajoutez l'eau et combinez le tout jusqu'à l'obtention d'une consistance lisse. Transvasez la sauce dans un contenant hermétique et réfrigérez-la jusqu'au moment de l'utiliser. Entreposée de la sorte, elle se conservera pendant plusieurs semaines.

Donne environ 120 ml (1/2 tasse)

Potage aux pois cassés et au panais

Le panais possède une saveur douce et crémeuse qui complète à merveille celle des pois cassés. Si vous ne pouvez trouver de panais, utilisez des carottes. Comme les pois cassés ont tendance à se déposer au fond du plat, un brassage rapide à la mi-cuisson est recommandé. La quantité de sel à ajouter dépendra du degré de salinité du bouillon que vous utiliserez — habituellement, 5 ml (1 c. à thé) est un bon départ. Le liquide à saveur de fumée donne un goût de bacon à la soupe ; on le retrouve dans les épiceries fines bien garnies.

Format de la mijoteuse :
4 à 6 L

Temps de cuisson :
8 h

Intensité : faible

Donne 4 à 6 portions

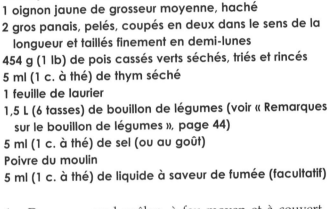

15 ml (1 c. à table) d'huile d'olive
1 oignon jaune de grosseur moyenne, haché
2 gros panais, pelés, coupés en deux dans le sens de la longueur et taillés finement en demi-lunes
454 g (1 lb) de pois cassés verts séchés, triés et rincés
5 ml (1 c. à thé) de thym séché
1 feuille de laurier
1,5 L (6 tasses) de bouillon de légumes (voir « Remarques sur le bouillon de légumes », page 44)
5 ml (1 c. à thé) de sel (ou au goût)
Poivre du moulin
5 ml (1 c. à thé) de liquide à saveur de fumée (facultatif)

1. Dans un grand poêlon, à feu moyen et à couvert, faites sauter l'oignon et le panais dans l'huile 5 minutes ou jusqu'à ce qu'ils ramollissent.
2. Transvasez les légumes sautés dans la mijoteuse de 4 à 6 L. Ajoutez les pois, le thym, la feuille de laurier et le bouillon. Couvrez la mijoteuse, réglez-la à faible intensité et laissez cuire pendant 8 heures, en remuant une fois en cours de cuisson, si possible.
3. Salez et poivrez. Retirez la feuille de laurier. Incorporez le liquide à saveur de fumée, si vous le désirez. Goûtez et, au besoin, rectifiez l'assaisonnement.

Gombo aux légumes

Le gombo cajun est devenu un plat très populaire. Il en existe plusieurs versions, et vous pouvez maintenant en ajouter une nouvelle à votre répertoire : un gombo mijoté sans gombos qui comprend des courgettes et plusieurs autres légumes plongés dans un bouillon savoureux. La poudre de Filé, disponible dans les grandes épiceries et les boutiques gastronomiques, est faite à partir de feuilles de sassafras moulues. Elle donne une saveur unique et épaissit le gombo. Un soupçon de liquide à saveur de fumée ajoute également un petit quelque chose.

Format de la mijoteuse :
4 à 6 L

Temps de cuisson :
8 h

Intensité : faible

Donne 4 portions

15 ml (1 c. à table) d'huile d'olive
1 gros oignon jaune haché
1 branche de céleri émincée
1/2 poivron vert de bonne grosseur, épépiné et coupé en dés
1 grosse gousse d'ail émincée
720 ml (3 tasses) de bouillon de légumes (voir « Remarques sur le bouillon de légumes », page 44)
480 ml (2 tasses) de jus de tomate ou de jus de légumes
1 boîte de 411 g (14 1/2 oz) de tomates en conserve en dés, égouttées et hachées
2 courgettes de grosseur moyenne, coupées en deux dans le sens de la longueur et taillées finement en demi-lunes de 0,6 cm (1/4 po)
5 ml (1 c. à thé) de poudre de Filé (facultatif)
5 ml (1 c. à thé) de thym séché
Sel, et poivre du moulin
5 ml (1 c. à thé) de tabasco (ou au goût)
2,5 ml (1/2 c. à thé) de liquide à saveur de fumée (facultatif)
480 ml (2 tasses) de riz à grain long, cuit et chaud

1. Dans une casserole, à feu moyen et à couvert, faites revenir l'oignon, le céleri, le poivron et l'ail dans l'huile pendant 5 minutes ou jusqu'à ce qu'ils soient tendres.
2. Mettez les légumes sautés dans la mijoteuse de 4 à 6 L. Ajoutez le bouillon, le jus de tomate, les tomates, les courgettes, la poudre de Filé (si vous l'utilisez) et le thym. Salez et poivrez. Couvrez la mijoteuse, réglez-la à faible intensité et laissez cuire pendant 8 heures.
3. Juste avant le service, incorporez le tabasco et le liquide à saveur de fumée, si vous le désirez. Goûtez et, au besoin, rectifiez l'assaisonnement. Pour servir, répartissez également le riz dans quatre bols à soupe et versez-y le gombo. Servez chaud.

Soupe aux légumes à l'ancienne

Cette recette de soupe est élémentaire. Variez les légumes selon vos préférences et la saison. Pour une soupe plus substantielle, ajoutez quelques pâtes cuites, du riz ou une autre céréale au moment de servir. Pour encore plus de saveur, faites sauter dans un poêlon l'oignon, les carottes et le céleri dans de l'huile d'olive de 5 à 10 minutes avant de les déposer dans la mijoteuse.

Format de la mijoteuse :
6 L

Temps de cuisson :
8 h

Intensité : faible

Donne 4 à 6 portions

15 ml (1 c. à table) d'huile d'olive
2 carottes de grosseur moyenne, en rondelles
1 oignon jaune de grosseur moyenne, haché
1 branche de céleri émincée
2 petites pommes de terre rouges, non pelées et coupées en dés
1/2 petit poivron rouge, épépiné et coupé en dés
113 g (4 oz) de haricots verts, équeutés, coupés en morceaux de 2,5 cm (1 po)
1 grosse gousse d'ail émincée
1,5 L (6 tasses) de bouillon de légumes (voir « Remarques sur le bouillon de légumes », page 44)
360 ml (1 1/2 tasse) de petits haricots blancs cuits à la mijoteuse (page 107) ou 1 boîte de 440 g (15 ½ oz) de petits haricots blancs en conserve, rincés et égouttés
120 ml (1/2 tasse) de pois verts frais ou surgelés
Sel, et poivre du moulin
30 ml (2 c. à table) de persil frais ciselé

1. Mettez l'huile, les carottes, l'oignon et le céleri dans la mijoteuse de 6 L. Couvrez la mijoteuse et réglez-la à intensité élevée afin de ramollir un peu les légumes pendant que vous préparez les autres ingrédients.

2. Ajoutez les pommes de terre rouges, le poivron, les haricots verts, l'ail et le bouillon. Couvrez de nouveau la mijoteuse, réglez-la maintenant à faible intensité et laissez cuire pendant 8 heures.

3. Environ 30 minutes avant le service, ajoutez les haricots blancs et les pois. Salez et poivrez. Juste avant de servir, incorporez le persil. Goûtez et, au besoin, rectifiez l'assaisonnement. Servez chaud.

Minestrone

Pour gagner du temps en évitant d'utiliser trop de vaisselle, faites ramollir les légumes les plus durs directement dans la mijoteuse pendant que vous préparez les autres ingrédients. Le bouquet de la soupe est enrichi par le pesto qui est ajouté à la fin de la cuisson. Si vous n'êtes pas là pour ajouter les pâtes crues pendant la dernière heure de cuisson, faites-les cuire à l'avance, rincez-les, égouttez-les et réfrigérez-les. Vous pouvez ajouter les pâtes à la dernière minute ; elles se réchaufferont rapidement dans la soupe chaude. Je préfère préparer cette soupe dans une mijoteuse de 6 L afin d'avoir de la place pour tous les ingrédients. Vous pouvez utiliser une mijoteuse plus petite, mais il vous faudra réduire la quantité de chacun des ingrédients afin de ne pas trop la remplir.

Format de la mijoteuse : 4 à 6 L	15 ml (1 c. à table) d'huile d'olive 1 oignon jaune de grosseur moyenne, haché 1 branche de céleri émincée 1 grosse carotte en rondelles 2 gousses d'ail émincées 113 g (4 oz) de haricots verts, équeutés, coupés en morceaux de 2,5 cm (1 po)
Temps de cuisson : 7 à 8 h (les pâtes sont ajoutées durant la dernière heure de cuisson)	360 ml (1 1/2 tasse) de pois chiches cuits à la mijoteuse (page 107) ou 1 boîte de 440 g (15 1/2 oz) de pois chiches en conserve, rincés et égouttés 1 boîte de 411 g (14 1/2 oz) de tomates en conserve en dés avec leur jus _grosse can tomate en dés avec épices_
Intensité : faible	1 courgette de grosseur moyenne, verte ou jaune, coupée en dés 1,5 L (6 tasses) de bouillon de légumes (voir « Remarques sur le bouillon de légumes », page 44) _1 L bouillon Poulet_
Donne 6 portions	Sel, et poivre du moulin 120 ml (1/2 tasse) de _ditalinis_ ou d'autres petites pâtes crues 60 ml (1/4 tasse) de pesto maison (page 63) ou du commerce

1. Faites chauffer l'huile dans la mijoteuse de 4 à 6 L. Ajoutez l'oignon, le céleri, la carotte et l'ail. Couvrez la mijoteuse et réglez-la à intensité élevée afin d'attendrir les légumes pendant que vous préparez les autres ingrédients.

2. Ajoutez ensuite les haricots verts, les pois chiches, les tomates, la courgette et le bouillon. Salez et poivrez. Couvrez de nouveau la mijoteuse, réglez-la maintenant à faible intensité et laissez cuire de 7 à 8 heures.

3. Si vous utilisez des _ditalinis_ crus, ajoutez-les dans la mijoteuse environ 1 heure avant de servir. Couvrez la mijoteuse.

4. Juste avant le service, incorporez le pesto et les pâtes déjà cuites (s'il s'agit de celles que vous utilisez).

* Absolument faire revenir dans poêle [?]

Bisque de carottes et de panais avec un soupçon d'orange

Ces légumes-racines donne une bisque veloutée. La douceur naturelle et la jolie couleur de cette bisque sont rehaussées par l'ajout de jus d'orange.

Format de la mijoteuse :
4 à 6 L

Temps de cuisson :
8 h

Intensité : faible

Donne 6 portions

15 ml (1 c. à table) d'huile d'olive
1 oignon jaune de grosseur moyenne, haché
3 grosses carottes coupées en rondelles
2 gros panais pelés et tranchés
1 pomme de terre de grosseur moyenne, pelée et coupée en dés
1 gousse d'ail émincée
5 tasses (1,2 L) de bouillon de légumes (voir « Remarques sur le bouillon de légumes », page 44)
Sel
Piment de Cayenne broyé
30 ml (2 c. à table) de jus d'orange concentré surgelé
30 ml (2 c. à table) de ciboulette fraîche ciselée

1. Dans un grand poêlon, à feu moyen et à couvert, faites sauter l'oignon, les carottes, les panais, la pomme de terre et l'ail dans l'huile durant 10 minutes.
2. Mettez les légumes dans la mijoteuse de 4 à 6 L. Ajoutez le bouillon. Salez et assaisonnez avec le piment de Cayenne broyé. Couvrez la mijoteuse, réglez-la à faible intensité et laissez cuire pendant 8 heures.
3. Réduisez le mélange en purée dans un mélangeur ou un robot culinaire en procédant par petites quantités. Vous pouvez également utiliser un mélangeur manuel directement dans la mijoteuse.
4. Juste avant de servir, ajoutez le jus d'orange concentré en remuant jusqu'à ce qu'il soit bien fondu. Goûtez et, au besoin, rectifiez l'assaisonnement.. Garnissez chaque portion de ciboulette.

Crème de chou-fleur au cari avec chutney et noix de cajou

Le chou-fleur est très utilisé dans les caris indiens. Ce n'est pas sans raison : les saveurs du chou-fleur et du cari s'harmonisent parfaitement. L'ajout de chutney donne une note sucrée à ce mets en amplifiant le goût du cari, tandis que les noix de cajou lui donnent une touche croustillante.

Format de la mijoteuse : 6 L	
Temps de cuisson : 6 h	
Intensité : faible	
Donne 6 portions	

15 ml (1 c. à table) d'huile d'arachide ou d'une autre huile au goût peu prononcé

1 oignon jaune de grosseur moyenne, haché

1 petite carotte coupée en rondelles

10 ml (2 c. à thé) de pâte ou de poudre de cari

1 chou-fleur de grosseur moyenne, nettoyé et coupé en fleurettes

1 pomme de terre Yukon Gold de grosseur moyenne, pelée et coupée en dés

1,5 L (6 tasses) de bouillon de légumes (voir « Remarques sur le bouillon de légumes », page 44)

Sel

60 ml (1/4 tasse) de chutney à la mangue

60 ml (1/4 tasse) de noix de cajou concassées

15 ml (1 c. à table) de persil frais ciselé

1. Dans un poêlon de grosseur moyenne, à feu moyen et à couvert, faites sauter l'oignon et la carotte dans l'huile 5 minutes ou jusqu'à ce qu'ils ramollissent. Ajoutez le cari et remuez de façon à enrober les légumes.

2. Videz le mélange dans la mijoteuse de 6 L. Ajoutez le chou-fleur, la pomme de terre et le bouillon, et salez. Couvrez la mijoteuse, réglez-la à faible intensité et laissez cuire pendant 6 heures.

3. Ajoutez le chutney, puis réduisez le mélange en purée dans un mélangeur ou un robot culinaire, en procédant par petites quantités. Vous pouvez également utiliser un mélangeur manuel directement dans la mijoteuse. Goûtez et, au besoin, rectifiez l'assaisonnement. Saupoudrez de noix de cajou et de persil, et servez.

Chaudrée de maïs hivernale

Si vous rêvez de maïs frais au milieu de l'hiver, cette chaudrée pourra vous aider à patienter jusqu'à la saison chaude. Faite avec des grains de maïs surgelés, elle vous offrira le goût crémeux et sucré du maïs. Bien sûr, cette chaudrée peut être préparée avec du maïs frais lorsqu'il y en a de disponible. Le résultat sera aussi délicieux (il vous faudra les grains de 6 épis). Nul besoin d'ajouter de lait ou de crème à cette recette ; la chaudrée devient crémeuse par la réduction en purée d'une certaine quantité des légumes utilisés. Mettez une bouteille de tabasco sur la table pour ceux qui aiment les plats épicés.

Format de la mijoteuse :
4 à 6 L

Temps de cuisson :
6 h

Intensité : faible

Donne 4 portions

15 ml (1 c. à table) d'huile d'olive
1 petit oignon jaune haché
1 branche de céleri émincée
1 grosse pomme de terre Yukon Gold pelée et coupée en dés
720 ml (3 tasses) de grains de maïs surgelés
1/2 petit poivron jaune épépiné et coupé en dés
1 L (4 tasses) de bouillon de légumes (voir « Remarques sur le bouillon de légumes », page 44)
Sel, et poivre du moulin
1 grosse tomate mûre, épépinée et hachée
15 ml (1 c. à table) de ciboulette fraîche, de persil ou d'une autre herbe fraîche ciselée (essayez le basilic thaï pour une saveur intéressante)

1.   Dans un poêlon, à feu moyen, faites sauter l'oignon et le céleri dans l'huile jusqu'à ce qu'ils soient ramollis.

2.   Transvasez les légumes sautés dans la mijoteuse de 4 à 6 L. Ajoutez la pomme de terre, le maïs, le poivron et le bouillon. Salez et poivrez. Couvrez la mijoteuse, réglez-la à faible intensité et laissez cuire pendant 6 heures.

3.   Réduisez en purée 480 ml (2 tasses) des solides de la soupe dans un mélangeur ou un robot culinaire. Incorporez la purée à la chaudrée. Goûtez et, au besoin, rectifiez l'assaisonnement. Servez la chaudrée dans des bols que vous saupoudrerez de morceaux de tomate et de l'herbe aromatique ciselée de votre choix.

Crème à la courge d'hiver et aux patates douces

Cette recette fera une entrée formidable pour un repas de l'Action de grâce. Lorsque vous la préparerez à la mijoteuse, elle libérera votre cuisinière déjà encombrée. La mijoteuse permettra de garder la soupe à la bonne température pendant que les convives prendront place à table.

Format de la mijoteuse :
4 à 6 L

Temps de cuisson :
6 h

Intensité : faible

Donne 4 à 6 portions

15 ml (1 c. à table) d'huile d'olive
1 petit oignon jaune haché
1 branche de céleri émincée
2 patates douces de grosseur moyenne, pelées et coupées en dés
1 petite courge musquée, pelée, épépinée et finement tranchée
1 L (4 tasses) de bouillon de légumes (voir « Remarques sur le bouillon de légumes », page 44)
5 ml (1 c. à thé) de thym séché
2,5 ml (1/2 c. à thé) de sauge séchée
Sel, et poivre du moulin

1. Dans un poêlon, à feu moyen et à couvert, faites revenir l'oignon et le céleri dans l'huile environ 5 minutes.

2. Transvidez les légumes sautés dans la mijoteuse de 4 à 6 L. Ajoutez les patates douces, la courge, le bouillon, le thym et la sauge. Salez et poivrez. Couvrez la mijoteuse, réglez-la à faible intensité et laissez cuire pendant 6 heures.

3. Réduisez le mélange en purée dans un mélangeur ou un robot culinaire, en procédant par petites quantités. Vous pouvez également utiliser un mélangeur manuel directement dans la mijoteuse. Goûtez et, au besoin, rectifiez l'assaisonnement. Servez chaud.

Potage Parmentier aux chipotles et aux poireaux grillés

Le goût de fumée et la saveur épicée des piments chipotles sont adoucis par l'onctuosité des pommes de terre Yukon Gold. Les chipotles sont ajoutés à la fin de la cuisson parce qu'ils produisent un effet de couleur remarquable. De plus, cette façon de faire permet d'en mettre autant qu'on le désire dans chaque portion. La garniture de poireaux, quant à elle, ajoute un élément inattendu à la texture générale du plat. Les piments chipotles dans la sauce adobo se trouvent dans la plupart des supermarchés et des épiceries fines.

Format de la mijoteuse :
4 L

Temps de cuisson :
6 à 8 h

Intensité : faible

Donne 6 portions

2 blancs de poireaux bien nettoyés
30 ml (2 c. à table) d'huile d'olive
680 g (1 1/2 lb) de pommes de terre Yukon Gold pelées et coupées en dés
1,5 L (6 tasses) de bouillon de légumes (voir « Remarques sur le bouillon de légumes », page 44)
Sel
1 ou 2 piments chipotles en conserve dans la sauce adobo (ou au goût)

1. Hachez grossièrement l'un des poireaux et réservez l'autre.

2. Faites chauffer 15 ml (1 c. à table) d'huile dans une mijoteuse de 4 L. Mettez le poireau haché, couvrez la mijoteuse et faites ramollir à intensité élevée pendant que vous préparez les autres ingrédients.

3. Ajoutez les pommes de terre et le bouillon. Salez. Couvrez de nouveau la mijoteuse, réglez-la maintenant à faible intensité et laissez cuire de 6 à 8 heures.

4. Pendant que le potage chauffe, taillez le dernier poireau en julienne. Dans un petit poêlon, à feu moyen, faites brunir le poireau dans la dernière cuillère à table (15 ml) d'huile d'olive en remuant souvent jusqu'à ce qu'il soit bien grillé. Égouttez-le sur un papier absorbant. Réservez jusqu'au moment de servir le potage.

5. Réduisez les chipotles en purée dans un mélangeur ou un robot culinaire, et réservez.

6. Lorsque les pommes de terre sont cuites, réduisez-les en purée dans un mélangeur ou un robot culinaire, en procédant par petites quantités. Vous pouvez également utiliser un mélangeur manuel directement dans la mijoteuse. Conservez le potage au chaud dans l'appareil. Goûtez et, au besoin, rectifiez l'assaisonnement.

7. Servez le potage dans des bols en versant un peu de purée de chipotles en spirale, au goût de chacun. Garnissez d'une pincée de poireaux grillés.

Potage Parmentier au pesto et aux pignons rôtis

L'humble potage Parmentier est transfiguré par le goût éclatant du pesto et le croquant des pignons. Le pesto se conserve plusieurs semaines au réfrigérateur s'il est couvert d'une mince couche d'huile d'olive et entreposé dans un contenant hermétique.

Format de la mijoteuse :
4 à 6 L

Temps de cuisson :
6 à 8 h

Intensité : faible

Donne 6 portions

Potage
- 30 ml (2 c. à table) d'huile d'olive
- 3 gousses d'ail émincées
- 680 g (1 1/2 lb) de pommes de terre Yukon Gold pelées et coupées en dés
- 1,5 L (6 tasses) de bouillon de légumes (voir « Remarques sur le bouillon de légumes », page 44)
- Sel

Pesto
- 2 grosses gousses d'ail pelées
- 60 ml (1/4 tasse) de pignons
- 480 ml (2 tasses) de feuilles de basilic frais, bien tassées
- 2,5 ml (1/2 c. à thé) de sel
- Poivre du moulin
- 80 ml (1/3 tasse) d'huile d'olive extravierge

Garniture
- 60 ml (1/4 tasse) de pignons rôtis (page 28)

1.   Pour préparer le potage, versez l'huile et déposez l'ail dans la mijoteuse de 4 à 6 L. Couvrez la mijoteuse, réglez-la à intensité élevée et faites suer l'ail pendant que vous pelez et taillez les pommes de terre. Ajoutez-les avec le bouillon, et salez. Couvrez la mijoteuse de nouveau, réglez-la maintenant à faible intensité et laissez cuire de 6 à 8 heures.

2.   Pour préparer le pesto, mettez l'ail et les pignons dans un robot culinaire ou un mélangeur. Actionnez l'appareil jusqu'à ce qu'ils soient grossièrement hachés. Ajoutez le basilic et le sel, et poivrez au goût. Actionnez de nouveau l'appareil jusqu'à l'obtention d'une pâte. Pendant que l'appareil fonctionne, versez l'huile en filet, à travers le tube prévu pour introduire les aliments, jusqu'à ce que la préparation soit homogène. Réservez jusqu'au moment de servir le potage.

3.   Lorsque les pommes de terre sont cuites, réduisez-les en purée dans un mélangeur ou un robot culinaire, en procédant par petites quantités. Vous pouvez également utiliser un mélangeur manuel directement dans la mijoteuse. Conservez le potage au chaud dans la mijoteuse. Goûtez et, au besoin, rectifiez l'assaisonnement.

4.   Servez le potage dans des bols en ajoutant une cuillérée de pesto en spirale. Garnissez d'une petite quantité de pignons rôtis.

Soupe à l'oignon à la française et bruschetta au fromage gratiné

Comme tout amateur de soupe à l'oignon vous le dira, les meilleures sont celles qui ont mijoté longtemps et lentement pour extraire le maximum de saveur des oignons. Existe-t-il un meilleur moyen d'y arriver que la mijoteuse ? Déposer une bruschetta au fromage en guise de garniture vous permettra d'éviter l'étape peu pratique de placer vos bols à gratinée sous le gril.

Format de la mijoteuse :
4 à 6 L

Temps de cuisson :
8 h 30 à 11 h

Intensité : faible pour 8 à 10 h ; élevée pour 30 à 60 min

Donne 6 portions

60 ml (1/4 tasse) d'huile d'olive
4 oignons Vidalia ou autres oignons doux de grosseur moyenne, émincés
1,3 L (5 1/2 tasses) de bouillon de légumes (voir « Remarques sur le bouillon de légumes », page 44)
80 ml (1/3 tasse) de brandy (facultatif)
Sel, et poivre du moulin
Bruschetta au fromage (voir la recette ci-après)

1. Faites chauffer l'huile dans la mijoteuse de 4 à 6 L. Déposez les oignons, couvrez la mijoteuse, réglez-la à faible intensité et laissez cuire de 8 à 10 heures (ou plus) jusqu'à ce que les oignons soient très moelleux et caramélisés.
2. Ajoutez le bouillon et le brandy (si vous le désirez). Salez et poivrez. Couvrez de nouveau la mijoteuse, réglez-la maintenant à intensité élevée et laissez cuire de 30 minutes à 1 heure, le temps que la soupe soit chaude.
3. Pendant que la soupe réchauffe, préparez les bruschettas.
4. Servez la soupe dans des bols et garnissez chacun de ces derniers d'une bruschetta ou offrez les bruschettas comme plat d'accompagnement. Servez sans attendre.

Bruschetta au fromage

6 tranches de pain français ou italien de 1,25 cm (1/2 po) d'épaisseur
6 tranches de fromage fontina ou de mozzarella au soja

Préchauffez le gril. Placez les tranches de pain sur une plaque à patisserie, garnissez-les avec le fromage et placez-les sous le gril jusqu'à ce que le fromage soit fondu. Évitez de les faire brûler. Servez immédiatement.

Donne 6 portions

Bortsch

Ce n'est qu'à l'âge adulte que j'ai commencé à apprécier les betteraves. Maintenant, je n'en ai jamais assez, qu'elles soient rôties, servies en salades ou encore comme ingrédients de base de cette adorable soupe écarlate qui peut être mangée chaude ou froide. Le miso d'orge (facultatif) enrichit la saveur de cette soupe et apporte de nombreux éléments nutritifs mais, puisqu'il est salé, vous devrez ajuster la quantité de sel en conséquence.

Format de la mijoteuse : **4 à 6 L**	908 g (2 lb) de betteraves pelées et coupées 1 gros oignon jaune haché finement 1 petite carotte émincée 1 petit poivron rouge épépiné et finement haché
Temps de cuisson : **8 h**	1 grosse pomme de terre pelée et coupée en dés 1,2 L (5 tasses) de bouillon de légumes (voir « Remarques sur le bouillon de légumes », page 44) 15 ml (1 c. à table) de jus de citron frais 10 ml (2 c. à thé) de cassonade blonde ou d'un édulcorant naturel
Intensité : faible	5 ml (1 c. à thé) de thym séché 2,5 ml (1/2 c. à thé) de clous de girofle moulus Sel, et poivre du moulin
Donne 6 portions	15 ml (1 c. à table) de miso d'orge dissous dans 15 ml (1 c. à table) d'eau chaude (facultatif) Crème sure régulière ou de soja (garniture facultative) 30 ml (2 c. à table) d'aneth frais haché ou 7,5 ml (1 1/2 c. à thé) de graines d'aneth

1. Mettez les betteraves, l'oignon, la carotte, le poivron et la pomme de terre dans la mijoteuse de 4 à 6 L. Ajoutez le bouillon, le jus de citron, la cassonade, le thym et la poudre de clous de girofle. Salez et poivrez. Couvrez la mijoteuse, réglez-la à faible intensité et laissez cuire pendant 8 heures.

2. Juste avant le service, incorporez le mélange de miso si vous le souhaitez. Servez chaud ou laissez refroidir et réfrigérez jusqu'à ce que le bortsch soit bien froid. Garnissez de crème sure, si vous le souhaitez, et d'aneth.

Note : Pour gagner du temps, vous pouvez râper les légumes dans un robot culinaire en utilisant le disque approprié, ce qui changera la texture de la soupe, mais certaines personnes la préfèrent ainsi.

Crème de tomates à la tortilla

Les bandes de tortillas croustillantes ajoutent un élément intéressant à la texture de cette crème, alors que l'ajout facultatif de tequila lui donne du mordant. Quoi qu'il en soit, avec ou sans tequila, la présente recette n'a rien à voir avec la crème de tomates en conserve que vous mangiez lorsque vous étiez enfant !

Format de la mijoteuse : 4 L	15 ml (1 c. à table) d'huile d'olive
	1 oignon jaune de grosseur moyenne, haché
	1 branche de céleri émincée
	1 boîte de 795 g (28 oz) de tomates broyées
Temps de cuisson : 6 à 8 h	60 ml (1/4 tasse) de pâte de tomates
	720 ml (3 tasses) de bouillon de légumes
	(voir « Remarques sur le bouillon de légumes », page 44)
	Sel, et poivre du moulin
Intensité : faible	2 tortillas de maïs molles
	15 ml (1 c. à table) de jus de lime frais
	15 ml (1 c. à table) de persil frais ciselé
Donne 4 portions	5 ml (1 c. à thé) de coriandre fraîche ciselée
	5 ml (1 c. à thé) de cumin moulu
	60 ml (1/4 tasse) de tequila (facultatif)
	Avocats coupés en dés pour la garniture (facultatif)
	Olives noires en rondelles pour la garniture (facultatif)

1. À feu moyen, faites chauffer l'huile dans une casserole. Faites revenir l'oignon et le céleri 5 minutes à couvert ou jusqu'à ce qu'ils ramollissent.

2. Transvasez les légumes sautés dans la mijoteuse de 4 L. Ajoutez les tomates, la pâte de tomates et le bouillon. Salez et poivrez. Couvrez la mijoteuse, réglez-la à faible intensité et laissez cuire de 6 à 8 heures.

3. Pendant que la crème chauffe, préparez les tortillas. Déposez-les dans un poêlon légèrement huilé et faites-les cuire jusqu'à ce que les deux surfaces soient dorées. Coupez en lanières et réservez.

4. Peu avant le service, incorporez le jus de lime, le persil, la coriandre, le cumin et, si vous le désirez, la tequila. Réduisez le mélange en purée dans un mélangeur ou un robot culinaire, en procédant par petites quantités. Vous pouvez également utiliser un mélangeur manuel directement dans la mijoteuse. Goûtez et, au besoin, rectifiez l'assaisonnement. Servez la crème dans des bols en la garnissant de lanières de tortillas et de morceaux d'avocats et d'olives, si vous le souhaitez. Servez chaud.

Crème de tomates avec couscous israélien

Le couscous israélien diffère en apparence et en goût du couscous régulier. De la grosseur approximative d'un grain de poivre, il se vend dans les épiceries bien garnies et les boutiques gastronomiques. Si vous n'en trouvez pas, remplacez-le par des pâtes *acini di pepe* (grains de poivre) ou par d'autres petites pâtes pour les soupes comme les langues d'oiseau (orzo) ou les *ditalinis*.

Format de la mijoteuse :
4 L

Temps de cuisson :
6 à 8 h

Intensité : faible

Donne 4 portions

15 ml (1 c. à table) d'huile d'olive
1 oignon jaune de grosseur moyenne, haché
1 gousse d'ail émincée
720 ml (3 tasses) de bouillon de légumes
   (voir « Remarques sur le bouillon de légumes », page 44)
1 boîte de 795 g (28 oz) de tomates broyées
15 ml (1 c. à table) de pâte de tomates
1 pincée de sucre ou d'un édulcorant naturel
2 feuilles de laurier
Sel, et poivre du moulin
240 ml (1 tasse) de couscous israélien cuit
30 ml (2 c. à table) de feuilles de basilic hachées
   pour la garniture

1. À feu moyen, faites chauffer l'huile dans un poêlon. Faites suer l'oignon et l'ail environ 5 minutes à couvert.

2. Transvidez l'oignon et l'ail dans une mijoteuse de 4 L. Ajoutez le bouillon, les tomates, la pâte de tomates, le sucre et les feuilles de laurier. Salez et poivrez. Couvrez la mijoteuse, réglez-la à faible intensité et laissez cuire de 6 à 8 heures. Réduisez le mélange en purée dans un robot culinaire ou un mélangeur, ou utilisez un mélangeur manuel directement dans la mijoteuse. Retirez les feuilles de laurier. Goûtez et, au besoin, rectifiez l'assaisonnement.

3. Pour servir, déposez dans chaque bol environ 60 ml (1/4 tasse) de couscous cuit, nappez du potage chaud et parsemez de basilic.

Soupe à l'orge perlé aux deux champignons

Cette recette, populaire en Europe de l'Est, combine des champignons frais et séchés. N'importe quelle variété de champignons séchés fera l'affaire, mais j'apprécie particulièrement la saveur boisée du bolet comestible (*porcini*). On trouve l'orge perlé dans la plupart des épiceries fines et des magasins d'aliments naturels.

Format de la mijoteuse :
4 à 6 L

Temps de cuisson :
6 h

Intensité : faible

Donne 4 à 6 portions

28 g (1 oz) de champignons séchés
15 ml (1 c. à table) d'huile d'olive
1 oignon jaune de grosseur moyenne, haché
1 grosse carotte tranchée
1 branche de céleri émincée
240 ml (1 tasse) d'orge perlé
227 g (8 oz) de champignons blancs émincés
1,5 L (6 tasses) de bouillon de légumes
 (voir « Remarques sur le bouillon de légumes », page **44**)
7,5 ml (1 1/2 c. à thé) de thym séché
Sel, et poivre du moulin
30 ml (2 c. à table) de ciboulette fraîche ciselée

1.   Déposez les champignons séchés dans une tasse à mesurer résistante à la chaleur et couvrez-les d'eau chaude. Laissez tremper. Égouttez les champignons et émincez-les. Réservez 120 ml (1/2 tasse) du liquide de trempage et passez-le au tamis.

2.   À feu moyen, faites chauffer l'huile dans un petit poêlon. Faites sauter l'oignon, la carotte et le céleri 5 minutes à couvert ou jusqu'à ce qu'ils soient tendres.

3.   Transvasez les légumes sautés dans la mijoteuse de 4 à 6 L. Ajoutez l'orge perlé, les deux sortes de champignons, le bouillon, le liquide de trempage des champignons réservé et le thym. Salez et poivrez. Couvrez la mijoteuse, réglez-la à faible intensité et laissez cuire pendant 6 heures. Goûtez et, au besoin, rectifiez l'assaisonnement. Si vous désirez une soupe plus liquide, ajoutez davantage de bouillon.

4.   Garnissez la soupe de ciboulette et servez.

Soupe vietnamienne aux vermicelles

La cuisson à la mijoteuse est le moyen idéal pour révéler la saveur riche et profonde de la soupe *pho*, la soupe aux vermicelles vietnamienne, traditionnellement faite avec du bœuf. Notre version utilise plutôt le seitan. Les vermicelles de riz, la pâte miso, le seitan et la sauce hoisin se trouvent dans les épiceries bien garnies, les magasins d'aliments naturels et les marchés asiatiques. Cherchez l'anis étoilé dans les supermarchés et les marchés asiatiques. Si vous n'en trouvez pas, vous pouvez l'omettre sans compromettre vraiment le bon goût de la soupe.

Format de la mijoteuse :
4 L

Temps de cuisson :
6 h

Intensité : faible

Donne 4 portions

1 petit oignon jaune grossièrement haché
1 petit piment chili vert épépiné et émincé
3 tranches de gingembre frais
2 graines d'anis étoilé entier
1 bâton de cannelle
3 cuillères à soupe (45 ml) de tamari ou de sauce soja
5 tasses (1,25 l) de bouillon de légumes (voir *Remarques sur le bouillon de légumes*, page 44)
1 cuillère à soupe (15 ml) d'huile d'arachide
4 onces (113 g) de seitan coupé en bandes
3 cuillères à soupe (45 ml) de sauce hoisin
1 1/2 cuillère à soupe (25 ml) de jus de lime frais
2 cuillères à soupe (30 ml) de pâte de miso d'orge dissoute dans 2 cuillères à soupe (30 ml) d'eau chaude
6 oz (170 g) de vermicelles de riz séchés, trempés 15 minutes dans l'eau froide pour les ramollir, puis égouttés
1/2 tasse (125 ml) de fèves germées fraîches pour la garniture
4 échalotes vertes émincées pour la garniture
2 cuillères à soupe (30 ml) de coriandre fraîche ciselée pour la garniture

1. Dans une mijoteuse de 4 L, combinez l'oignon, le chili, le gingembre, les graines d'anis étoilé, le bâton de cannelle, le tamari et le bouillon. Couvrez la mijoteuse, réglez-la à faible intensité et laissez cuire pendant 6 heures.

2. Entre-temps, à feu moyen, faites chauffer l'huile dans un grand poêlon. Faites brunir les lanières de seitan sur toutes les surfaces. Retirez du feu et réservez. Cette opération peut aussi être faite à l'avance.

3. Passez le bouillon au tamis et transvasez-le dans la mijoteuse.

4. Dans un petit bol, mélangez la sauce hoisin, le jus de lime et le miso dissous. Incorporez ensuite ce mélange au bouillon. Ajoutez les bâtons de riz et le seitan, et faites cuire de 5 à 10 minutes supplémentaires ou jusqu'à ce que les bâtons de riz soient tendres.

5. Servez la soupe dans des bols. Garnissez avec les haricots germés, les oignons verts et la coriandre.

Potage aigre et piquant

La mijoteuse est parfaite pour tirer tous les sucs du gingembre, des champignons et des autres ingrédients du bouillon. Si vous préférez une version moins épicée, diminuez ou éliminez la pâte de chili. Vous pouvez utiliser du tofu ferme coupé en dés à la place du seitan, mais il faudra l'ajouter à la fin de la cuisson.

Format de la mijoteuse : 4 L	80 ml (1/3 tasse) de champignons shiitake séchés ou mycètes noirs (oreilles de nuage)
	113 g (4 oz) de seitan coupé en tranches fines
Temps de cuisson : 6 à 8 h	1 boîte de 170 g (6 oz) de pousses de bambou rincées, égouttées et coupées en lanières minces
	2 gousses d'ail émincées
Intensité : faible	15 ml (1 c. à table) de gingembre frais pelé et finement haché
	1 L (4 tasses) de bouillon de légumes (voir « Remarques sur le bouillon de légumes », page 44)
Donne 4 portions	30 ml (2 c. à table) de vinaigre de riz
	30 ml (2 c. à table) de tamari ou d'une autre sauce soja
	5 ml (1 c. à thé) de pâte de chili asiatique
	Sel, et poivre du moulin
	120 ml (1/2 tasse) de pois surgelés, puis dégelés
	45 ml (3 c. à table) d'oignons verts émincés
	15 ml (1 c. à table) d'huile de sésame grillé

1. Faites tremper les champignons séchés dans un bol d'eau chaude pendant 20 minutes. Égouttez-les, coupez-les en lanières et déposez-les dans une mijoteuse de 4 L. Ajoutez le seitan, les pousses de bambou, l'ail, le gingembre, le bouillon, le vinaigre, le tamari et la pâte de chili. Salez et poivrez. Couvrez la mijoteuse, réglez-la à faible intensité et laissez cuire de 6 à 8 heures.
2. Juste avant le service, incorporez les pois, les oignons verts et l'huile de sésame. Servez chaud.

Soupe chinoise

Très relevée, cette version végétarienne de la soupe chinoise classique est délicieuse et parfumée. Pour faire un repas à plat unique, j'aime y ajouter un peu de riz cuit au moment de servir.

Format de la mijoteuse :
4 L

Temps de cuisson :
8 h

Intensité : faible

Donne 4 portions

1 petit oignon jaune émincé
1 grosse carotte, coupée en deux sur la longueur
   et tranchée finement en diagonale
1 branche de céleri finement tranchée en diagonale
1 boîte de 170 g (6 oz) de châtaignes d'eau tranchées,
   égouttées
2 gousses d'ail émincées
5 ml (1 c. à thé) de gingembre frais, pelé et râpé
1,25 ml (1/4 c. à thé) de chilis broyés (ou au goût)
1,3 L (5 1/2 tasses) de bouillon de légumes
   (voir « Remarques sur le bouillon de légumes », page 44)
15 ml (1 c. à table) de tamari ou d'une autre sauce soja
227 g (8 oz) de tofu extraferme, égoutté et coupé en dés
113 g (4 oz) de champignons shiitake frais, pieds enlevés
   et chapeaux finement tranchés
28 g (1 oz) de pois mange-tout, équeutés et coupés
   en morceaux de 2,5 cm (1 po)
3 oignons verts émincés
2,5 ml (1/2 c. à thé) d'huile de sésame grillé

1.   Dans la mijoteuse de 4 L, combinez l'oignon, la carotte, le céleri, les châtaignes d'eau, l'ail, le gingembre et les chilis broyés. Ajoutez le bouillon et le tamari. Couvrez la mijoteuse, réglez-la à faible intensité et laissez cuire pendant 8 heures.

2.   Environ 20 minutes avant le service, ajoutez le tofu, les champignons, les pois mange-tout et les oignons verts. Versez l'huile de sésame dans le bouillon. Couvrez de nouveau la mijoteuse et faites cuire jusqu'à ce que les champignons et les pois mange-tout soient tendres. Servez immédiatement.

Les chilis et les ragoûts

• • •

Tout comme les soupes, les ragoûts et les chilis sont les compagnons idéaux de la mijoteuse. Décuplées par la cuisson lente, les saveurs sont particulièrement remarquables pour les ragoûts où les divers ingrédients mélangent leurs parfums. Quand votre plat est prêt, vous avez un repas complet, sans avoir à nettoyer un chantier. Vous n'avez qu'à faire cuire et à servir, le tout dans un même plat.

À peu près toutes les recettes de ce chapitre vous demandent de faire sauter les oignons et les autres légumes dans un poêlon pendant quelques minutes afin de les ramollir. Je vous recommande fortement de ne pas céder à la tentation de sauter cette étape. Faire cuire les légumes d'abord donnera plus de saveur aux ragoûts et aux chilis, et permettra d'accélérer le processus de cuisson afin que les légumes soient tendres au moment de servir. Cependant, si vous ne voulez pas salir un poêlon supplémentaire (et si vous avez un peu de temps), je vous suggère de les faire cuire à intensité élevée dans la mijoteuse afin de les attendrir. Puisque cette façon de faire demande un peu plus de temps (environ 15 minutes pour l'ail émincé et 30 minutes pour l'oignon haché), vous aurez à soupeser si ce temps supplémentaire vous convient mieux que d'avoir un plat de plus à laver. Sauter cette étape préalable fera en sorte que les légumes seront plus durs dans vos assiettes, surtout dans les ragoûts et les chilis, où il y a moins de liquide que dans les soupes pour aider la cuisson.

Chili aux lentilles à la sauce aigre-douce

La mélasse et le jus de pomme donnent un petit côté sucré à ce chili à base de lentilles qui se veut différent. La cuisson à la mijoteuse permet aux saveurs de s'harmoniser, et le résultat est délicieux.

Format de la mijoteuse :
4 L

Temps de cuisson :
8 h

Intensité : faible

Donne 4 à 6 portions

15 ml (1 c. à table) d'huile d'olive
1 gros oignon jaune doux, haché
1 petit poivron rouge, épépiné et coupé en dés
2 gousses d'ail émincées
30 ml (2 c. à table) de poudre de chili (ou au goût)
360 ml (1 1/2 tasse) de lentilles brunes séchées, triées et rincées
1 boîte de 795 g (28 oz) de tomates broyées
80 ml (1/3 tasse) de mélasse noire non sulfurée
2,5 ml (1/2 c. à thé) de piment de la Jamaïque
Piment de Cayenne broyé (au goût)
Sel, et poivre du moulin
480 ml (2 tasses) d'eau
240 ml (1 tasse) de jus de pomme

1. À feu moyen, faites chauffer l'huile dans un grand poêlon. Faites revenir l'oignon, le poivron et l'ail environ 5 minutes à couvert. Incorporez la poudre de chili et faites cuire environ 30 secondes de plus.

2. Transvasez le mélange dans la mijoteuse de 4 L. Ajoutez les lentilles, les tomates, la mélasse noire et le piment de la Jamaïque. Salez, poivrez et assaisonnez avec le piment de Cayenne broyé. Incorporez l'eau et le jus de pomme. Couvrez la mijoteuse, réglez-la à faible intensité et laissez cuire pendant 8 heures. Ajoutez plus d'eau si le chili devient trop épais.

Chili aux pois chiches

Ce chili est différent en raison de la grande quantité de légumes que contient la recette. Il constitue un excellent choix en été lorsque vous rêvez d'un bon chili, mais que vous souhaitez aussi profiter des légumes de saison. De plus, la mijoteuse ne réchauffera pas votre cuisine.

Format de la mijoteuse :
4 à 6 L

Temps de cuisson :
6 à 8 h

Intensité : faible

Donne 6 portions

15 ml (1 c. à table) d'huile d'olive
1 gros oignon jaune doux, haché
1 branche de céleri émincée
1 aubergine de grosseur moyenne, pelée et coupée en dés
1 petit poivron rouge, épépiné et coupé en dés
1 gousse d'ail émincée
15 ml (1 c. à table) de poudre de chili (ou au goût)
1 petit piment chili rouge ou vert (facultatif), épépiné
  et finement haché
360 ml (1 1/2 tasse) d'eau
1 boîte de 411 g (14 1/2 oz) de tomates en dés avec leur jus
360 ml (1 1/2 tasse) de pois chiches cuits à la mijoteuse
  (page 107) ou 1 boîte de 440 g (15 1/2 oz) de pois chiches,
  égouttés et rincés
1 tasse de grains de maïs frais ou surgelés, puis dégelés
Sel, et poivre du moulin

1.   À feu moyen, faites chauffer l'huile dans un grand poêlon. Faites sauter l'oignon, le céleri, l'aubergine, le poivron et l'ail jusqu'à ce qu'ils ramollissent. Incorporez la poudre de chili et le piment, et faites cuire environ 30 secondes de plus.

2.   Transvasez les légumes dans la mijoteuse de 4 à 6 L. Ajoutez l'eau, les tomates, les pois chiches et le maïs. Salez et poivrez. Couvrez la mijoteuse, réglez-la à faible intensité et laissez cuire de 6 à 8 heures.

Chili épicé aux haricots noirs

Ce chili riche et foncé est facile à réaliser, et il regorge de saveur grâce à la cuisson à la mijoteuse. Pour un accompagnement qui sort de l'ordinaire, servez-le sur des pâtes ou du riz que vous aurez parfumés avec du curcuma, ce qui donnera également une belle couleur dorée. Puis, garnissez d'un avocat coupé en dés.

Format de la mijoteuse : 4 à 6 L	15 ml (1 c. à table) d'huile d'olive
	1 gros oignon jaune haché
	1 poivron rouge de grosseur moyenne, épépiné et coupé en dés
Temps de cuisson : 6 à 8 h	2 gousses d'ail émincées
	30 ml (2 c. à table) de poudre de chili (ou au goût)
	1 boîte de 795 g (28 oz) de tomates broyées
Intensité : faible	720 ml (3 tasses) de haricots noirs cuits à la mijoteuse (page 107) ou 2 boîtes de 440 g (15 1/2 oz) de haricots noirs, rincés et égouttés
Donne 4 portions	240 ml (1 tasse) d'eau
	1 boîte de 113 g (4 oz) de chilis verts en dés, égouttés
	Sel, et poivre du moulin

1. À feu moyen, faites chauffer l'huile dans un grand poêlon. Faites sauter l'oignon, le poivron et l'ail 5 minutes à couvert ou jusqu'à ce qu'ils ramollissent. Incorporez la poudre de chili et faites cuire environ 30 secondes de plus.

2. Transvidez le mélange dans la mijoteuse de 4 à 6 L. Ajoutez les tomates, les haricots, l'eau et les chilis. Salez et poivrez. Couvrez la mijoteuse, réglez-la à faible intensité et laissez cuire de 6 à 8 heures.

Chili aux trois haricots avec boulettes de pâte à la farine de maïs et à la ciboulette

Les boulettes de pâte à la farine de maïs donnent un côté rustique à ce chili consistant qui est fait avec trois sortes de haricots.

Format de la mijoteuse :
4 à 6 L

Temps de cuisson :
6 à 8 h pour le chili ;
30 à 40 min pour les
boulettes de pâte

Intensité : faible pour le
chili élevée pour
les boulettes de pâte

Donne 4 à 6 portions

Chili
15 ml (1 c. à table) d'huile d'olive
1 gros oignon jaune doux, haché
1/2 petit poivron vert, épépiné et coupé en dés
2 gousses d'ail émincées
45 ml (3 c. à table) de pâte de tomates
15 ml (1 c. à table) de poudre de chili (ou au goût)
1 boîte de 795 g (28 oz) de tomates broyées
360 ml (1 1/2 tasse) de haricots noirs cuits à la mijoteuse
(page 107) ou 1 boîte de 440 g (15 1/2 oz) de haricots
noirs, égouttés et rincés
360 ml (1 1/2 tasse) de haricots pintos cuits à la mijoteuse
(page 107) ou 1 boîte de 440 g (15 1/2 oz) de haricots
pintos, égouttés et rincés
360 ml (1 1/2 tasse) de haricots rouges cuits à la mijoteuse
(page 107) ou 1 boîte de 440 g (15 1/2 oz) de haricots
rouges, égouttés et rincés
360 ml (1 1/2 tasse) d'eau
5 ml (1 c. à thé) de sel
1,25 ml (1/4 c. à thé) de poivre noir fraîchement moulu

Boulettes de pâte
160 ml (2/3 tasse) de farine tout usage
80 ml (1/3 tasse) de farine de maïs jaune
10 ml (2 c. à thé) de levure chimique
5 ml (1 c. à thé) de ciboulette fraîche ciselée
0,50 ml (1/8 c. à thé) de sel
120 ml (1/2 tasse) de grains de maïs frais, ou surgelés et
dégelés
120 ml (1/2 tasse) de lait ou de lait de soja
30 ml (2 c. à table) d'huile d'olive

1. Pour préparer le chili, faites chauffer l'huile dans un grand poêlon à feu moyen. Faites revenir l'oignon, le poivron et l'ail 5 minutes à couvert ou jusqu'à ce qu'ils soient tendres. Incorporez la pâte de tomates et la poudre de chili, et faites cuire environ 30 secondes de plus.

2. Mettez le mélange dans la mijoteuse de 4 à 6 L. Ajoutez les tomates, les haricots et l'eau. Salez et poivrez. Couvrez la mijoteuse, réglez-la à faible intensité et laissez cuire de 6 à 8 heures.

3. Pour faire les boulettes de pâte, dans un bol de format moyen, mélangez la farine tout usage, la farine de maïs, la levure chimique, la ciboulette et le sel environ 45 minutes avant le service. Incorporez le maïs, le lait et l'huile en remuant juste assez pour mélanger les ingrédients. Ne brassez pas trop.

4. Réglez la mijoteuse à intensité élevée et déposez la pâte par cuillerée dans le chili chaud. Couvrez la mijoteuse et laissez cuire de 30 à 40 minutes ou jusqu'à ce que les boulettes de pâte soient complètement cuites. Servez immédiatement.

Chili aux haricots rouges, aux patates douces et aux chipotles

Ce chili, en raison de ses couleurs vives, rouge et orange, est appétissant tant pour les yeux que pour les papilles. Si vous n'appréciez pas vraiment le goût de fumée des chipotles, vous pouvez ne pas les ajouter. Vous obtiendrez alors un chili plus doux, mais tout aussi savoureux.

Format de la mijoteuse :
4 à 6 L

Temps de cuisson :
6 à 8 h

Intensité : faible

Donne 4 à 6 portions

15 ml (1 c. à table) d'huile d'olive
1 oignon jaune de grosseur moyenne, haché
1 poivron rouge de grosseur moyenne, épépiné et coupé en dés
1 grosse gousse d'ail émincée
15 ml (1 c. à table) de poudre de chili (ou au goût)
680 g (1 1/2 lb) de patates douces, pelées et coupées en cubes de 1,25 cm (1/2 po)
1 boîte de 411 g (14 1/2 oz) de tomates broyées
360 ml (1 1/2 tasse) de haricots rouge foncé cuits à la mijoteuse (page 107) ou 1 boîte de 440 g (15 ½ oz) de haricots rouge foncé, égouttés et rincés
360 ml (1 1/2 tasse) d'eau
Sel
15 ml (1 c. à table) de chipotles hachés en conserve dans la sauce adobo (ou au goût)

1. À feu moyen, faites chauffer l'huile dans un grand poêlon. Faites sauter l'oignon, le poivron et l'ail 5 minutes à couvert ou jusqu'à ce qu'ils ramollissent. Incorporez la poudre de chili et faites cuire pendant 30 secondes de plus. Ajoutez les patates douces et remuez pour bien les enrober d'épices.

2. Transvidez le mélange dans la mijoteuse de 4 à 6 L. Ajoutez les tomates, les haricots et l'eau. Salez, couvrez, réglez la mijoteuse à faible intensité et laissez cuire de 6 à 8 heures.

3. Au moment de servir, incorporez les chipotles. Goûtez et, au besoin, rectifiez l'assaisonnement.

Chili aux haricots blancs et au maïs lessivé

Le maïs lessivé — préparé à partir de grains de maïs secs auxquels on a retiré le germe et l'envelop-pe — se marie parfaitement avec les épices du chili. Le maïs lessivé en conserve a été reconstitué et est prêt à l'emploi. Si vous souhaitez un chili moins épicé, omettez le jalapeño.

Format de la mijoteuse :
4 à 6 L

Temps de cuisson :
6 à 8 h

Intensité : faible

Donne 4 à 6 portions

15 ml (1 c. à table) d'huile d'olive
1 petit oignon jaune haché
2 gousses d'ail émincées
15 ml (1 c. à table) de poudre de chili (ou au goût)
1 jalapeño épépiné et finement haché (facultatif)
1 boîte de 411 g (14 1/2 oz) de tomates broyées
720 ml (3 tasses) de haricots blancs cuits à la mijoteuse
(page 107) ou 2 boîtes de 440 g (15 1/2 oz) de haricots
blancs, égouttés et rincés
1 boîte de 454 g (1 lb) de maïs lessivé, égoutté et rincé
360 ml (1 1/2 tasse) d'eau
2,5 ml (1/2 c. à thé) de cumin moulu
2,5 ml (1/2 c. à thé) d'origan séché
5 ml (1 c. à thé) de sel
1,25 ml (1/4 c. à thé) de poivre noir fraîchement moulu
30 ml (2 c. à table) de coriandre fraîche ciselée

1. À feu moyen, faites chauffer l'huile dans un grand poêlon. Faites suer l'oignon et l'ail environ 5 minutes à couvert. Incorporez la poudre de chili et faites cuire environ 30 secondes de plus.

2. Videz le mélange dans la mijoteuse de 4 à 6 L. Ajoutez le jalapeño, les tomates, les haricots, le maïs lessivé, l'eau, le cumin, l'origan, le sel et le poivre. Couvrez la mijoteuse, réglez-la à faible intensité et laissez cuire de 6 à 8 heures.

3. Juste avant de servir, incorporez la coriandre. Goûtez et, au besoin, rectifiez l'assaisonne-ment.

Ragoût épicé aux haricots blancs, aux patates douces et au chou vert

Ce ragoût est coloré et goûteux en raison des nombreux légumes et épices qu'il contient. Je préfère cuire le chou vert séparément pour ne pas qu'il donne un goût amer au ragoût. Puisque les patates douces ont tendance à se défaire, il est important de ne pas faire mijoter ce ragoût trop longtemps. Pour une version plus douce, mais toujours savoureuse, n'ajoutez pas le piment chili. Servez ce ragoût avec du pain croûté chaud.

Format de la mijoteuse :
4 à 6 L

Temps de cuisson :
4 à 6 h

Intensité : faible

Donne 4 à 6 portions

15 ml (1 c. à table) d'huile d'olive
1 oignon jaune de grosseur moyenne, haché
1 petit poivron rouge, épépiné et coupé en dés
2 gousses d'ail émincées
454 g (1 lb) de patates douces, pelées et coupées
   en morceaux de 2,5 cm (1 po)
1 piment chili frais, épépiné et finement haché
5 ml (1 c. à thé) de gingembre frais, pelé et râpé
1 boîte de 411 g (14 1/2 oz) de tomates en dés avec leur jus
720 ml (3 tasses) de *cannellinis* cuits à la mijoteuse
   (page 107) ou 2 boîtes de 440 g (15 1/2 oz) de *cannellinis*,
   égouttés et rincés
5 ml (1 c. à thé) de cassonade blonde ou d'un édulcorant
   naturel
2,5 ml (1/2 c. à thé) de piment de la Jamaïque
1,25 ml (1/4 c. à thé) de cumin moulu
2 feuilles de laurier
720 ml (3 tasses) de bouillon de légumes
   (voir « Remarques sur le bouillon de légumes », page 44)
Sel, et poivre du moulin
2 tasses de feuilles de chou vert hachées, cuites dans une eau
   frémissante jusqu'à tendreté, puis égouttées

1. À feu moyen, faites chauffer l'huile dans un grand poêlon. Faites sauter l'oignon, le poivron et l'ail environ 5 minutes à couvert.

2. Transvasez le mélange dans la mijoteuse de 4 à 6 L. Ajoutez les patates douces, le chili, le gingembre, les tomates, les haricots, la cassonade, le piment de la Jamaïque, le cumin, les feuilles de laurier et le bouillon. Salez et poivrez. Couvrez la mijoteuse, réglez-la à faible intensité et laissez cuire de 4 à 6 heures.

3. Un peu avant de servir, incorporez les feuilles de chou vert. Retirez les feuilles de laurier. Goûtez et, au besoin, rectifiez l'assaisonnement. Servez.

Ragoût aux haricots blancs et aux tomates séchées parfumé au pesto

Les parfums de l'Italie se mélangent dans ce ragoût, qui est particulièrement délicieux lorsque servi sur des pâtes ou accompagné de pain italien grillé. Si vous ne trouvez pas de tomates fraîches bien mûres, prenez des tomates en conserve.

Format de la mijoteuse :
4 L

Temps de cuisson :
6 à 8 h

Intensité : faible

Donne 4 portions

15 ml (1 c. à table) d'huile d'olive
1 gros oignon Vidalia ou un autre oignon doux haché
1 poivron rouge, épépiné et coupé en dés de 0,6 cm (1/4 po)
3 grosses tomates mûres, pelées, épépinées et coupées
60 ml (1/4 tasse) de tomates séchées, hachées
720 ml (3 tasses) de *cannellinis* cuits à la mijoteuse
   (page 107) ou 2 boîtes de 440 g (15 1/2 oz) de *cannellinis* ou
   d'autres haricots blancs, égouttés et rincés
360 ml (1 1/2 tasse) de bouillon de légumes
   (voir « Remarques sur le bouillon de légumes », page 44)
Sel, et poivre du moulin
60 ml (1/4 tasse) de pesto maison (page 63) ou du commerce

1. À feu moyen, faites chauffer l'huile dans un poêlon. Faites suer l'oignon environ 5 minutes à couvert.

2. Mettez l'oignon dans la mijoteuse de 4 L. Ajoutez le poivron, les tomates fraîches, les tomates séchées, les haricots et le bouillon. Salez et poivrez. Couvrez la mijoteuse, réglez-la à faible intensité et laissez cuire de 6 à 8 heures.

3. Juste avant de servir, incorporez le pesto. Goûtez et, au besoin, rectifiez l'assaisonnement.

Ragoût aux haricots et aux légumes

C'est le ragoût parfait pour une soirée froide ou lorsqu'un horaire chargé met en péril le repas cuisiné maison. Dressez la table et servez ce plat consistant qui vous attend au retour à la maison. Si vous pensez être absent plus de 8 heures, utilisez une minuterie électrique pour mettre votre mijoteuse en marche jusqu'à 2 heures après votre départ.

Format de la mijoteuse :
4 à 6 L

Temps de cuisson :
6 à 8 h

Intensité : faible

Donne 6 portions

30 ml (2 c. à table) d'huile d'olive
1 oignon jaune de grosseur moyenne, émincé
1 grosse carotte tranchée en demi-lunes
1 gros navet pelé et coupé en dés
1 gros panais pelé et coupé en demi-lunes
1 grosse patate douce, pelée et coupée en dés
360 ml (1 1/2 tasse) de *cannellinis* cuits à la mijoteuse
   (page 107) ou 1 boîte de 440 g (15 1/2 oz) de *cannellinis* ou
   d'autres haricots blancs, égouttés et rincés
480 ml (2 tasses) de bouillon de légumes
   (voir « Remarques sur le bouillon de légumes », page 44)
120 ml (1/2 tasse) de vin blanc sec
5 ml (1 c. à thé) de thym frais ciselé ou 2,5 ml (1/2 c. à thé)
   de thym séché
5 ml (1 c. à thé) de sel
1,25 ml (1/4 c. à thé) de poivre noir fraîchement moulu
240 ml (1 tasse) de chou vert ou d'un légume vert foncé,
   cuit et coupé

1. À feu moyen, faites chauffer l'huile dans un grand poêlon. Faites sauter l'oignon et la carotte 5 minutes à couvert ou jusqu'à ce qu'ils ramollissent.
2. Mettez les légumes sautés dans la mijoteuse de 4 à 6 L. Ajoutez le navet, le panais, la patate douce, les haricots, le bouillon, le vin, le thym, le sel et le poivre. Couvrez la mijoteuse, réglez-la à faible intensité et laissez cuire de 6 à 8 heures.
3. Environ 10 minutes avant de servir, incorporez le chou vert cuit. Servez chaud.

Ragoût « presque » irlandais

Pendant que la mijoteuse fera tout le travail, vous aurez le temps de préparer une miche de pain à la levure chimique pour accompagner ce ragoût « presque » irlandais. Pour obtenir une version « à la viande », vous pouvez utiliser de gros morceaux de seitan au lieu des haricots.

Format de la mijoteuse :
4 à 6 L

Temps de cuisson :
6 à 8 h

Intensité : faible

Donne 4 portions

15 ml (1 c. à table) d'huile d'olive
1 petit oignon jaune haché
360 ml (1 1/2 tasse) de carottes miniatures, coupées
  en deux dans le sens de la longueur
6 pommes de terre grelots coupées en deux ou en quatre
2 gousses d'ail émincées
360 ml (1 1/2 tasse) de *cannellinis* cuits à la mijoteuse
  (page 107) ou 1 boîte de 440 g (15 1/2 oz) de *cannellinis*,
  égouttés et rincés
240 ml (2 tasses) de bouillon de légumes
  (voir « Remarques sur le bouillon de légumes », page 44)
1 feuille de laurier
60 ml (1/4 tasse) de vin blanc sec
30 ml (2 c. à table) de tamari ou d'une autre sauce soja
5 ml (1 c. à thé) de thym séché
Sel, et poivre du moulin
3 grandes feuilles de chou frisé, ou un autre légume vert,
  blanchies, puis égouttées

1. À feu moyen, faites chauffer l'huile dans un grand poêlon. Faites revenir l'oignon environ 5 minutes à couvert.

2. Transvasez les oignons dans la mijoteuse de 4 à 6 L. Ajoutez les carottes, les pommes de terre, l'ail, les haricots, le bouillon, la feuille de laurier, le vin, le tamari et le thym. Salez et poivrez. Couvrez la mijoteuse, réglez-la à faible intensité et laissez cuire de 6 à 8 heures.

3. Environ 10 minutes avant le service, incorporez le chou frisé. Servez chaud.

Ragoût rouge, blanc et bleu

Vous n'avez pas besoin d'attendre le 4 juillet pour servir ce ragoût patriotique américain, mais ce ne serait pas une mauvaise idée puisque la mijoteuse ne réchauffera pas votre cuisine même en plein cœur de l'été. Les pommes de terre bleues se trouvent dans les épiceries fines. Si vous n'en trouvez pas, remplacez-les par des pommes de terre rouges ou blanches, et servez le ragoût avec des croustilles de maïs bleues pour respecter le thème.

Format de la mijoteuse :
4 à 6 L

Temps de cuisson :
6 à 8 h

Intensité : faible

Donne 4 à 6 portions

15 ml (1 c. à table) d'huile d'olive
1 gros oignon rouge haché
1 petit poivron rouge, épépiné et coupé en dés
2 gousses d'ail émincées
454 g (1 lb) de pommes de terre bleues avec la pelure, coupées en deux ou en quatre selon la grosseur
360 ml (1 1/2 tasse) de haricots rouges cuits à la mijoteuse (page 107) ou 1 boîte de 440 g (15 1/2 oz) de haricots rouges, égouttés et rincés
360 ml (1 1/2 tasse) de *cannellinis* cuits à la mijoteuse (page 107) ou 1 boîte de 440 g (15 1/2 oz) de *cannellinis* ou d'autres haricots blancs, égouttés et rincés
720 ml (3 tasses) de bouillon de légumes (voir « Remarques sur le bouillon de légumes », page 44)
60 ml (1/4 tasse) de vin blanc sec
30 ml (2 c. à table) de tamari ou d'une autre sauce soja
1 feuille de laurier
5 ml (1 c. à thé) de thym séché
Sel, et poivre du moulin

1.   À feu moyen, faites chauffer l'huile dans un grand poêlon. Faites revenir l'oignon, le poivron et l'ail environ 5 minutes à couvert.

2.   Transvasez les légumes sautés dans la mijoteuse de 4 à 6 L. Ajoutez les pommes de terre, les haricots, le bouillon, le vin, le tamari, la feuille de laurier et le thym. Salez et poivrez. Couvrez la mijoteuse, réglez-la à faible intensité et laissez cuire de 6 à 8 heures.

Ragoût indien au chou-fleur, aux haricots rouges et au lait de coco

Le chou-fleur et les pommes de terre absorbent toutes les saveurs des épices et des assaisonnements de ce mélange indien fort populaire. Réduire les oignons et les épices en purée avant de procéder à la cuisson contribue à en tirer toute la saveur. Des *roti*, des *paratha* ou d'autres pains indiens plats feront un accompagnement parfait.

Format de la mijoteuse :
4 à 6 L

Temps de cuisson :
6 h

Intensité : faible

Donne 4 à 6 portions

1 gros oignon jaune coupé en morceaux
2 gousses d'ail émincées
5 ml (1 c. à thé) de gingembre frais, pelé et haché
1 jalapeño épépiné (facultatif)
30 ml (2 c. à table) d'huile d'olive
2,5 ml (1/2 c. à thé) de moutarde sèche
2,5 ml (1/2 c. à thé) de graines de fenouil moulues
2,5 ml (1/2 c. à thé) de cardamome moulue
2,5 ml (1/2 c. à thé) de piment de la Jamaïque
1,25 ml (1/4 c. à thé) de cumin moulu
1,25 ml (1/4 c. à thé) de curcuma
1,25 ml (1/4 c. à thé) de piment de Cayenne broyé
2 grosses pommes de terre Yukon Gold, pelées et coupées en dés
1/2 chou-fleur coupé en petites fleurettes
360 ml (1 1/2 tasse) de haricots rouge foncé cuits à la mijoteuse (page 107) ou 1 boîte de 440 g (15 ½ oz) de haricots rouge foncé, égouttés et rincés
1 boîte de 411 g (14 1/2 oz) de tomates en dés égouttées
480 ml (2 tasses) de bouillon de légumes (voir « Remarques sur le bouillon de légumes », page 44)
Sel, et poivre du moulin
240 ml (1 tasse) de lait de coco non sucré en conserve

1. Dans un robot culinaire, réduisez en purée l'oignon, l'ail, le gingembre et le jalapeño.

2. Versez l'huile dans la mijoteuse de 4 à 6 L. Réglez la mijoteuse à intensité élevée. Ajoutez la purée d'oignon et incorporez la moutarde, les graines de fenouil, la cardamome, le piment de la Jamaïque, le cumin, le curcuma et le piment de Cayenne broyé. Couvrez la mijoteuse, réglez-la à haute intensité et faites cuire pendant 5 minutes.

3. Incorporez ensuite les pommes de terre, le chou-fleur, les haricots rouges, les tomates et le bouillon. Salez et poivrez. Couvrez de nouveau la mijoteuse, réglez-la maintenant à faible intensité et laissez cuire pendant 6 heures.

4. Quand les légumes sont tendres, ajoutez le lait de coco et faites cuire de 10 à 15 minutes, sans couvrir, pour mélanger les saveurs.

Ragoût aux légumes et aux pois chiches à la marocaine

Le parfum des épices et des fruits secs donne une saveur marocaine à ce ragoût inspiré de la tagine traditionnelle — un mets qui est habituellement cuit dans un plat en terre cuite du même nom, ce qui en fait un candidat idéal pour la mijoteuse. Servez ce délicieux ragoût avec du couscous et, pour ceux qui aiment les plats relevés, avec de la sauce harissa (page 53).

Format de la mijoteuse :
4 à 6 L

Temps de cuisson :
6 à 8 h

Intensité : faible

Donne 4 à 6 portions

15 ml (1 c. à table) d'huile d'olive

3 échalotes françaises hachées

1 grosse carotte coupée

1 petit poivron jaune ou rouge, épépiné et coupé en dés

1 gousse d'ail émincée

5 ml (1 c. à thé) de gingembre frais, pelé et haché

2,5 ml (1/2 c. à thé) de cannelle moulue

2,5 ml (1/2 c. à thé) de cumin moulu

1,25 ml (1/4 c. à thé) de paprika

1,25 ml (1/4 c. à thé) de curcuma

227 g (8 oz) de haricots verts, les tiges enlevées, coupés en tronçons de 2,5 cm (1 po)

360 ml (1 1/2 tasse) de pois chiches cuits à la mijoteuse (page 107) ou 1 boîte de 440 g (15 1/2 oz) de pois chiches, égouttés et rincés

1 boîte de 411 g (14 1/2 oz) de tomates en dés, égouttées et hachées

360 ml (1 1/2 tasse) de bouillon de légumes (voir « Remarques sur le bouillon de légumes », page 44)

15 ml (1 c. à table) de jus de citron frais

Sel, et poivre du moulin

120 ml (1/2 tasse) de pois surgelés, puis dégelés

120 ml (1/2 tasse) de mélange de fruits secs (abricots, tranches de pomme, pruneaux, raisins secs, etc.) hachés

60 ml (1/4 tasse) d'olives vertes importées, égouttées, coupées en deux et dénoyautées

15 ml (1 c. à table) de persil frais ciselé

1. Dans un grand poêlon, faites chauffer l'huile à feu moyen. Faites sauter les échalotes, la carotte, le poivron et l'ail 5 minutes à couvert ou jusqu'à ce qu'ils ramollissent. Ajoutez le gingembre, la cannelle, le cumin, le paprika et le curcuma et, tout en remuant, faites cuire pendant 30 secondes pour révéler les saveurs.

2. Transvasez le mélange dans la mijoteuse de 4 à 6 L. Ajoutez les haricots verts, les pois chiches, les tomates, le bouillon et le jus de citron. Salez et poivrez. Couvrez la mijoteuse, réglez-la à faible intensité et laissez cuire de 6 à 8 heures.

3. Environ 20 minutes avant le service, ajoutez les pois et les fruits séchés.

4. Juste avant de servir, incorporez les olives et saupoudrez le ragoût de persil. Rectifiez l'assaisonnement et servez chaud.

Jambalaya végétarien

Le jambalaya traditionnel contient des saucisses et plusieurs autres sortes de viande. Dans cette version végétarienne, n'hésitez pas à utiliser du seitan ou du tempeh coupés en morceaux, ou même du pepperoni végétarien, pour remplacer partiellement ou complètement les haricots. Servez sur du riz cuit.

Format de la mijoteuse :
4 à 6 L

Temps de cuisson :
6 à 8 h

Intensité : faible

Donne 4 portions

30 ml (2 c. à table) d'huile d'olive
1 gros oignon jaune haché
1 poivron vert moyen, épépiné et coupé en dés
1 branche de céleri émincée
2 gousses d'ail émincées
360 ml (1 1/2 tasse) de haricots rouge foncé cuits à la mijoteuse (page 107) ou 1 boîte de 440 g (15 ½ oz) de haricots rouge foncé, égouttés et rincés
360 ml (1 1/2 tasse) de haricots noirs cuits à la mijoteuse (page 107) ou 1 boîte de 440 g (15 1/2 oz) de haricots noirs, égouttés et rincés
1 boîte de 425 g (15 oz) de tomates broyées
1 boîte de 411 g (14 1/2 oz) de tomates en dés égouttées
240 ml (1 tasse) d'eau
5 ml (1 c. à thé) de poudre de Filé (facultatif)
3,75 ml (3/4 c. à thé) de thym séché et broyé
2,5 ml (1/2 c. à thé) d'assaisonnement Old Bay
Sel, et poivre du moulin
227 g (8 oz) de saucisses végétariennes coupées en morceaux de 2,5 cm (1 po)
Sauce tabasco

1. À feu moyen, faites chauffer 15 ml (1 c. à table) d'huile dans un grand poêlon. Faites sauter l'oignon, le poivron, le céleri et l'ail 5 minutes à couvert ou jusqu'à ce qu'ils soient tendres.
2. Transvasez les légumes sautés dans la mijoteuse de 4 à 6 L. Ajoutez les haricots, les tomates, l'eau, la poudre de Filé (si vous l'utilisez), le thym et l'assaisonnement Old Bay. Salez et poivrez. Couvrez la mijoteuse, réglez-la à faible intensité et laissez cuire de 6 à 8 heures.
3. Juste avant de servir, faites chauffer à feu moyen la dernière cuillère à table (15 ml) d'huile dans un petit poêlon. Faites brunir les morceaux de saucisse. Incorporez-les ensuite au jambalaya que vous arroserez de tabasco à volonté.

Ragoût de légumes à la méditerranéenne

Une belle variété de légumes, des cœurs d'artichauts au fenouil, baigne dans ce ragoût ; l'ajout de pommes de terre et de pois chiches en font un repas consistant. Pour un ragoût plus épais, réduisez en purée jusqu'à 480 ml (2 tasses) des solides à la fin de la cuisson.

Format de la mijoteuse :
4 à 6 L

Temps de cuisson :
6 à 8 h

Intensité : faible

Donne 6 portions

30 ml (2 c. à table) d'huile d'olive
3 échalotes françaises hachées
1 grosse carotte coupée en deux dans le sens de la longueur, puis tranchée en fines demi-lunes
2 gousses d'ail émincées
1 gros bulbe de fenouil, équeuté et émincé
454 g (1 lb) de petites pommes de terre rouges coupées en quatre
1 petit poivron rouge, épépiné et coupé en morceaux de 2,5 cm (1 po)
1 paquet de 255 g (9 oz) de cœurs d'artichauts surgelés, puis dégelés
1 boîte de 411 g (14 1/2 oz) de tomates en dés égouttées
360 ml (1 1/2 tasse) de pois chiches cuits à la mijoteuse (page 107) ou 1 boîte de 440 g (15 1/2 oz) de pois chiches, égouttés et rincés
80 ml (1/3 tasse) de vin blanc sec
360 ml (1 1/2 tasse) de bouillon de légumes (voir « Remarques sur le bouillon de légumes », page 44)
5 ml (1 c. à thé) de thym frais ciselé ou 1,25 ml (1/4 c. à thé) de thym séché
5 ml (1 c. à thé) d'origan frais ciselé ou 1,25 ml (1/4 c. à thé) d'origan séché
1 grosse feuille de laurier
Sel, et poivre du moulin

1.   À feu moyen, faites chauffer l'huile dans un poêlon. Faites sauter les échalotes et la carotte 5 minutes à couvert ou jusqu'à ce qu'elles ramollissent. Ajoutez l'ail et, tout en remuant, faites cuire pendant 30 secondes de plus.

2.   Mettez les légumes sautés dans la mijoteuse de 4 à 6 L. Ajoutez le fenouil, les pommes de terre, le poivron, les cœurs d'artichauts, les tomates, les pois chiches, le vin, le bouillon, le thym et l'origan séchés, et la feuille de laurier. Salez et poivrez. Couvrez la mijoteuse, réglez-la à faible intensité et laissez cuire de 6 à 8 heures. Si vous utilisez des herbes fraîches, ajoutez-les quelques minutes avant la fin du temps de cuisson. Retirez la feuille de laurier avant de servir.

Légumes à la vindaloo

Si vous cherchez un moyen de renouveler vos ragoûts végétariens, vous devriez les faire à la manière vindaloo. Parfumé avec des épices indiennes qui sont mélangées en une pâte pour en faire ressortir les saveurs, ce ragoût décoiffant est délicieux avec du riz basmati. Puisque les plats à la vindaloo sont vraiment très épicés, cette version a été légèrement allégée de ce point de vue. Ce sera le piment de Cayenne broyé, ajouté à volonté, qui lui donnera son côté épicé. Toutefois, si vous souhaitez un plat davantage relevé, vous pouvez ajouter un ou deux piments chilis hachés.

Format de la mijoteuse :
4 L

Temps de cuisson :
6 h

Intensité : faible

Donne 4 portions

30 ml (2 c. à table) d'huile d'olive
3 gousses d'ail pelées
15 ml (1 c. à table) de gingembre frais, pelé et haché
5 ml (1 c. à thé) de cassonade blonde
5 ml (1 c. à thé) de coriandre moulue
2,5 ml (1/2 c. à thé) de cumin moulu
2,5 ml (1/2 c. à thé) de moutarde sèche
2,5 ml (1/2 c. à thé) de piment de Cayenne broyé *poivre de...*
(ou au goût)
2,5 ml (1/2 c. à thé) de curcuma
15 ml (1 c. à table) de vinaigre de vin blanc
1 gros oignon jaune haché
2 petites carottes finement tranchées
1 petit poivron vert, épépiné et coupé en dés
480 ml (2 tasses) de fleurettes de chou-fleur
2 petites courgettes coupées en morceaux de 0,6 cm (1/4 po)
360 ml (1 1/2 tasse) de haricots rouge foncé cuits à la mijoteuse (page 107) ou 1 boîte de 440 g (15 ½ oz) de haricots rouge foncé, égouttés et rincés
1 boîte de 170 g (6 oz) de pâte de tomates mélangée avec 360 ml (1 1/2 tasse) d'eau chaude
Sel, et poivre du moulin
120 ml (1/2 tasse) de pois verts surgelés, puis dégelés

1. Dans un mélangeur ou un robot culinaire, mélangez 15 ml (1 c. à table) d'huile, l'ail, le gingembre, la cassonade, la coriandre, le cumin, la moutarde, le piment de Cayenne broyé, le curcuma et le vinaigre. Actionnez l'appareil jusqu'à l'obtention d'une pâte lisse. Réservez.

2. Faites chauffer, à feu moyen-élevé, la dernière cuillère à table d'huile (15 ml) dans un poêlon de format moyen. Faites sauter l'oignon et les carottes 5 minutes à couvert ou jusqu'à ce qu'ils ramollissent.

3. Transvasez le mélange d'oignon et de carottes dans la mijoteuse de 4 L et réglez cette dernière à faible intensité. Ajoutez la pâte d'épices et, tout en remuant, faites cuire 1 minute. Ajoutez le poivron, le chou-fleur, les courgettes et les haricots rouge foncé. Incorporez la pâte de tomates diluée. Salez et poivrez. Couvrez la mijoteuse, toujours réglée à faible intensité, et laissez cuire pendant 6 heures.

4. Dix minutes avant la fin de la cuisson, incorporez les pois et faites-les réchauffer. Servez.

Pot-au-feu végétarien

Le pot-au-feu est un plat français où la viande et les légumes cuisent lentement dans l'eau. Habituellement, le riche bouillon qui en résulte est servi en entrée avec des croûtons, suivi de la viande et des légumes en plat principal. Les ingrédients changent selon la région. Alors, pourquoi ne pas en faire une version végétarienne ? Si vous ne possédez pas une grande mijoteuse, réduisez un peu les quantités pour que tout y entre.

Format de la mijoteuse :
5,5 à 6 L

Temps de cuisson :
8 h

Intensité : faible

Donne 4 à 6 portions

2 blancs de gros poireaux, bien nettoyés et coupés en deux dans le sens de la longueur

454 g (1 lb) de petites pommes de terre rouges coupées en deux

2 petits panais pelés et tranchés

2 petits navets pelés et coupés en quatre

480 ml (2 tasses) de carottes miniatures

1 branche de céleri coupée en tronçons de 5 cm (2 po)

1 petit chou vert, étrogné et coupé en 6 quartiers

113 g (4 oz) de haricots verts, équeutés

1 L (4 tasses) de bouillon de légumes (voir « Remarques sur le bouillon de légumes », page 44)

15 ml (1 c. à table) d'huile d'olive

Sel, et poivre du moulin

Garniture

120 ml (1/2 tasse) de crème sure ou de crème sure au tofu

30 ml (2 c. à table) de raifort frais, pelé et râpé

15 ml (1 c. à table) de moutarde de Dijon

15 ml (1 c. à table) de cornichons surs, hachés

1 baguette de pain français coupée en tranches de 1,25 cm (1/2 po) d'épaisseur, grillées

1. Coupez les poireaux en morceaux de 7,5 cm (3 po) de long et déposez-les dans la mijoteuse de 5,5 à 6 L. Ajoutez les pommes de terre, les panais, les navets, les carottes, le céleri, le chou et les haricots verts. Versez le bouillon sur les légumes et ajoutez l'huile d'olive. Salez et poivrez. Couvrez la mijoteuse, réglez-la à faible intensité et laissez cuire pendant 8 heures.

2. Dans un petit bol, mélangez la crème sure, le raifort, la moutarde et les cornichons surs. Réservez.

3. Retirez les légumes du bouillon. Servez le bouillon comme entrée ou accompagnement de l'entrée. Disposez les légumes dans un grand plat de service accompagnés de la sauce au raifort et du pain grillé.

Stroganoff aux champignons et aux haricots verts

Des champignons avec une texture de viande et de tendres haricots verts remplacent le bœuf dans ce grand classique crémeux de l'Europe de l'Est.

Format de la mijoteuse :
4 à 6 L

Temps de cuisson :
6 à 8 h

Intensité :
faible pour 6 à 8 h ;
élevée pour 20 min

Donne 4 portions

30 ml (2 c. à table) d'huile d'olive

454 g (1 lb) de petits champignons blancs, coupés en quartiers

30 ml (2 c. à table) de pâte de tomates

480 ml (2 tasses) de bouillon de légumes (voir « Remarques sur le bouillon de légumes », page 44)

1 gros oignon jaune haché

1 gros poivron vert, épépiné et coupé en dés

30 ml (2 c. à table) de farine tout usage

22,5 ml (1 1/2 c. à table) de paprika hongrois doux

227 g (8 oz) de haricots verts, équeutés et coupés en morceaux de 2,5 cm (1 po)

Sel, et poivre du moulin

120 ml (1/2 tasse) de crème sure ou de crème sure au tofu

1. À feu élevé, faites chauffer 15 ml (1 c. à table) d'huile dans un grand poêlon. Faites colorer les champignons sur toutes les faces. Réservez.

2. Dans un petit bol, mélangez la pâte de tomates avec 60 ml (1/4 tasse) de bouillon jusqu'à consistance lisse. Réservez.

3. Sans nettoyer le poêlon, faites chauffer à feu moyen la dernière cuillère à table (15 ml) d'huile. Faites sauter l'oignon et le poivron 5 minutes à couvert ou jusqu'à ce qu'ils ramollissent. Incorporez la farine et faites cuire pendant 1 minute pour éliminer le goût cru.

4. Transvidez le mélange dans la mijoteuse de 4 à 6 L. Ajoutez le paprika, les haricots verts, le reste du bouillon et le mélange de pâte de tomates. Couvrez la mijoteuse, réglez-la à faible intensité et laissez cuire de 6 à 8 heures.

5. À la fin du temps de cuisson, ajoutez les champignons brunis. Salez et poivrez. Enlevez le couvercle, réglez la mijoteuse à intensité élevée et faites cuire environ 20 minutes pour que les saveurs se mélangent et que la sauce épaississe un peu.

6. Juste avant de servir, incorporez lentement la crème sure jusqu'à ce qu'elle soit bien délayée. Servez immédiatement.

Ragoût au millet et aux racines de bardane

La douce saveur et la texture ferme des racines de bardane, une plante qui pousse à l'état sauvage partout aux États-Unis, combinées à la saveur corsée et boisée des champignons shiitake, se mêlent parfaitement au millet, crémeux et au goût subtil, qu'on fera rôtir pour obtenir une légère saveur de noisette. L'huile de sésame grillé viendra rehausser la saveur du plat. Il s'agit d'un ragoût savoureux et consistant qui convient parfaitement aux mois froids d'hiver. La bardane se trouve dans les marchés asiatiques et les épiceries fines.

Format de la mijoteuse :
4 à 6 L

Temps de cuisson :
6 à 8 h

Intensité : faible

Donne 4 portions

240 ml (1 tasse) de millet
480 ml (2 tasses) de racines de bardane pelées et coupées en dés
1 pomme de terre de grosseur moyenne, pelée et coupée en dés
113 g (4 oz) de champignons shiitake frais, tiges enlevées, émincés
5 ml (1 c. à thé) de gingembre frais, pelé et haché
15 ml (1 c. à table) de tamari ou d'une autre sauce soja
15 ml (1 c. à table) d'huile d'arachide
1 gros oignon jaune haché
2 carottes de grosseur moyenne, coupées en dés
720 ml (3 tasses) de bouillon de légumes (voir « Remarques sur le bouillon de légumes », page 44)
15 ml (1 c. à table) de pâte de miso d'orge mélangée avec
30 ml (2 c. à table) d'eau chaude
15 ml (1 c. à table) d'huile de sésame grillé

1. À feu moyen, faites griller pendant environ 5 minutes le millet dans un poêlon sec tout en remuant constamment. Faites attention à ne pas le brûler.
2. Transvidez le millet dans la mijoteuse de 4 à 6 L. Ajoutez les racines de bardane, la pomme de terre, les champignons, le gingembre et le tamari.
3. À feu moyen, faites chauffer l'huile d'arachide dans un grand poêlon. Faites revenir l'oignon et les carottes 5 minutes ou jusqu'à ce qu'ils soient tendres. Mettez les légumes sautés dans la mijoteuse avec le bouillon. Couvrez la mijoteuse, réglez-la à faible intensité et laissez cuire de 6 à 8 heures.
4. Juste avant de servir, incorporez le miso dilué et l'huile de sésame.

Tempeh à l'étouffée

Un plat à l'étouffée est tout simplement un plat braisé, ce qui convient parfaitement à la mijoteuse. Dans cette version, le tempeh est accompagné par le trio de légumes habituels du sud de la Louisiane – l'oignon, le poivron et le céleri – dans une sauce parfumée au thym et à la marjolaine. Servez sur du riz fraîchement cuit.

Format de la mijoteuse : 4 L	30 ml (2 c. à table) d'huile d'olive
	340 g (12 oz) de tempeh coupé en morceaux de 2,5 cm (1 po)
Temps de cuisson : 6 à 8 h	1 oignon jaune de grosseur moyenne, haché
	1 branche de céleri émincée
	1 petit poivron vert, épépiné et coupé en dés
	2 gousses d'ail émincées
Intensité : faible	1 boîte de 795 g (28 oz) de tomates en dés avec leur jus
	5 ml (1 c. à thé) de sauce tabasco (ou au goût)
	5 ml (1 c. à thé) de sel
Donne 4 portions	360 ml (1 1/2 tasse) d'eau
	7,5 ml (1 1/2 c. à thé) de thym frais ciselé ou 3,75 ml (3/4 c. à thé) de thym séché
	2,5 ml (1/2 c. à thé) de marjolaine fraîche ciselée ou 1,25 ml (1/4 c. à thé) de marjolaine séchée
	15 ml (1 c. à table) de persil frais ciselé

1. À feu moyen, faites chauffer 15 ml (1 c. à table) d'huile dans un grand poêlon. Faites colorer le tempeh sur toutes les surfaces (de 7 à 10 minutes). Transvasez-le dans un plat et réservez.

2. Faites chauffer dans le même poêlon la dernière cuillère à table (15 ml) d'huile. Faites sauter l'oignon, le céleri, le poivron et l'ail jusqu'à ce qu'ils ramollissent.

3. Mettez le mélange de légumes dans une mijoteuse de 4 L. Ajoutez les tomates, le tabasco, le sel et l'eau. Ajoutez le thym séché et la marjolaine séchée (si vous les utilisez). Couvrez la mijoteuse, réglez-la à faible intensité et laissez cuire de 6 à 8 heures.

4. Durant les dernières 30 minutes de cuisson, ajoutez le tempeh grillé, le thym frais et la marjolaine fraîche (si vous les utilisez). Mélangez délicatement. Saupoudrez de persil et servez chaud.

Goulache hongroise au tempeh

Cette version végétarienne de la goulache hongroise est préparée avec du tempeh, des graines de soja fermentées qui ont été compressées pour prendre la forme d'un pain. Servez la goulache sur des nouilles.

Format de la mijoteuse : 4 L	30 ml (2 c. à table) d'huile d'olive 454 g (1 lb) de tempeh coupé en tranches de 1,25 cm (1/2 po) d'épaisseur 1 petit oignon jaune coupé en deux et émincé en demi-lunes
Temps de cuisson : 6 h	480 ml (2 tasses) de choucroute égouttée et rincée 1 boîte de 411 g (14 1/2 oz) de tomates en dés égouttées 15 ml (1 c. à table) de paprika hongrois doux 60 ml (1/4 tasse) de vin blanc sec 5 ml (1 c. à thé) de graines de cumin
Intensité : faible	30 ml (2 c. à table) de pâte de tomates 360 ml (1 1/2 tasse) de bouillon de légumes (voir « Remarques sur le bouillon de légumes », page 44)
Donne 4 portions	Sel, et poivre du moulin 120 ml (1/2 tasse) de crème sure ou de crème sure au tofu

1. À feu moyen, faites chauffer 15 ml (1 c. à table) d'huile dans un grand poêlon. Faites colorer le tempeh sur toutes les surfaces pendant environ 10 minutes. Réservez.

2. Sans nettoyer le poêlon, faites chauffer à feu moyen la dernière cuillère à table (15 ml) d'huile. Faites suer l'oignon environ 5 minutes à couvert.

3. Mettez l'oignon dans la mijoteuse de 4 L. Ajoutez le tempeh, la choucroute, les tomates, le paprika, le vin, les graines de cumin, la pâte de tomates et le bouillon. Salez et poivrez. Couvrez la mijoteuse, réglez-la à faible intensité et laissez cuire pendant 6 heures.

4. Juste avant de servir, versez 120 ml (1/2 tasse) du liquide bouillant dans un petit bol et incorporez la crème sure. Ajoutez ensuite ce mélange dans la goulache. Goûtez et, au besoin, rectifiez l'assaisonnement. Servez immédiatement.

Stifado au seitan

Le seitan remplace la viande dans ce ragoût inspiré d'un plat traditionnel grec préparé avec des oignons perlés et parfumé à la cannelle, au clou de girofle et à l'origan. Servez ce ragoût sur du riz chaud. Si vous ne trouvez pas d'oignons perlés frais, utilisez des surgelés.

Format de la mijoteuse :
4 L

Temps de cuisson :
6 à 8 h

Intensité : faible

Donne 4 à 6 portions

227 g (8 oz) d'oignons perlés, non épluchés
30 ml (2 c. à table) d'huile d'olive
454 g (1 lb) de seitan coupé en morceaux de 2,5 cm (1 po)
Sel, et poivre du moulin
1 petit poivron rouge, épépiné et coupé en dés
   de 1,25 cm (1/2 po)
2 gousses d'ail émincées
1 boîte de 411 g (14 1/2 oz) de tomates broyées
240 ml (1 tasse) de bouillon de légumes
   (voir « Remarques sur le bouillon de légumes », page 44)
60 ml (1/4 tasse) de vinaigre de vin rouge
30 ml (2 c. à table) de pâte de tomates
5 ml (1 c. à thé) d'origan séché
5 ml (1 c. à thé) de cannelle moulue
5 ml (1 c. à thé) de sucre
2 clous de girofle
1 feuille de laurier

1. Blanchir les oignons pendant 1 minute dans une casserole de format moyen remplie d'eau bouillante. Égouttez les oignons, puis coupez-en les extrémités. Pour enlever les pelures, utilisez la pointe d'un couteau pour faire une incision en « X » à la racine des oignons ; elles s'enlèveront plus facilement de cette façon. À feu moyen, faites chauffer 15 ml (1 c. à table) d'huile dans un grand poêlon. Faites dorer les oignons pendant environ 5 minutes. Transvasez-les dans la mijoteuse de 4 L.

2. Sans nettoyer le poêlon, faites chauffer à feu moyen la dernière cuillère à table (15 ml) d'huile. Faites dorer les morceaux de seitan avec le sel et le poivre pendant environ 5 minutes en les retournant une fois à la mi-cuisson. Mettez-les ensuite dans la mijoteuse avec le reste des ingrédients. Couvrez la mijoteuse, réglez-la à faible intensité et laissez cuire de 6 à 8 heures. Avant de servir, retirez la feuille de laurier.

Bollito misto végétarien et salsa verde

Cette version végétarienne du *bollito misto* — littéralement « viandes bouillies » — est semblable au pot-au-feu, la différence principale résidant dans la garniture. Tandis que le pot-au-feu est servi avec une sauce au raifort, le *bollito misto* est traditionnellement accompagné de *salsa verde* et garni de légumes marinés nommés *giardiniera*.

Format de la mijoteuse : **4 à 6 L**	30 ml (2 c. à table) d'huile d'olive
	3 échalotes françaises coupées en quatre
	1 branche de céleri émincée
	2 gousses d'ail émincées
Temps de cuisson : **6 à 8 h**	454 g (1 lb) de pommes de terre Yukon Gold, pelées et tranchées
	240 ml (1 tasse) de carottes miniatures
	240 ml (1 tasse) de tomates en dés (fraîches ou en conserve)
Intensité : **faible**	720 ml (3 tasses) de bouillon de légumes (voir « Remarques sur le bouillon de légumes », page 44)
	2 feuilles de laurier
Donne 4 portions	Sel, et poivre du moulin
	227 g (8 oz) de seitan coupé en morceaux de 2,5 cm (1 po)
	227 g (8 oz) de saucisses végétariennes coupées en morceaux de 2,5 cm (1 po)
	Salsa verde (voir la recette ci-après)

1. À feu moyen, faites chauffer 15 ml (1 c. à table) d'huile dans un grand poêlon. Faites sauter les échalotes, le céleri et l'ail jusqu'à ce qu'ils ramollissent.

2. Transvasez les légumes sautés dans la mijoteuse de 4 à 6 L. Ajoutez les pommes de terre, les carottes, les tomates, le bouillon et les feuilles de laurier. Salez et poivrez. Couvrez la mijoteuse, réglez-la à faible intensité et laissez cuire de 6 à 8 heures.

3. Environ 20 minutes avant le service, faites chauffer à feu moyen-élevé la dernière cuillère à table (15 ml) d'huile dans un grand poêlon. Faites brunir pendant environ 5 minutes les morceaux de seitan et de saucisse sur toutes leurs faces. Incorporez-les dans le ragoût et terminez la cuisson. Servez avec la *salsa verde*.

Note : Pour gagner du temps, faites brunir le seitan et la saucisse à l'avance, et ajoutez-les dans la mijoteuse 15 minutes avant la fin de la cuisson.

Salsa verde

Le persil à feuilles plates (ou italien) est non seulement plus traditionnel pour cette sauce classique aux herbes vertes, mais il a aussi
plus de saveur que la variété frisée. Si vous ne trouvez que du
persil frisé, vous n'aurez qu'à l'utiliser au lieu du persil italien. La
sauce sera tout de même délicieuse. Pour une variante dont le goût
se rapproche davantage du pesto, ajoutez jusqu'à 80 ml (1/3 tasse)
de basilic frais ou 5 ml (1 c. à thé) de basilic séché.

240 ml (1 tasse) de persil italien frais, bien tassé
30 ml (2 c. à table) de câpres égouttées
1 gousse d'ail pelée
80 ml (1/3 tasse) de pignons hachés
15 ml (1 c. à table) de vinaigre balsamique
Sel, et poivre du moulin
120 ml (1/2 tasse) d'huile d'olive extravierge

Dans un robot culinaire ou un mélangeur, combinez le persil, les
câpres, l'ail, les pignons, le vinaigre, le sel et le poivre (selon votre
goût) jusqu'à l'obtention d'une pâte lisse. Pendant que l'appareil
fonctionne, versez lentement l'huile d'olive par le tube d'alimenta-
tion afin d'obtenir une sauce lisse. Goûtez et, au besoin, rectifiez
l'assaisonnement.

Donne environ 240 ml (1 tasse)

Cacciatore au seitan

Inspiré du populaire plat italien, ce seitan « chasseur », préparé avec des tomates, du vin blanc et des herbes fraîches, sera servi avec des pâtes italiennes robustes (des *fettuccinis* par exemple).

Format de la mijoteuse :
4 à 6 L

Temps de cuisson :
6 à 8 h (ou plus)

Intensité : faible

Donne 4 portions

30 ml (2 c. à table) d'huile d'olive
340 g (12 oz) de seitan coupé en morceaux de 2,5 cm (1 po)
120 ml (1/2 tasse) de vin blanc sec
1 petit oignon jaune haché
1 carotte de grosseur moyenne, émincée
1 branche de céleri émincée
1 petit poivron rouge, épépiné et coupé en dés
1 grosse gousse d'ail émincée
1 boîte de 411 g (14 1/2 oz) de tomates en dés avec leur jus
30 ml (2 c. à table) de pâte de tomates mélangée avec
240 ml (1 tasse) d'eau chaude
5 ml (1 c. à thé) d'origan frais ciselé ou 2,5 ml (1/2 c. à thé) d'origan séché
2 feuilles de laurier
Sel, et poivre du moulin

1. À feu moyen, faites chauffer 15 ml (1 c. à table) d'huile dans un poêlon. Faites colorer pendant environ 5 minutes les morceaux de seitan sur toutes leurs faces. Retirez-les du poêlon avec une cuillère à égoutter et réservez dans un bol. Déglacez le poêlon avec le vin en en raclant bien le fond pour détacher toutes les particules brunes. Faites réduire le vin de moitié et versez sur le seitan.

2. Sans nettoyer le poêlon, faites chauffer à feu moyen la dernière cuillère à table (15 ml) d'huile. Faites sauter l'oignon, la carotte et le céleri 5 minutes à couvert ou jusqu'à ce qu'ils soient tendres.

3. Transvasez les légumes sautés dans la mijoteuse de 4 L. Ajoutez le poivron, l'ail, les tomates, la pâte de tomates diluée, l'origan et les feuilles de laurier. Salez et poivrez. Ajoutez le seitan et le vin réduit. Couvrez la mijoteuse, réglez-la à faible intensité et laissez cuire de 6 à 8 heures. Avant de servir, retirez les feuilles de laurier.

Les légumineuses
et les céréales

• • •

Les légumineuses représentent une composante importante de la cuisine végétarienne. Il est heureux qu'elles soient si bonnes lorsqu'elles sont préparées à la mijoteuse. En fait, la cuisson à la mijoteuse se veut la méthode idéale pour apprêter les légumineuses, puisqu'une longue cuisson, douce et tranquille, est tout ce qui leur faut pour être tendres, moelleuses et goûteuses.

Si vous respectez quelques règles élémentaires, vous réussirez vos haricots secs à la perfection, et ce, à tout coup. La règle la plus importante consiste à les faire tremper plusieurs heures, voire toute la nuit, avant de les faire cuire, ce qui accélérera la cuisson et les rendra plus faciles à digérer. Il est aussi important d'attendre que les haricots soient tendres avant d'ajouter du sel, des tomates ou tout autre ingrédient acide, car ces derniers les font durcir et en ralentissent la cuisson.

Une recette de base pour la cuisson des haricots secs (page 107) ouvre ce chapitre. Elle donne les indications nécessaires sur la façon de cuire les haricots secs de toutes sortes à la mijoteuse. Dans ce livre, vous verrez souvent des recettes qui demandent des haricots cuits à la mijoteuse ou en conserve. Ce choix vous est proposé pour une plus grande commodité. Une façon de tirer avantage de la bonne saveur et des économies réalisées par l'utilisation des haricots cuits à la maison (plutôt que de se rabattre sur la commodité des conserves) est de préparer une grande quantité de haricots secs à la mijoteuse et, par la suite, de les congeler en portions pratiques pour un usage ultérieur. Si vous utilisez des haricots en conserve, vous devrez les égoutter et les rincer. Peu importe l'option que vous choisirez, les plats de haricots préparés à la mijoteuse seront délicieux et savoureux.

Bien qu'elles soient plutôt capricieuses lorsqu'on les prépare à la mijoteuse, les céréales sont souvent combinées aux légumineuses. Les céréales qui demandent une longue cuisson, par exemple le riz sauvage, le kamut et l'épeautre, se prêtent mieux à ce type de cuisson que les riz blanc ou complet, qui ont tendance à devenir trop collants. Le riz à l'étuvée fait exception. Il donne de bons résultats lorsqu'on l'ajoute pendant la dernière heure de cuisson. En raison de sa texture crémeuse, le risotto peut également être réussi à la mijoteuse. Toutefois, la plupart des céréales se préparent mieux sur la cuisinière ou dans un cuiseur pour le riz. Vous les ajoutez ensuite à la dernière minute dans la mijoteuse ou vous faites un nid pour recevoir les plats préparés à la mijoteuse. Un repas — qu'il soit préparé à la mijoteuse ou autrement — combinant des légumineuses, des céréales et des légumes offre une combinaison alimentaire bien équilibrée.

Conseils pour la cuisson des haricots secs

- Les haricots secs gagnent en volume lorsqu'ils sont trempés et cuits : 240 ml (1 tasse) de haricots secs donne de 500 à 750 ml (2 à 3 tasses) de haricots cuits.
- Si vous voulez préparer une recette avec des haricots secs, faites cuire ces derniers dans la mijoteuse pendant la nuit. Au matin, ils seront prêts à être incorporés dans une recette.
- L'âge des haricots secs influence le temps de cuisson.
- Pour vous aider à attendrir les haricots, tout en ajoutant de la saveur et des nutriments, mettez un petit morceau d'algue kombu dans le plat de cuisson.
- Les herbes sèches doivent être ajoutées durant les 30 dernières minutes de cuisson. Cependant, il est préférable d'ajouter des herbes fraîches lorsque les haricots sont cuits.
- Pour empêcher les haricots cuits de sécher, laissez-les refroidir dans leur eau de cuisson.
- Pour plus de commodité, préparez une grande quantité de haricots, puis faites-les congeler en petites portions.
- Une fois cuits, les haricots se conserveront jusqu'à 1 semaine au réfrigérateur dans un contenant hermétique. Vous pouvez les conserver au congélateur de 3 à 6 mois.
- Pour rendre les haricots cuits plus faciles à digérer, videz l'eau de cuisson avant de les utiliser dans une recette.

Recette de base pour les haricots secs

Cette recette vous donne les indications nécessaires pour faire cuire les haricots secs, par exemple les haricots pintos, les haricots rouges, les haricots blancs et les doliques à œil noir. Si vous désirez parfumer vos haricots, vous pouvez ajouter de l'oignon, de l'ail et des feuilles de laurier. Si vous les préférez « nature », vous n'avez qu'à les faire cuire dans l'eau ; ils seront prêts à l'emploi pour n'importe quelle recette les utilisant.

Format de la mijoteuse :
5,5 à 6 L

Temps de cuisson :
8 à 12 h (ou plus)

Intensité : élevée

Donne 1,25 L à 1,5 L
(5 à 6 tasses)

454 g (1 lb) de haricots secs, triés et rincés
1 gros oignon jaune, coupé en quartiers (facultatif)
2 gousses d'ail écrasées (facultatif)
2 feuilles de laurier (facultatif)

1. Faites tremper les haricots pendant 8 heures, voire toute la nuit, dans une quantité d'eau suffisante pour les couvrir de 2,5 à 5 cm (1 à 2 po).
2. Égouttez les haricots et déposez-les dans la mijoteuse de 5,5 à 6 L. Ajoutez l'oignon, l'ail et les feuilles de laurier (si vous les utilisez). Mettez de 1,5 à 2 L d'eau (6 à 8 tasses). Couvrez la mijoteuse, réglez-la à intensité élevée et laissez cuire de 8 à 12 heures, ou plus, selon le type de haricots. *Ne pas mettre eau bouillant*

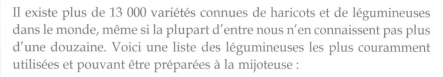

✱ Pour les petits haricots cuire à Low

L'industrie des légumineuses

Il existe plus de 13 000 variétés connues de haricots et de légumineuses dans le monde, même si la plupart d'entre nous n'en connaissent pas plus d'une douzaine. Voici une liste des légumineuses les plus couramment utilisées et pouvant être préparées à la mijoteuse :

Haricot adzuki
Soja noir
Dolique à œil noir
Haricot *cannellini*
Pois chiches

Haricot Great Northern
Haricot rouge
Haricot de Lima
Petit haricot blanc
Haricot pinto

La plupart des haricots secs cuiront en 8 à 12 heures. Certains demanderont cependant jusqu'à 16 heures de cuisson, selon leur âge et leur type.
Note : Les lentilles et les pois cassés n'ont pas besoin de trempage. Ils seront habituellement tendres après 6 heures de cuisson.

Haricots magiques

Les haricots secs cuits selon la recette de base peuvent, comme par magie, se transformer en un délicieux repas lorsque vous leur ajoutez quelques ingrédients. Pour les rendre plus digestes, égouttez-les avant de commencer la recette. Ensuite, ajoutez quelques-uns ou tous les ingrédients de n'importe laquelle de ces quatre variantes.

Haricots du sud-ouest des États-Unis

1 recette de base de haricots secs (page 107)
1 boîte de 113 g (4 oz) de chilis verts hachés, égouttés
5 ml (1 c. à thé) de cumin moulu
5 ml (1 c. à thé) de paprika
Sel, et poivre du moulin

Égouttez les haricots. Incorporez les chilis, le cumin et le paprika. Salez et poivrez. Couvrez la mijoteuse, réglez-la à faible intensité et faites cuire pendant 30 minutes pour mélanger les saveurs. Si vous préférez une consistance plus liquide, ajoutez un peu d'eau ou de bouillon.

Haricots à l'orientale

1 recette de base de haricots secs (page 107),
  gardée au chaud
30 ml (2 c. à table) de tamari ou d'une autre sauce soja
2 oignons verts émincés
5 ml (1 c. à thé) d'huile de sésame rôti

Juste avant de servir, égouttez les haricots et incorporez le tamari, les oignons verts et l'huile de sésame.

Haricots à la méditerranéenne

1 recette de base de haricots secs (page 107),
gardée au chaud
15 ml (1 c. à table) d'huile d'olive
2 gousses d'ail émincées
60 ml (1/4 tasse) de pesto maison (page 63) ou du commerce
60 ml (1/4 tasse) de tomates séchées, ramollies par un trem-
page dans l'eau chaude, puis égouttées et hachées

Juste avant de servir, faites chauffer l'huile dans un petit poêlon. Faites revenir l'ail environ 30 secondes. Incorporez le pesto et les tomates séchées. Égouttez les haricots et mélangez-les au pesto.

Haricots très végétariens

1 recette de base de haricots secs (page 107),
gardée au chaud
80 ml (1/3 tasse) de grains de maïs frais ou surgelés,
cuits dans l'eau bouillante jusqu'à tendreté
80 ml (1/3 tasse) de poivron rouge rôti, coupé en dés
80 ml (1/3 tasse) de tomates fraîches en dés
5 ml (1 c. à thé) d'arôme de fumée liquide (facultatif)
Sel, et poivre du moulin

Juste avant de servir, égouttez les haricots. Incorporez le maïs, le poivron rôti, la tomate et l'arôme de fumée liquide (si vous l'utilisez). Salez et poivrez.

Fèves au sirop d'érable

Grâce à la mijoteuse, vous pouvez retrouver le bon goût des haricots d'autrefois, qui étaient cuits dans un pot en céramique évoquant justement le plat interne de la mijoteuse. La douceur naturelle du sirop d'érable pur ajoute au goût de la recette.

Format de la mijoteuse :
3,5 à 4 L

Temps de cuisson :
6 à 8 h

Intensité : faible

Donne 4 portions

15 ml (1 c. à table) d'huile d'olive
1 oignon jaune de grosseur moyenne, haché
720 ml (3 tasses) de petits haricots blancs cuits à la mijoteuse (page 107) ou 2 boîtes de 440 g (15 1/2 oz) de petits haricots blancs ou de haricots Great Northern, égouttés et rincés
120 ml (1/2 tasse) de sirop d'érable pur
5 ml (1 c. à thé) de moutarde sèche
2,5 ml (1/2 c. à thé) de sel
1,25 ml (1/4 c. à thé) de poivre noir fraîchement moulu
60 ml (1/4 tasse) de pâte de tomates diluée dans 300 ml (1 1/4 tasse) d'eau chaude

1.   À feu moyen, faites chauffer l'huile dans un grand poêlon. Faites suer l'oignon environ 5 minutes à couvert.

2.   Transvasez l'oignon dans la mijoteuse de 3,5 à 4 L. Ajoutez les haricots, le sirop d'érable, la moutarde, le sel et le poivre. Versez la pâte de tomates diluée. Couvrez la mijoteuse, réglez-la à faible intensité et laissez cuire de 6 à 8 heures.

Haricots blancs à l'orange et au bourbon

Les haricots blancs conventionnels prennent un air sophistiqué quand on y ajoute du bourbon et du jus d'orange.

Format de la mijoteuse :
3,5 à 4 L

Temps de cuisson :
4 à 6 h

Intensité : faible

Donne 4 portions

15 ml (1 c. à table) d'huile d'olive
1 gros oignon jaune haché
1 boîte de 411 g (14 1/2 oz) de tomates broyées
60 ml (1/4 tasse) de mélasse
30 ml (2 c. à table) de vinaigre de cidre
15 ml (1 c. à table) de moutarde préparée
15 ml (1 c. à table) de tamari ou d'une autre sauce soja
720 ml (3 tasses) de petits haricots blancs cuits à la mijoteuse (page 107) ou 2 boîtes de 440 g (15 1/2 oz) de haricots blancs, égouttés et rincés
60 ml (1/4 tasse) de bourbon
60 ml (1/4 tasse) de concentré de jus d'orange surgelé

1. À feu moyen, faites chauffer l'huile dans un poêlon de format moyen. Faites suer l'oignon environ 5 minutes à couvert.
2. Transvasez les oignons dans la mijoteuse de 3,5 à 4 L. Ajoutez les tomates, la mélasse, le vinaigre, la moutarde et le tamari. Remuez les ingrédients. Incorporez les haricots, le bourbon et le concentré de jus d'orange. Couvrez la mijoteuse, réglez-la à faible intensité et laissez cuire de 4 à 6 heures.

Utiliser les haricots secs

Si vous souhaitez préparer une recette nécessitant des haricots secs, faites cuire ceux-ci dans votre mijoteuse pendant la nuit. Ils seront prêts à utiliser au petit matin.

Haricots à la bourguignonne

La Bourgogne, une région viticole française, m'a inspiré ce copieux plat de haricots. Des oignons perlés surgelés et dégelés peuvent remplacer les frais. Utilisez-les au même moment que celui prévu pour les petits oignons frais.

Format de la mijoteuse : 4 à 6 L	**227 g (8 oz) d'oignons perlés frais**
	15 ml (1 c. à table) d'huile d'olive
	227 g (8 oz) de champignons blancs, coupés en quartiers
Temps de cuisson : 6 à 8 h	**227 g (8 oz) de carottes miniatures, coupées en deux dans le sens de la longueur**
	2 gousses d'ail émincées
	30 ml (2 c. à table) de pâte de tomates
Intensité : faible	**10 ml (2 c. à thé) de thym frais ciselé ou 2,5 ml (1/2 c. à thé) de thym séché**
	2 feuilles de laurier
Donne 4 portions	**360 ml (1 1/2 tasse) de bouillon de légumes (voir « Remarques sur le bouillon de légumes », page 44)**
	240 ml (1 tasse) de vin rouge sec
	720 ml (3 tasses) de haricots rouges cuits à la mijoteuse (page 107) ou 2 boîtes de 440 g (15 1/2 oz) de haricots rouges, égouttés et rincés
	Sel, et poivre du moulin

1. Faites blanchir les oignons dans une casserole de format moyen remplie d'eau bouillante. Égouttez-les, coupez-en les racines et pelez-les. Faites une incision en « X » à la base de chacun des oignons et déposez ces derniers dans la mijoteuse de 4 à 6 L.

2. À feu moyen-élevé, faites chauffer l'huile dans un grand poêlon. Faites dorer rapidement les champignons (environ 2 minutes). Retirez-les à l'aide d'une cuillère à égoutter et réservez.

3. À feu moyen et à couvert, réchauffez le même poêlon et faites sauter les carottes 5 minutes ou jusqu'à ce qu'elles ramollissent. Ajoutez l'ail et faites cuire environ 30 secondes. Transvasez le mélange de carottes dans la mijoteuse. Ajoutez la pâte de tomates, le thym, les feuilles de laurier, le bouillon, le vin et les haricots. Salez et poivrez. Couvrez la mijoteuse, réglez-la à faible intensité et laissez cuire de 6 à 8 heures.

4. Environ 20 minutes avant de servir, incorporez les champignons.

Haricots de Lima à la grecque

Ma nièce, Kristen Lazur, a découvert ce plat lors d'un récent voyage en Grèce. Destinée à la cuisson au four, cette recette se réussit tout aussi bien à la mijoteuse. Des haricots de Lima ou des haricots jaunes surgelés peuvent être utilisés à la place des haricots frais ou en conserve.

Format de la mijoteuse :
3,5 à 4 L

Temps de cuisson :
4 à 6 h

Intensité : faible

Donne 4 à 6 portions

60 ml (1/4 tasse) d'huile d'olive
1 gros oignon jaune haché
3 gousses d'ail émincées
720 ml (3 tasses) de haricots de Lima cuits à la mijoteuse (page 107) ou 2 boîtes de 440 g (15 1/2 oz) de haricots de Lima, égouttés et rincés
1 boîte de 795 g (28 oz) de tomates en dés, avec leur jus
Sel, et poivre du moulin
120 ml (1/2 tasse) de persil frais ciselé

1. À feu moyen, faites chauffer l'huile dans un poêlon de grandeur moyenne. Faites suer l'oignon environ 5 minutes à couvert. Ajoutez l'ail et faites cuire environ 1 minute ou jusqu'à ce qu'il ramollisse.

2. Transvasez les légumes sautés dans la mijoteuse de 3,5 à 4 L. Ajoutez les haricots et les tomates avec leur jus. Salez et poivrez. Remuez les ingrédients. Couvrez la mijoteuse et laissez cuire à faible intensité de 4 à 6 heures. Incorporez le persil juste avant le service.

Cassoulet facile aux haricots blancs

Les haricots blancs se veulent une composante essentielle de tout cassoulet français classique. Ils prennent ici la vedette en mijotant lentement avec des légumes et des herbes. Le confit de tempeh (facultatif) introduit un nouvel élément gustatif. À la place du tempeh, vous pourriez ajouter des bouts de saucisse végétarienne que vous auriez d'abord fait dorer. Une baguette croûtée constitue un accompagnement idéal à ce mets.

Format de la mijoteuse :
4 L

Temps de cuisson :
8 h

Intensité : faible

Donne 4 à 6 portions

30 ml (2 c. à table) d'huile d'olive
1 gros oignon jaune doux haché
227 g (8 oz) de carottes miniatures, coupées en deux
2 gousses d'ail émincées
720 ml (3 tasses) de haricots cuits à la mijoteuse (page 107)
    ou 2 boîtes de 440 g (15 1/2 oz) de haricots Great Northern
    ou d'autres haricots blancs, égouttés et rincés
1 boîte de 795 g (28 oz) de tomates en dés, avec leur jus
15 ml (1 c. à table) de pâte de tomates
120 ml (1/2 tasse) de bouillon de légumes (voir « « Remarques
    sur le bouillon de légumes » », page 44)
60 ml (1/4 tasse) de vin blanc
2 feuilles de laurier
5 ml (1 c. à thé) de thym séché
Sel, et poivre du moulin
120 ml (1/2 tasse) de chapelure
360 ml (1 1/2 tasse) de « Confit de tempeh et d'échalotes »
    (page 34 ; facultatif)
15 ml (1 c. à table) de persil frais ciselé

1. À feu moyen, faites chauffer 15 ml (1 c. à table) d'huile dans un grand poêlon. Faites sauter pendant 5 minutes à couvert l'oignon, les carottes et l'ail ou jusqu'à ce qu'ils ramollissent.

2. Transvasez ce mélange dans la mijoteuse de 4 L. Ajoutez les haricots, les tomates, la pâte de tomates, le bouillon, le vin, les feuilles de laurier et le thym. Salez et poivrez. Couvrez la mijoteuse, réglez-la à faible intensité et laissez cuire pendant 8 heures.

3. Pendant que le cassoulet mijote, faites griller légèrement à feu moyen-élevé la chapelure dans un petit poêlon avec la dernière cuillère à table (15 ml) d'huile.

4. Quand le cassoulet est prêt à servir, retirez les feuilles de laurier, incorporez le confit de tempeh (si vous l'utilisez) et parsemez de chapelure. Garnissez de persil et servez chaud.

Légumineuses à l'indienne

Les épices transforment les haricots et les lentilles ordinaires en un plat exotique aux saveurs de l'Inde. Si vous désirez une texture plus veloutée, réduisez en purée jusqu'à deux tasses du produit fini à l'aide d'un mélangeur ou d'un robot cilinaire et incorporez le tout dans le plat de cuisson. Servez sur du riz basmati fraîchement cuit.

Format de la mijoteuse : 4 L	30 ml (2 c. à table) d'huile d'olive
	1 gros oignon jaune coupé en morceaux
	2 gousses d'ail pelées
Temps de cuisson : 8 h	5 ml (1 c. à thé) de gingembre frais, pelé et haché
	5 ml (1 c. à thé) de coriandre moulue
	5 ml (1 c. à thé) de cumin moulu
	5 ml (1 c. à thé) de curcuma moulu
Intensité : faible	2,5 ml (1/2 c. à thé) de cardamome moulue
	2,5 ml (1/2 c. à thé) de moutarde sèche
	1,25 ml (1/4 c. à thé) de piment de Cayenne broyé
Donne 6 portions	1,25 ml (1/4 c. à thé) de piment de la Jamaïque moulu
	360 ml (1 1/2 tasse) de lentilles brunes sèches, triées et rincées
	360 ml (1 1/2 tasse) de haricots rouges cuits à la mijoteuse (page 107) ou 1 boîte de 440 g (15 1/2 oz) de haricots rouges, égouttés et rincés
	720 ml (3 tasses) d'eau
	Sel, et poivre du moulin

1. Versez l'huile dans la mijoteuse de 4 L et réglez cette dernière à intensité élevée.
2. Dans un robot culinaire, réduisez en purée l'oignon, l'ail et le gingembre, et transvasez ce mélange dans la mijoteuse. Pour adoucir la saveur, couvrez et faites cuire pendant que vous préparez les autres ingrédients. Incorporez la coriandre, le cumin, le curcuma, la cardamome, la moutarde, le piment de Cayenne broyé et le piment de la Jamaïque. Tout en remuant, faites cuire pendant 30 secondes.
3. Réglez ensuite la mijoteuse à faible intensité. Ajoutez les lentilles, les haricots rouges et l'eau. Couvrez la mijoteuse et laissez cuire pendant 8 heures. Avant le service, salez et poivrez. Goûtez et, au besoin, rectifiez l'assaisonnement.

Burger de lentilles

Les lentilles, avec leur texture de viande, prennent la vedette dans cette version végétarienne du sloppy joe. Servez sur des petits pains grillés avec de la salade de chou fraîche.

Format de la mijoteuse :
3,5 à 4 L

Temps de cuisson :
8 h

Intensité : faible

Donne 4 à 6 portions

15 ml (1 c. à table) d'huile d'olive
1 oignon jaune de grosseur moyenne, haché
1 petit poivron rouge ou vert, épépiné et coupé en dés
15 ml (1 c. à table) de poudre de chili
360 ml (1 1/2 tasse) de lentilles brunes sèches, triées et rincées
1 boîte de 411 g (14 1/2 oz) de tomates broyées
720 ml (3 tasses) d'eau
30 ml (2 c. à table) de tamari ou d'une autre sauce soja
15 ml (1 c. à table) de moutarde préparée
15 ml (1 c. à table) de cassonade blonde ou d'un édulcorant naturel
5 ml (1 c. à thé) de sel
Poivre du moulin

1. Dans un poêlon de format moyen, à feu moyen, faites chauffer l'huile. À couvert, faites-y sauter l'oignon et le poivron 5 minutes ou jusqu'à ce qu'ils ramollissent. Tout en remuant, ajoutez la poudre de chili pour en enrober les légumes.

2. Transvasez ce mélange dans la mijoteuse de 3,5 à 4 L. Ajoutez les lentilles, les tomates, l'eau, le tamari, la moutarde et la cassonade. Salez et poivrez. Remuez les ingrédients. Couvrez la mijoteuse, réglez-la à faible intensité et laissez cuire pendant 8 heures.

Picadillo pintos

Les haricots pintos prennent la place du bœuf haché dans ce plat mexicain réjouissant qui est à la fois sucré, parfumé et épicé.

Format de la mijoteuse :
3,5 à 4 L

Temps de cuisson :
6 à 8 h

Intensité : faible

Donne 4 portions

15 ml (1 c. à table) d'huile d'olive
1 oignon jaune de grosseur moyenne, haché
1 petit poivron rouge, épépiné et coupé en dés
2 gousses d'ail émincées
720 ml (3 tasses) de haricots pintos cuits à la mijoteuse (page 107) ou 2 boîtes de 440 g (15 1/2 oz) de haricots pintos, égouttés et rincés
1 boîte de 411 g (14 1/2 oz) de tomates en dés, égouttées
1 boîte de 113 g (4 oz) de chilis verts en dés, égouttés
1 pomme Granny Smith, pelée, étrognée et coupée en dés
240 ml (1 tasse) de bouillon de légumes (voir « « Remarques sur le bouillon de légumes » », page 44)
Sel, et poivre du moulin
480 ml (2 tasses) de riz à grain long cuit, brun ou blanc
120 ml (1/2 tasse) de raisins secs dorés
60 ml (1/4 tasse) d'olives noires tranchées, égouttées
30 ml (2 c. à table) de persil frais ciselé
30 ml (2 c. à table) d'amandes effilées grillées (page 197)

1. À feu moyen, faites chauffer l'huile dans un grand poêlon. Faites sauter l'oignon et le poivron 5 minutes à couvert ou jusqu'à ce qu'ils ramollissent.
2. Transvasez les légumes dans la mijoteuse de 3,5 à 4 L. Ajoutez l'ail, les haricots, les tomates, les chilis, la pomme et le bouillon. Salez et poivrez. Couvrez la mijoteuse et laissez cuire à faible intensité de 6 à 8 heures.
3. Environ 10 minutes avant de servir, incorporez le riz, les raisins secs, les olives, le persil et les amandes.

Haricots noirs épicés et riz à la mangue

Les mangues fraîches apportent une explosion de couleurs, de textures et de douceur à ce riz et à ces haricots noirs aux parfums antillais.

Format de la mijoteuse :
3,5 à 4 L

Temps de cuisson :
6 à 8 h

Intensité : faible

Donne 4 à 6 portions

15 ml (1 c. à table) d'huile d'olive
1 petit oignon jaune émincé
1/2 poivron rouge, épépiné et coupé en dés
2 gousses d'ail émincées
1 jalapeño ou autre chili piquant, épépiné et haché
2,5 ml (1/2 c. à thé) de gingembre frais, pelé et haché
2,5 ml (1/2 c. à thé) de cumin moulu
2,5 ml (1/2 c. à thé) de piment de la Jamaïque moulu
1,25 ml (1/4 c. à thé) d'origan séché
720 ml (3 tasses) de haricots noirs cuits à la mijoteuse (page 107) ou 2 boîtes de 440 g (15 1/2 oz) de haricots noirs, égouttés et rincés
240 ml (1 tasse) d'eau
2,5 ml (1/2 c. à thé) de cassonade blonde ou d'un édulcorant naturel
2,5 ml (1/2 c. à thé) de sel
1,25 ml (1/4 c. à thé) de poivre noir fraîchement moulu
720 ml (3 tasses) de riz blanc à grain long, cuit
2 mangues mûres de grosseur moyenne, pelées, la chair prélevée du noyau et coupée en dés

1. À feu moyen, faites chauffer l'huile dans un grand poêlon. Faites sauter l'oignon, le poivron, l'ail et le jalapeño 5 minutes à couvert ou jusqu'à ce qu'ils ramollissent. Incorporez le gingembre, le cumin, le piment de la Jamaïque et l'origan, et faites cuire 1 minute pour en faire ressortir le parfum.

2. Transvasez les légumes sautés dans la mijoteuse de 3,5 à 4 L. Ajoutez les haricots, l'eau, la cassonade, le sel et le poivre. Couvrez la mijoteuse, réglez-la à faible intensité et laissez cuire de 6 à 8 heures.

3. Goûtez et, au besoin, rectifiez l'assaisonnement. Environ 10 minutes avant de servir, incorporez le riz et les mangues.

Fèves espagnoles et riz

Le riz brun, goûteux et nutritif, sera cuit à l'avance et ajouté à la fin de la cuisson, afin que les grains se séparent bien et restent légers — la plupart des riz ont tendance à devenir collants et farineux lorsqu'ils cuisent directement dans la mijoteuse. Si vous préférez faire cuire votre riz à la mijoteuse, vous obtiendrez de meilleurs résultats en ajoutant 240 ml (1 tasse) de riz blanc étuvé et la même quantité d'eau (1 tasse) environ 1 heure avant la fin de la cuisson.

Format de la mijoteuse :
3,5 à 4 L

Temps de cuisson :
6 à 8 h

Intensité : faible

Donne 4 portions

15 ml (1 c. à table) d'huile d'olive
1 oignon jaune de grosseur moyenne, haché
1 petit poivron rouge ou vert, épépiné et coupé en dés
2 gousses d'ail émincées
60 ml (1/4 tasse) de pâte de tomates
10 ml (2 c. à thé) de poudre de chili
720 ml (3 tasses) de haricots pintos cuits à la mijoteuse (page 107) ou 2 boîtes de 440 g (15 1/2 oz) de haricots pintos ou de haricots rouges, égouttés et rincés
1 boîte de 411 g (14 1/2 oz) de tomates en dés, avec leur jus
360 ml (1 1/2 tasse) d'eau
15 ml (1 c. à table) de tamari ou d'une autre sauce soja
Sel, et poivre du moulin
720 ml (3 tasses) de riz brun à grain long, cuit

1.   À feu moyen, faites chauffer l'huile dans un poêlon. Faites sauter l'oignon, le poivron et l'ail 5 minutes à couvert ou jusqu'à ce qu'ils soient tendres. Ajoutez la pâte de tomates et la poudre de chili, et remuez pour en enrober les légumes.

2.   Transvasez ce mélange dans la mijoteuse de 3,5 à 4 L. Ajoutez les haricots, les tomates, l'eau et le tamari. Salez et poivrez. Couvrez la mijoteuse, réglez-la à faible intensité et laissez cuire de 6 à 8 heures.

3.   Incorporez le riz environ 10 minutes avant de servir.

Hopping john végétarien

Au milieu des années 1980, alors que je vivais à Charleston, en Caroline du Sud, les hopping john sont devenus pour ma famille une tradition du nouvel an. C'est à cette époque que j'ai découvert leur bon goût et leur message de chance pour l'année qui débutait. Le riz brun est plus nutritif que le riz blanc, mais vous pouvez utiliser ce dernier si vous le préférez. Pour gagner du temps lors de la préparation, faites cuire votre riz et dorer vos saucisses la veille.

Format de la mijoteuse :
3,5 à 4 L

Temps de cuisson :
4 à 6 h

Intensité : faible

Donne 4 à 6 portions

30 ml (2 c. à table) d'huile d'olive
1 oignon jaune de grosseur moyenne, émincé
1 branche de céleri émincée
3 gousses d'ail émincées
5 ml (1 c. à thé) de thym séché
720 ml (3 tasses) de doliques à œil noir cuits à la mijoteuse (page 107) ou 2 boîtes de 440 g (15 1/2 oz) de doliques à œil noir, égouttés et rincés
1 boîte de 411 g (14 1/2 oz) de tomates, égouttées et finement hachées
1 boîte de 113 g (4 oz) de chilis verts en dés, égouttés
240 ml (1 tasse) de bouillon de légumes (voir « « Remarques sur le bouillon de légumes » », page 44)
Sel, et poivre du moulin
227 g (8 oz) de saucisse végétarienne émiettée
720 ml (3 tasses) de riz brun ou blanc à grain long (voir la note ci-après)

1.   À feu moyen, faites chauffer 15 ml (1 c. à table) d'huile dans un poêlon. Faites sauter l'oignon et le céleri 5 minutes à couvert ou jusqu'à ce qu'ils ramollissent. Tout en remuant, ajoutez l'ail et le thym pour en révéler l'arôme.

2.   Transvidez dans la mijoteuse de 3,5 à 4 L. Ajoutez les doliques à œil noir, les tomates, les chilis et le bouillon. Salez et poivrez. Couvrez la mijoteuse, réglez-la à faible intensité et laissez cuire de 4 à 6 heures.

3.   Environ 15 minutes avant de servir, faites chauffer à feu moyen la dernière cuillère à table (15 ml) d'huile dans un poêlon. Faites dorer la saucisse environ 8 minutes. Incorporez la saucisse et le riz dans la mijoteuse, en remuant bien le tout. Goûtez et, au besoin, rectifiez l'assaisonnement.

Note : Si vous désirez faire cuire votre riz directement dans la mijoteuse avec les doliques à œil noir, vous devrez utiliser du riz étuvé. Le riz brun et le riz blanc ordinaire deviennent trop collants. Ajoutez 240 ml (1 tasse) de riz étuvé 1 heure avant le service. Il faudra peut-être ajouter également 240 ml (1 tasse) d'eau ou de bouillon, car le riz absorbera du liquide en cuisant.

Riz sauvage pilaf aux pois, au zeste de citron et à l'estragon

Le riz sauvage et le riz brun se combinent à merveille dans ce pilaf qu'agrémente le goût frais du zeste de citron, de l'estragon et des pois verts sucrés. Le riz sauvage cuit bien dans la mijoteuse, mais le riz brun devient plutôt mou. C'est pourquoi on doit cuire ce dernier séparément et l'ajouter à la fin de la cuisson.

Format de la mijoteuse :
3,5 à 4 L

Temps de cuisson :
5 à 6 h

Intensité : faible

Donne 4 portions

30 ml (2 c. à table) d'huile d'olive
3 échalotes françaises émincées
240 ml (1 tasse) de riz sauvage
720 ml (3 tasses) de bouillon de légumes
   (voir « Remarques sur le bouillon de légumes », page 44)
Sel, et poivre du moulin
720 ml (3 tasses) de riz brun à grain long, cuit
160 ml (2/3 tasse) de petits pois surgelés, puis dégelés
Jus et zeste de 1 citron
15 ml (1 c. à table) d'estragon frais ciselé

1. À feu moyen, faites chauffer l'huile dans un petit poêlon. Faites suer les échalotes environ 5 minutes à couvert.

2. Transvasez les échalotes sautées dans la mijoteuse de 3,5 à 4 L. Incorporez le riz sauvage et le bouillon. Salez et poivrez. Couvrez la mijoteuse, réglez-la à faible intensité et laissez cuire de 5 à 6 heures.

3. Environ 10 minutes avant de servir, incorporez le riz brun, les pois, le jus et le zeste de citron, et l'estragon. Goûtez et, au besoin, rectifiez l'assaisonnement. Servez.

Risotto aux champignons sauvages

Ce risotto combine des champignons frais et séchés pour donner une agréable saveur forestière. Vous n'avez ni à surveiller ni à remuer constamment comme il faut le faire pour le risotto traditionnel. Au lieu de cela, vous pouvez courir les magasins, vous relaxer dans votre baignoire ou lire un bon livre.

Format de la mijoteuse : 3,5 à 4 L	

Temps de cuisson : 2 h

Intensité : faible

Donne 4 portions

60 ml (1/4 tasse) de bolets comestibles (*porcini*) séchés
240 ml (1 tasse) d'eau bouillante
45 ml (3 c. à table) d'huile d'olive
2 échalotes françaises hachées
1 grosse gousse d'ail émincée
300 ml (1 1/4 tasse) de riz arborio
480 ml (2 tasses) de champignons cremini émincés
600 ml (2 1/2 tasses) de bouillon de légumes
  (voir « Remarques sur le bouillon de légumes », page 44)
60 ml (1/4 tasse) de vin blanc
10 ml (2 c. à thé) de thym frais ciselé ou 5 ml (1 c. à thé)
  de thym séché
5 ml (1 c. à thé) de sel
120 ml (1/2 tasse) de parmesan frais ou de parmesan
  de soja râpé
15 ml (1 c. à table) de persil frais ciselé
Poivre noir fraîchement moulu

1. Faites tremper les bolets comestibles (*porcini*) dans l'eau bouillante pendant 30 minutes. Égouttez-les en réservant 180 ml (3/4 tasse) du liquide de trempage. Tranchez les champignons et réservez.

2. Dans un poêlon de format moyen, faites chauffer l'huile à feu moyen. Faites suer les échalotes et l'ail environ 1 minute.

3. Transvasez les échalotes et l'ail dans la mijoteuse de 3,5 à 4 L. Ajoutez le riz, en remuant pour l'enrober d'huile. Incorporez tous les champignons, le liquide de trempage réservé, le bouillon, le vin, le thym et le sel. Couvrez la mijoteuse, réglez-la à intensité élevée et faites cuire 2 heures ou jusqu'à ce que tout le liquide soit absorbé.

4. Environ 5 minutes avant que le risotto ait fini de cuire, incorporez le fromage et le persil, et poivrez. Servez le risotto chaud dans des bols peu profonds.

Haricots blancs et épeautre à la scarole

L'épeautre, aussi appelé *farro*, fait partie de la famille du blé. Il est plus utilisé en Europe qu'en Amérique. Associé avec les haricots blancs et la scarole, il donne un plat typiquement toscan. Puisque l'épeautre est un gros grain qui demande une longue cuisson, il devient un bon candidat pour la cuisson à la mijoteuse. Cherchez l'épeautre dans les magasins d'aliments naturels.

Format de la mijoteuse :
3,5 à 4 L

Temps de cuisson :
8 h

Intensité : faible

Donne 4 portions

1 grosse pomme de scarole, grossièrement hachée

240 ml (1 tasse) d'épeautre, trempé dans l'eau pendant 4 heures ou toute la nuit, et égoutté

720 ml (3 tasses) de bouillon de légumes (voir « Remarques sur le bouillon de légumes », page 44)

Sel, et poivre du moulin

30 ml (2 c. à table) d'huile d'olive

3 gousses d'ail émincées

360 ml (1 1/2 tasse) de *cannellinis* cuits à la mijoteuse (page 107) ou 1 boîte de 440 g (15 1/2 oz) de *cannellinis* ou d'autres haricots blancs, égouttés et rincés

1. Faites cuire la scarole dans une casserole remplie d'eau bouillante salée pendant 5 minutes. Égouttez bien et réservez.

2. Mettez l'épeautre dans la mijoteuse de 3,5 à 4 L. Incorporez le bouillon. Salez et poivrez. Couvrez la mijoteuse, réglez-la à faible intensité et laissez cuire 8 heures ou jusqu'à ce que l'épeautre soit tendre.

3. À feu moyen, faites chauffer l'huile dans un grand poêlon. Faites suer l'ail 30 secondes ou jusqu'à ce qu'il exhale son parfum. Tout en remuant, ajoutez la scarole et faites revenir 5 minutes ou jusqu'à ce qu'elle soit tendre. Ajoutez les haricots. Salez et poivrez. Réservez.

4. Environ 20 minutes avant de servir, tout en remuant délicatement, incorporez la scarole et le mélange de haricots dans la mijoteuse. Couvrez et laissez frémir pour que les saveurs se mélangent.

Polenta à l'ail et champignons sauvages sautés

La polenta est facile à réussir à la mijoteuse, car cette méthode de cuisson ne requiert pas toute la surveillance qu'exige la cuisson de ce mets sur la cuisinière. Des champignons et de l'ail sont ajoutés à la polenta pour la parfumer. Si vous le souhaitez, vous pouvez incorporer des champignons blancs réguliers à la préparation.

Format de la mijoteuse :
3,5 à 4 L

Temps de cuisson :
6 à 8 h

Intensité : faible

Donne 6 à 8 portions

Polenta
15 ml (1 c. à table) d'huile d'olive
1 gousse d'ail émincée
1,5 L (6 tasses) d'eau bouillante
5 ml (1 c. à thé) de sel
480 ml (2 tasses) de farine de maïs de mouture moyenne
ou grossière

Champignons
30 ml (2 c. à table) d'huile d'olive
1 gousse d'ail émincée
227 g (8 oz) de champignons cremini, shiitake et pleurotes
frais, pieds enlevés et chapeaux finement tranchés
Sel, et poivre du moulin

1.   Pour préparer la polenta, huilez légèrement le plat interne de la mijoteuse de 3,5 à 4 L. Ajoutez l'huile d'olive et l'ail, et réglez la mijoteuse à intensité élevée. Versez délicatement l'eau bouillante et le sel. Tout en remuant, incorporez la farine de maïs à l'aide d'un fouet jusqu'à ce qu'elle soit bien mélangée. Couvrez la mijoteuse et réglez-la à faible intensité. Laissez cuire de 6 à 8 heures en remuant de temps à autre.

2.   Transvasez la polenta cuite dans un moule à pain légèrement huilé et lissez-en la surface. Réfrigérez 30 à 40 minutes, le temps qu'elle devienne ferme.

3.   Pour préparer les champignons, faites chauffer 15 ml (1 c. à table) d'huile d'olive à feu moyen dans un poêlon. Faites suer l'ail 30 secondes ou jusqu'à ce qu'il exhale son parfum. Tout en remuant, ajoutez les champignons et faites cuire 5 minutes ou jusqu'à ce qu'ils soient tendres. Salez et poivrez. Réservez à feu très doux.

4. Préchauffez le four à 190 °C (375 °F). Coupez la polenta en tranches de 1,25 cm (1/2 po) et déposez ces dernières sur une plaque à pâtisserie légèrement huilée. Badigeonnez les tranches de polenta avec la dernière cuillère à table (15 ml) d'huile d'olive et faites-les cuire de 20 à 30 minutes ou jusqu'à ce qu'elles soient chaudes et dorées.

5. Disposez les tranches de polenta sur un plat de service et garnissez du mélange de champignons. Servez chaud.

Note : Puisque ce plat demande une longue préparation (30 minutes dans le réfrigérateur, puis 30 minutes dans le four), il pourrait être plus commode de faire cuire la polenta la veille et de la réfrigérer. Ainsi, elle sera prête à passer au four quand vous rentrerez à la maison.

Kamut, légumes-racines et canneberges

La mijoteuse est une bonne manière de cuisiner le kamut, une grosse céréale ressemblant au blé, qui demande une longue cuisson lente pour s'attendrir. Vous trouverez le kamut dans les magasins d'aliments naturels. Les légumes-racines et les canneberges donnent à ce plat un caractère tout à fait hivernal.

Format de la mijoteuse :
4 L

Temps de cuisson :
8 à 9 h

Intensité : faible

Donne 6 portions

30 ml (2 c. à table) d'huile d'olive
2 grosses échalotes françaises émincées
240 ml (1 tasse) de kamut, trempé dans l'eau pendant 4 heures ou toute la nuit, et égoutté
1 grosse carotte coupée en cubes
1 panais de grosseur moyenne, pelé et coupé en cubes
1 petit céleri-rave pelé et râpé
720 ml (3 tasses) de bouillon de légumes (voir « Remarques sur le bouillon de légumes », page 44) ou d'eau
Sel, et poivre du moulin
120 ml (1/2 tasse) de canneberges sucrées et séchées
30 ml (2 c. à table) de persil frais ciselé

1.   Versez l'huile dans la mijoteuse de 4 L et réglez cette dernière à intensité élevée. Ajoutez les échalotes et faites-les cuire à couvert jusqu'à ce qu'elles aient ramolli légèrement.

2.   Ajoutez le kamut, la carotte, le panais et le céleri-rave dans la mijoteuse. Incorporez le bouillon. Salez et poivrez. Couvrez la mijoteuse, réglez-la à faible intensité et laissez cuire de 8 à 9 heures.

3.   Quelques minutes avant de servir, incorporez les canneberges. Goûtez et, au besoin, rectifiez l'assaisonnement. Garnissez de persil et servez.

Les plats braisés, les pâtes et les autres plats principaux

• • •

Si les soupes et les chilis aux haricots se veulent les vedettes du répertoire végétarien pour la mijoteuse, de nombreux autres plats principaux méritent également de retenir notre attention.

Certaines des recettes du présent chapitre sont des versions végétariennes de plats internationaux populaires se prêtant bien à la cuisson à la mijoteuse, par exemple la tagine marocaine, le cari indien et le bon vieux rôti braisé américain. Plusieurs de ces recettes se font traditionnellement avec une viande, laquelle s'attendrit pendant la cuisson à la mijoteuse. Puisque nos recettes ne contiennent pas de viande, la mijoteuse sera simplement utilisée pour sa commodité et la saveur riche qu'elle confère aux ingrédients.

Ce chapitre comporte également des recettes strictement végétariennes, où vous apprendrez à braiser le tofu et à faire vous-même le seitan. De plus, vous trouverez des recettes de lasagnes, de pâtés en croûte et d'autres plats braisés, des plats habituellement associés à la cuisson au four, ce qui démontre une fois de plus la polyvalence de la mijoteuse.

Fricassée fermière

Le terme « fricassée » décrit habituellement un plat de poulet ou d'une autre viande braisé avec des légumes. Les ingrédients sont en général coupés en morceaux plus gros que pour un ragoût. Dans cette recette, plusieurs légumes frais sont utilisés. N'hésitez pas à les remplacer par des légumes de saison ou par ceux que vous avez sous la main. Vous pouvez également opter pour le seitan ou le tempeh.

Format de la mijoteuse :
4 à 6 L

Temps de cuisson :
8 h

Intensité : faible

Donne 4 portions

30 ml (2 c. à table) d'huile d'olive
4 échalotes françaises coupées en quatre
120 ml (1/2 tasse) de vin blanc sec
340 g (12 oz) de seitan ou de tempeh, coupé en tranches de 1,25 cm (1/2 po)
227 g (8 oz) de carottes miniatures coupées en deux dans le sens de la longueur
227 g (8 oz) de pommes de terre grelots rouges, coupées en deux
227 g (8 oz) de haricots verts, les tiges enlevées, coupés en tronçons de 2,5 cm (1 po)
1 boîte de 411 g (14 1/2 oz) de tomates en dés égouttées
360 ml (1 1/2 tasse) de bouillon de légumes (voir « Remarques sur le bouillon de légumes », page 44)
Sel, et poivre du moulin
15 ml (1 c. à table) d'estragon frais ou de persil frais ciselé

1. À feu moyen, faites chauffer 15 ml (1 c. à table) d'huile dans un grand poêlon. Faites suer les échalotes environ 5 minutes à couvert. Ajoutez le vin et laissez réduire pendant 1 minute. Transvidez ce mélange dans la mijoteuse de 4 à 6 L.
2. À feu moyen, faites chauffer la dernière cuillère à table (15 ml) d'huile dans le même poêlon. Faites dorer le seitan ou le tempeh des deux côtés pendant environ 10 minutes. Ajoutez-le ensuite à la mijoteuse avec les carottes, les pommes de terre, les haricots verts, les tomates et le bouillon. Salez et poivrez. Remuez pour bien mélanger les ingrédients. Couvrez la mijoteuse et laissez cuire à faible intensité pendant 8 heures.
3. Juste avant de servir, incorporez l'estragon.

Tofu et échalotes braisés au miso

De façon générale, le tofu ne conserve pas sa forme lorsqu'il est cuit à la mijoteuse. Cependant, il se tient bien lorsqu'il est braisé dans une petite quantité de liquide, ce qui est le cas dans cette recette. La cuisson lente extirpe l'eau du tofu et permet à la délicieuse sauce au miso de l'imbiber. Cette recette se fera idéalement dans une mijoteuse large et peu profonde, ce qui vous permettra de répartir le tofu en une seule rangée.

Format de la mijoteuse :
4 L (ou plus)

Temps de cuisson :
4 h

Intensité : faible

Donne 4 portions

3 échalotes françaises émincées
454 g (1 lb) de tofu extraferme, égoutté
30 ml (2 c. à table) de pâte de miso
30 ml (2 c. à table) de tamari ou d'une autre sauce soja
15 ml (1 c. à table) d'huile d'olive
15 ml (1 c. à table) d'eau

1. Étalez les échalotes au fond de la mijoteuse de 4 L (ou d'un format plus grand) légèrement huilée. Coupez le tofu en tranches de 1,25 cm (1/2 po) d'épaisseur et déposez-le sur les échalotes pour former une rangée.
2. Dans un petit bol, mélangez la pâte de miso, le tamari, l'huile et l'eau. Versez sur le tofu et les échalotes. Couvrez la mijoteuse et laissez cuire à faible intensité pendant environ 4 heures.

Pourquoi j'aime ma mijoteuse

1. Le dîner est prêt et n'attend que moi à la fin de la journée.
2. Elle libère des éléments de cuisson lorsque j'en ai vraiment besoin, par exemple lors de fêtes et de réceptions.
3. Elle sert de réchaud ou de bol à punch électrique lors de réceptions.
4. Elle ne réchauffe pas la cuisine en été.
5. Elle permet de faire cuire et de servir dans un même plat, ce qui me fait gagner du temps lorsque vient le moment de nettoyer la vaisselle.

Cinq couches de légumes infusées au pesto

Les couches de légumes cuisent lentement et simultanément. Leurs saveurs se mêlent grâce à une purée de haricots blancs infusée au pesto, ce qui donne une riche sauce. Variez les légumes selon votre goût. Les pommes de terre et les oignons dorés à l'avance ajouteront de la couleur et du goût à ce plat.

Format de la mijoteuse : 3,5 à 4 L	360 ml (1 1/2 tasse) de *cannellinis* cuits à la mijoteuse (page 107) ou 1 boîte de 440 g (15 1/2 oz) de *cannellinis* ou d'autres haricots blancs, égouttés et rincés
Temps de cuisson : 6 à 8 h	240 ml (1 tasse) de bouillon de légumes (voir « Remarques sur le bouillon de légumes », page 44)
	30 ml (2 c. à table) de pesto maison (page 63) ou du commerce
Intensité : faible	15 ml (1 c. à table) d'huile d'olive
	2 grosses pommes de terre Yukon Gold, pelées et finement coupées en rondelles
Donne 4 portions	1 gros oignon jaune coupé en fines demi-lunes
	Sel, et poivre du moulin
	1 poivron rouge de grosseur moyenne, épépiné et coupé en fines rondelles
	1 grosse courgette émincée
	1 grosse tomate mûre finement tranchée

1. Dans un robot culinaire ou un mélangeur, combinez les haricots, le bouillon et le pesto jusqu'à l'obtenton d'une consistance homogène. Réservez.

2. À feu moyen-élevé, faites chauffer l'huile dans un grand poêlon. Faites dorer les tranches de pomme de terre des deux côtés pendant environ 10 minutes. Réservez. Faites dorer les tranches d'oignon des deux côtés dans le même poêlon pendant environ 5 minutes. Réservez.

3. Huilez légèrement le plat interne de la mijoteuse de 3,5 à 4 L. Vous ferez alterner chaque couche de légumes avec une petite quantité de purée de haricots. Déposez d'abord les tranches de pomme de terre, puis salez et poivrez. Répartissez un peu de purée de haricots. Garnissez avec les oignons, suivis par le mélange aux haricots, les tranches de poivron, le mélange aux haricots, les tranches de courgette, la purée de haricots et les tranches de tomate. Garnissez avec le reste de la purée de haricots. Couvrez la mijoteuse, réglez-la à faible intensité et laissez cuire de 6 à 8 heures.

Choucroute garnie au tempeh

Le tempeh et la saucisse végétarienne garnissent la choucroute dans ce plat robuste à forte odeur de carvi et de baies de genièvre. Les baies de genièvre et les graines de carvi se trouvent dans le rayon des épices des supermarchés bien garnis et des boutiques gastronomiques.

Format de la mijoteuse :
3,5 à 4 L

Temps de cuisson :
6 à 8 h

Intensité : faible

Donne 4 portions

30 ml (2 c. à table) d'huile d'olive
227 g (8 oz) de tempeh coupé en lanières de 1,25 cm (1/2 po) d'épaisseur
227 g (8 oz) de saucisse végétarienne
1 oignon jaune de grosseur moyenne, haché
340 g (12 oz) de petites pommes de terre blanches, coupées en deux ou en quatre
480 ml (2 tasses) de choucroute égouttée et rincée
120 ml (1/2 tasse) de riesling ou d'un autre vin blanc
5 ml (1 c. à thé) de paprika hongrois doux
2,5 ml (1/2 c. à thé) de graines de carvi
2,5 ml (1/2 c. à thé) de baies de genièvre
240 ml (1 tasse) de bouillon de légumes (voir « Remarques sur le bouillon de légumes », page 44)
Sel, et poivre du moulin

1. À feu moyen, faites chauffer l'huile dans un grand poêlon. Faites dorer le tempeh sur toutes les surfaces de 5 à 7 minutes. Retirez le tempeh avec une cuillère à égoutter et réservez. Faites dorer les saucisses végétariennes dans le même poêlon environ 5 minutes. Retirez les saucisses avec une cuillère à égoutter et réservez avec le tempeh.
2. À feu moyen, réchauffez le même poêlon. Ajoutez un peu d'huile au besoin. Faites suer l'oignon environ 5 minutes à couvert.
3. Transvidez l'oignon dans la mijoteuse de 3,5 à 4 L. Ajoutez les pommes de terre, la choucroute, le vin, le paprika, les graines de carvi et les baies de genièvre. Versez le bouillon. Salez et poivrez. Couvrez la mijoteuse, réglez-la à faible intensité et laissez cuire de 6 à 8 heures.
4. Environ 20 minutes avant de servir, ajoutez le tempeh et les saucisses dans la mijoteuse, et remuez doucement pour mélanger.

Arroz « sin » pollo

La cuisson à la mijoteuse permet d'enrichir les saveurs de cette version végétarienne au goût parfaitement semblable à ce classique de la cuisine espagnole, le *arroz con pollo*. Cependant, dans cette recette, les pois chiches remplacent le poulet. Si vous souhaitez préparer ce plat avec du riz blanc ou brun régulier, faites cuire ce dernier séparément et ajoutez-le dans la mijoteuse vers la fin de la cuisson. Vous devrez alors réduire de 240 ml (1 tasse) la quantité de bouillon recommandée dans la recette. Vous pouvez utiliser du curcuma au lieu du safran pour donner de la couleur à ce plat.

Format de la mijoteuse :
4 à 6 L

Temps de cuisson :
6 à 8 h (le riz est ajouté durant la dernière heure de cuisson)

Intensité : faible

Donne 4 portions

15 ml (1 c. à table) d'huile d'olive
1 oignon jaune de grosseur moyenne, haché
1 petite carotte coupée en dés
2 gousses d'ail émincées
2,5 ml (1/2 c. à thé) d'origan séché
2,5 ml (1/2 c. à thé) de cumin moulu
0,50 ml (1/8 c. à thé) de brins de safran
1 boîte de 411 g (14 1/2 oz) de tomates en dés, avec leur jus
720 ml (3 tasses) de bouillon de légumes (voir « Remarques sur le bouillon de légumes », page 44)
1 petit poivron rouge, épépiné et coupé en dés
227 g (8 oz) de haricots verts, les tiges enlevées, coupés en tronçons de 2,5 cm (1 po)
360 ml (1 1/2 tasse) de pois chiches cuits à la mijoteuse (page 107) ou 1 boîte de 440 g (15 1/2 oz) de pois chiches, égouttés et rincés
Sel, et poivre du moulin
240 ml (1 tasse) de riz étuvé ou Valencia
180 ml (3/4 tasse) de salsa (au goût)
120 ml (1/2 tasse) de pois surgelés, puis dégelés
80 ml (1/3 tasse) d'olives vertes farcies, tranchées et égouttées

1. À feu moyen, faites chauffer l'huile dans un grand poêlon. Faites sauter l'oignon et la carotte 5 minutes à couvert ou jusqu'à ce qu'ils ramollissent. Incorporez l'ail, l'origan, le cumin et le safran, et faites cuire 2 minutes de plus.

2. Transvasez le mélange de légumes dans la mijoteuse de 4 à 6 L légèrement huilée. Ajoutez les tomates, le bouillon, le poivron, les haricots verts et les pois chiches. Salez et poivrez. Couvrez la mijoteuse, réglez-la à faible intensité et laissez cuire de 6 à 8 heures.

3. Environ une heure avant la fin de la cuisson, incorporez le riz. Couvrez de nouveau et laissez cuire à faible intensité jusqu'à ce que le riz soit tendre.

4. Environ 10 minutes avant de servir, incorporez la salsa, les pois et les olives, et couvrez. Goûtez et, au besoin, rectifiez l'assaisonnement. Servez.

Paella végétarienne

Au lieu de viande et de fruits de mer, cette version végétarienne de la paella demande des haricots rouges, des pleurotes et de la saucisse végétarienne en association avec des légumes et du riz parfumés. Cette recette utilise du riz étuvé pour obtenir des grains fermes, non collants. Si vous employez du riz Valencia — celui dont on se sert habituellement pour la paella —, le résultat sera plus crémeux.

Format de la mijoteuse :
5,5 à 6 L

Temps de cuisson : 5 h
(le riz est ajouté durant la
dernière heure de cuisson)

Intensité : faible

Donne 4 à 6 portions

30 ml (2 c. à table) d'huile d'olive

1 oignon jaune de grosseur moyenne, haché

1 petit poivron vert, épépiné et coupé en dés

113 g (4 oz) de haricots verts, les tiges enlevées, coupés en tronçons de 2,5 cm (1 po)

1 boîte de 795 g (28 oz) de tomates italiennes entières, égouttées et coupées en dés

2 gousses d'ail émincées

1 paquet de 255 g (9 oz) de cœurs d'artichaut surgelés, puis dégelés

1 1/2 tasse (375 g) de haricots rouges cuits à la mijoteuse (page 107) ou 1 boîte de 440 ml (15,5 oz) de haricots rouges, égouttés et rincés

720 ml (3 tasses) de bouillon de légumes (voir « Remarques sur le bouillon de légumes », page 44)

2,5 ml (1/2 c. à thé) de piment de Cayenne broyé

1,25 ml (1/4 c. à thé) de brins de safran

2 feuilles de laurier

Sel, et poivre du moulin

240 ml (1 tasse) de riz blanc étuvé ou de riz Valencia

227 g (8 oz) de saucisses végétariennes coupées en morceaux de 2,5 cm (1 po)

113 g (4 oz) de pleurotes, pieds enlevés, et chapeaux coupés en lamelles de 2,5 cm (1 po)

240 ml (1 tasse) de pois surgelés, puis dégelés

15 ml (1 c. à table) de persil frais ciselé

1 citron coupé en 4 ou 6 quartiers

1. À feu moyen, faites chauffer 15 ml (1 c. à table) d'huile dans un poêlon. Faites suer l'oignon environ 5 minutes à couvert.

2. Transvasez l'oignon dans la mijoteuse de 5 à 6 L. Incorporez le poivron, les haricots verts, les tomates, l'ail, les cœurs d'artichaut, les haricots rouges, le bouillon, le piment de Cayenne broyé, le safran et les feuilles de laurier. Salez et poivrez. Couvrez et laissez cuire à faible intensité pendant 4 heures.

3. Incorporez le riz, couvrez de nouveau et laissez cuire à faible intensité pendant 1 heure ou jusqu'à ce que le riz soit tendre.

4. Pendant ce temps, à feu moyen, faites chauffer la dernière cuillère à table (15 ml) d'huile dans un poêlon. Faites dorer les saucisses environ 5 minutes. Retirez du poêlon et réservez. Tout en remuant, faites sauter les pleurotes dans le même poêlon 3 minutes ou jusqu'à ce qu'ils soient tendres.

5. Environ 10 minutes avant de servir, incorporez les saucisses, les pleurotes et les pois à la paella. Couvrez pour terminer la cuisson. Servez garni de persil et de citron.

Cari végétarien

Laissez le cari répandre ses parfums envoûtants dans votre demeure pendant qu'il cuira doucement à la mijoteuse toute la journée. Servez-le sur du riz basmati chaud, avec du chutney en accompagnement.

Format de la mijoteuse :
3,5 à 4 L

Temps de cuisson :
6 à 8 h

Intensité : faible

Donne 4 portions

---

15 ml (1 c. à table) d'huile d'arachide
2 grosses carottes, tranchées en rondelles à la diagonale
1 oignon jaune de grosseur moyenne, haché
3 gousses d'ail émincées
30 ml (2 c. à table) de poudre de cari
5 ml (1 c. à thé) de coriandre moulue
1,25 ml (1/4 c. à thé) de piment de Cayenne broyé
2 grosses pommes de terre Yukon Gold, pelées et coupées en dés
227 g (8 oz) de haricots verts, les tiges enlevées, coupés en tronçons de 2,5 cm (1 po)
360 ml (1 1/2 tasse) de pois chiches cuits à la mijoteuse (page 107) ou 1 boîte de 440 g (15 1/2 oz) de pois chiches, égouttés et rincés
1 boîte de 411 g (14 1/2 oz) de tomates en dés égouttées
480 ml (2 tasses) de bouillon de légumes (voir « Remarques sur le bouillon de légumes », page 44)
120 ml (1/2 tasse) de pois verts surgelés, puis dégelés
120 ml (1/2 tasse) de lait de coco non sucré en conserve
Sel

1. À feu moyen, faites chauffer l'huile dans un grand poêlon. Faites sauter les carottes et l'oignon 5 minutes à couvert ou jusqu'à ce qu'ils ramollissent. Tout en remuant pour en enduire les légumes, ajoutez l'ail, la poudre de cari, la coriandre et le piment de Cayenne broyé.

2. Transvasez le mélange de légumes dans la mijoteuse de 3,5 à 4 L. Ajoutez les pommes de terre, les haricots verts, les pois chiches, les tomates et le bouillon. Laissez cuire à couvert de 6 à 8 heures à faible intensité.

3. Juste avant de servir, incorporez les pois et le lait de coco, et salez. Goûtez et, au besoin, rectifiez l'assaisonnement.

Bobotie sud-africain

Ce ragoût parfumé au cari, qui rappelle le classique mets sud-africain, convient parfaitement à la mijoteuse. Le beurre d'amande se trouve dans les supermarchés bien garnis et dans les magasins d'aliments naturels.

Format de la mijoteuse :
3,5 à 4 L

Temps de cuisson :
4 à 6 h

Intensité : faible

Donne 4 portions

30 ml (2 c. à table) d'huile d'olive
1 gros oignon jaune haché
15 ml (1 c. à table) de poudre de cari
454 g (1 lb) de brisures de burger végétarien
1 L (4 tasses) de cubes de pain frais
8 abricots séchés, trempés pendant 10 minutes dans l'eau chaude, égouttés et hachés
Sel, et poivre du moulin
360 ml (1 1/2 tasse) de bouillon de légumes (voir « Remarques sur le bouillon de légumes », page 44)
80 ml (1/3 tasse) de confiture d'abricots
80 ml (1/3 tasse) de beurre d'amande
15 ml (1 c. à table) de jus de citron frais
60 ml (1/4 tasse) d'amandes effilées grillées (page 197)

1. À feu moyen, faites chauffer l'huile dans un grand poêlon. Faites suer l'oignon environ 5 minutes. Tout en remuant pour en enrober l'oignon, ajoutez la poudre de cari.
2. Transvasez ce mélange dans la mijoteuse de 3,5 à 4 L. Ajoutez les brisures de burger, les cubes de pain et les abricots. Salez et poivrez. Remuez bien le tout.
3. Dans un mélangeur ou un robot culinaire, mélangez le bouillon, la confiture, le beurre d'amande et le jus de citron. Tout en remuant, versez le mélange dans la mijoteuse. Couvrez la mijoteuse, réglez-la à faible intensité et laissez cuire de 4 à 6 heures.
4. Garnissez d'amandes et servez.

Pâté en croûte

La vapeur de la mijoteuse procure une croûte tendre et moelleuse. Si vous préférez une croûte plus sèche, laissez le pâté cuire à découvert de 5 à 10 minutes avant de le servir. Cette méthode rapide pour confectionner la croûte est semblable à celle utilisée pour les biscuits de babeurre. Pour obtenir une croûte lisse et uniforme, roulez la pâte sur une surface légèrement enfarinée et formez un cercle de 0,6 cm (1/4 de po) d'épaisseur. Déposez ensuite délicatement cette pâte à la surface des légumes qui cuisent.

Format de la mijoteuse :
3,5 à 4 L

Temps de cuisson : 6 h

Intensité : faible pour 5 h ;
élevée pour 1 h

Donne 4 portions

45 ml (3 c. à table) d'huile d'olive
1 oignon jaune de grosseur moyenne, haché
1 grosse carotte coupée en cubes
240 ml (1 tasse) plus 30 ml (2 c. à table) de farine tout usage
1 grosse pomme de terre pelée et coupée en dés
720 ml (3 tasses) de pois chiches cuits à la mijoteuse (page 107) ou 2 boîtes de 440 ml (15,5 oz) de pois chiches, égouttés et rincés
120 ml (1/2 tasse) de pois surgelés
180 ml (3/4 tasse) de bouillon de légumes (voir « Remarques sur le bouillon de légumes », page 44)
15 ml (1 c. à table) de tamari ou d'une autre sauce soja
2,5 ml (1/2 c. à thé) de thym séché
2,5 ml (1/2 c. à thé) de sarriette séchée
Sel, et poivre du moulin
10 ml (2 c. à thé) de levure chimique
2,5 ml (1/2 c. à thé) de bicarbonate de soude
120 ml (1/2 tasse) de lait ou de lait de soja

1. À feu moyen, faites chauffer 15 ml (1 c. à table) d'huile dans un poêlon. Faites sauter l'oignon et la carotte 5 minutes à couvert ou jusqu'à ce qu'ils soient tendres.

2. Transvasez l'oignon et la carotte dans la mijoteuse de 3,5 à 4 L légèrement huilée. Saupoudrez 30 ml (2 c. à table) de farine. Ajoutez la pomme de terre, les pois chiches et les pois surgelés. Incorporez le bouillon, le tamari, le thym et la sarriette. Salez et poivrez. Couvrez la mijoteuse, réglez-la à faible intensité et laissez cuire pendant 5 heures.

3. Environ 1 heure avant de servir, préparez la croûte. Dans un grand bol, mélangez 240 ml (1 tasse) de farine, la levure chimique, le bicarbonate de soude et 2,5 ml (1/2 c. à thé) de sel. Incorporez rapidement le lait et les derniers 30 ml (2 c. à table) d'huile pour que les ingrédients soient juste mélangés.

4. À l'aide d'une cuillère, versez la pâte à la surface des légumes qui frémissent. Réglez la mijoteuse à intensité élevée et faites cuire 1 heure à couvert ou jusqu'à ce que la croûte soit cuite. Pour un meilleur goût, servez le pâté en croûte 10 à 15 minutes après que la croûte aura fini de cuire.

Pâté en croûte à la farine de maïs

La vapeur de la mijoteuse permet à la croûte à la farine de maïs de cuire sur les légumes qui frémissent. Pour une croûte plus rustique, ne roulez pas la pâte à la farine de maïs. Versez-la simplement à la cuillère sur les légumes.

Format de la mijoteuse :
3,5 à 4 L

Temps de cuisson :
6 h

Intensité : faible pour 5 h ;
élevée pour 1 h

Donne 4 portions

45 ml (3 c. à table) d'huile d'olive
1 petit oignon jaune haché
1 carotte de grosseur moyenne, coupée en cubes
1/2 petit poivron rouge, épépiné et coupé en dés
2 gousses d'ail émincées
240 ml (1 tasse) de grains de maïs surgelés
720 ml (3 tasses) de haricots pintos cuits à la mijoteuse (page 107) ou 2 boîtes de 440 g (15 1/2 oz) de haricots pintos, égouttés et rincés
1 boîte de 113 g (4 oz) de chilis verts hachés, égouttés
180 ml (3/4 tasse) de bouillon de légumes (voir « Remarques sur le bouillon de légumes », page 44)
15 ml (1 c. à table) de tamari ou d'une autre sauce soja
15 ml (1 c. à table) de coriandre fraîche ciselée
Sel, et poivre du moulin
240 ml (1 tasse) de farine de maïs
10 ml (2 c. à thé) de levure chimique
2,5 ml (1/2 c. à thé) de bicarbonate de soude
120 ml (1/2 tasse) de lait ou de lait de soja

1. À feu moyen, faites chauffer 15 ml (1 c. à table) d'huile dans un poêlon. Faites sauter l'oignon et la carotte 5 minutes à couvert ou jusqu'à ce qu'ils ramollissent.

2. Placez l'oignon et la carotte dans la mijoteuse de 3,5 à 4 L légèrement huilée. Ajoutez le poivron, l'ail, le maïs, les haricots et les chilis. Incorporez le bouillon, le tamari et la coriandre fraîche. Salez et poivrez. Couvrez la mijoteuse et laissez cuire à faible intensité pendant 5 heures.

3. Environ 1 heure avant de servir, préparez la croûte. Dans un grand bol, mélangez la farine de maïs, la levure chimique, le bicarbonate de soude et 2,5 ml (1/2 c. à thé) de sel. Ajoutez le lait et 30 ml (2 c. à table) d'huile. Remuez pour bien mélanger.

4. Sur une surface de travail légèrement enfarinée, roulez la pâte jusqu'à former un cercle de 0,6 cm (1/4 po) d'épaisseur. Déposez ensuite soigneusement la croûte sur les légumes qui cuisent. Réglez la mijoteuse à intensité élevée. Faites cuire 1 heure à couvert ou jusqu'à ce que la croûte soit prête. Pour un meilleur goût, servez le pâté en croûte 10 à 15 minutes après que la croûte aura fini de cuire.

Polenta garnie à la manière d'un enchilada

Le goût et les ingrédients de l'enchilada ont inspiré cette recette, où l'on remplace la tortilla au maïs par une polenta. Pour ajouter de la saveur, garnissez de cheddar râpé régulier ou au soja juste avant de servir.

Format de la mijoteuse :
3,5 à 4 L

Temps de cuisson : 6 à 8 h
(la garniture aux haricots
est ajoutée 30 min
avant le service)

Intensité : faible

Donne 4 portions

30 ml (2 c. à table) d'huile d'olive
1 petit oignon jaune émincé
300 ml (1 1/4 tasse) de farine de maïs
5 ml (1 c. à thé) de sel
15 ml (1 c. à table) plus 2,5 ml (1/2 c. à thé) de poudre
  de chili
1 L (4 tasses) d'eau bouillante
600 ml (2 ½ tasses) de salsa avec de gros morceaux
360 ml (1 ½ tasse) de haricots pintos cuits à la mijoteuse
  (page 107) ou 1 boîte de 440 g (15 ½ oz) de haricots pintos,
  égouttés et rincés
360 ml (1 ½ tasse) de grains de maïs frais ou surgelés, dégelés
  si nécessaire
1 boîte de 113 g (4 oz) de chilis verts en dés, égouttés
30 ml (2 c. à table) d'oignon rouge haché
30 ml (2 c. à table) d'olives noires dénoyautées et coupées
  en rondelles
Sel, et poivre du moulin
30 ml (2 c. à table) de coriandre fraîche ciselée

1.   À feu moyen, faites chauffer l'huile dans un grand poêlon. Faites suer l'oignon environ 5 minutes à couvert.

2.   Mettez l'oignon dans la mijoteuse de 3 à 4 L légèrement huilée. Ajoutez la farine de maïs, le sel et 2,5 ml (1/2 c. à thé) de poudre de chili. Incorporez l'eau bouillante tout en remuant jusqu'à l'obtention d'un mélange homogène. Couvrez et laissez cuire à faible intensité de 6 à 8 heures, tout en remuant de temps à autre,

3.   Dans un grand bol, mélangez le salsa, les haricots, les grains de maïs, les chilis, l'oignon rouge, les olives et les derniers 15 ml (1 c. à table) de poudre de chili. Salez et poivrez. Mélangez bien et réservez.

4.   Environ 30 minutes avant de servir, étendez le mélange de haricots sur la polenta. Couvrez et laissez cuire à faible intensité jusqu'à ce que le mélange de haricots soit chaud.

5.   Garnissez de coriandre fraîche.

Seitan maison

Le seitan est à son meilleur lorsqu'il a cuit doucement pendant de nombreuses heures. Une fois de plus, c'est dans les cordes de la mijoteuse ! Pour une texture plus ferme, ajoutez 60 ml (1/4 tasse) de gluten de blé en poudre au mélange. Le liquide de cuisson peut être récupéré et utilisé comme bouillon dans des sauces, des soupes ou d'autres plats. Cette recette demande une mijoteuse de 6 L. Avec une mijoteuse d'un plus petit format, faites cuire le seitan dans moins d'eau avec moins de légumes, de façon que tout puisse entrer dans le plat de cuisson.

Format de la mijoteuse :
6 L

Temps de cuisson : 4 à 6 h
(plus 1 h pour réchauffer
le bouillon pour la
préparation du seitan)

Intensité : élevée pour 1 h ;
faible pour 4 à 6 h

1 grosse carotte coupée en morceaux de 5 cm (2 po)
1 gros oignon jaune coupé en quatre
3 gousse d'ail émincées
120 ml (1/2 tasse) de tamari ou d'une autre sauce soja
2 feuilles de laurier
2,5 L (10 tasses) plus 720 ml (3 tasses) d'eau (ou plus au besoin)
1,5 L (6 tasses) de farine de blé entier (environ 908 g ou 2 lb)

Donne environ 908 g (2 lb)

1. Mettez la carotte, l'oignon, l'ail, le tamari et les feuilles de laurier dans la mijoteuse de 6 L. Ajoutez 2,5 L (10 tasses) d'eau. Couvrez et réglez à intensité élevée.
2. Mettez la farine dans un grand bol et ajoutez 720 ml (3 tasses) d'eau. Remuez pour mélanger, en ajoutant un peu plus d'eau si la pâte est trop sèche. Mettez la pâte sur une surface plate et pétrissez-la jusqu'à ce qu'elle soit lisse et élastique (environ 10 minutes). Remettez la pâte dans le bol et ajoutez assez d'eau chaude pour couvrir. Laissez reposer pendant 20 minutes.
3. Mettez le bol contenant la pâte et l'eau dans le lavabo. Pétrissez la pâte dans le bol jusqu'à ce que l'eau devienne blanche. Égouttez, couvrez ensuite d'eau fraîche et pétrissez de nouveau jusqu'à ce que l'eau dans le bol devienne blanche. En utilisant de l'eau fraîche chaque fois, répétez la procédure jusqu'à ce que l'eau soit presque claire. La pâte devrait maintenant former une boule lisse de gluten de blé, ou de seitan cru.
4. Selon l'utilisation que vous souhaitez en faire, divisez le seitan en 4 morceaux ou laissez-le entier avant de le plonger dans le bouillon qui frémit. Laissez cuire de 4 à 6 heures à couvert à faible intensité.
5. Retirez le seitan de la mijoteuse et laissez-le refroidir sur une plaque à pâtisserie. Si vous n'utilisez pas le seitan tout de suite, il peut être conservé dans son bouillon à l'intérieur d'un contenant hermétique jusqu'à 5 jours au réfrigérateur ou plusieurs semaines au congélateur.

Rôti braisé non traditionnel

Cette recette de rôti braisé végétarien utilise le produit *Seitan Quick Mix* (que l'on trouve dans les magasins d'aliments naturels). Si vous ne pouvez le trouver, préparez votre propre seitan à partir de la recette de seitan maison (page 141). Si vous manquez de temps, vous pouvez acheter un paquet de seitan précuit, que vous trouverez dans les réfrigérateurs d'un magasin d'aliments naturels, et en ajouter des morceaux aux légumes qui cuisent. Pour faire une sauce avec le liquide de cuisson, enlevez tous les ingrédients solides, réglez la mijoteuse à intensité élevée et incorporez au fouet 15 ml (1 c. à table) de fécule de maïs mélangée à 30 ml (2 c. à table) d'eau. Remuez jusqu'à ce que la sauce épaississe.

Format de la mijoteuse :
5,5 à 6 L

Temps de cuisson :
8 h

Intensité : faible

Donne 4 portions

1 boîte de 170 g (6 oz) de préparation *Seitan Quick Mix*
2,5 ml (1/2 c. à thé) de poudre d'oignon
2,5 ml (1/2 c. à thé) de thym séché
2,5 ml (1/2 c. à thé) de sel
0,50 ml (1/8 c. à thé) de poivre noir fraîchement moulu
120 ml (1/2 tasse) d'eau (ou plus au besoin)
45 ml (3 c. à table) de tamari ou d'une autre sauce soja
15 ml (1 c. à table) d'huile d'olive
2 petits oignons jaunes doux, coupés en deux ou en quatre
454 g (1 lb) de carottes miniatures
454 g (1 lb) de petites pommes de terre nouvelles, coupées en deux
Sel, et poivre du moulin
360 ml (1 1/2 tasse) de bouillon de légumes (voir « Remarques sur le bouillon de légumes », page 44)
60 ml (1/4 tasse) de vin rouge sec
2 gousses d'ail émincées
5 ml (1 c. à thé) de thym séché

1. Dans un grand bol, mélangez la préparation de seitan, la poudre d'oignon, le thym, le sel et le poivre. Ajoutez l'eau et 30 ml (2 c. à table) de tamari. Brassez bien en ajoutant plus d'eau si le mélange est trop sec. Pétrissez ensuite la pâte 3 minutes ou jusqu'à ce qu'elle devienne lisse. Déposez la boule de seitan dans la mijoteuse de 5,5 à 6 L.
2. Dans un grand poêlon, à feu moyen-élevé, faites chauffer l'huile. Faites dorer rapidement les oignons, les carottes et les pommes de terre. Salez et poivrez, puis transvasez dans la mijoteuse. Ajoutez le bouillon, le vin, les derniers 15 ml (1 c. à table) de tamari, l'ail et le thym. Couvrez et laissez cuire à faible intensité pendant 8 heures.
3. Retirez les légumes et le seitan de la mijoteuse. Tranchez le seitan avant de le déposer sur un plat de service. Disposez les légumes autour du seitan et couvrez avec le liquide de cuisson ou la sauce (voir l'introduction de cette recette).

Seitan braisé au vin rouge et aux champignons

Vous pouvez omettre l'étape finale où on lie la riche sauce au vin rouge. Toutefois, je crois que le côté crémeux qu'apporte la purée de champignons mérite bien le petit effort supplémentaire à déployer. Le produit nommé *Gravy Master*, en vente dans les épiceries, est un colorant brun pour sauces sans aucun produit animal et permettant d'obtenir une belle sauce brune. Servez sur du riz ou des pâtes plates.

Format de la mijoteuse :
3,5 à 4 L

Temps de cuisson :
6 à 8 h

Intensité : faible

Donne 4 portions

30 ml (2 c. à table) d'huile d'olive
454 g (1 lb) de seitan coupé en tranches de 1,25 cm (1/2 po) d'épaisseur
6 échalotes françaises coupées en quatre
2 gousses d'ail émincées
227 g (8 oz) de petits champignons blancs coupés en lanières ou en quatre
120 ml (1/2 tasse) de bouillon de légumes (voir « Remarques sur le bouillon de légumes », page 44)
30 ml (2 c. à table) de pâte de tomates
120 ml (1/2 tasse) de vin rouge sec
15 ml (1 c. à table) de thym frais ciselé ou 5 ml (1 c. à thé) de thym séché
Sel, et poivre du moulin
2,5 ml (1/2 c. à thé) de *Gravy Master* ou d'un autre colorant végétarien brun pour sauces

1.   À feu moyen, faites chauffer 15 ml (1 c. à table) d'huile dans un grand poêlon. Faites dorer le seitan sur toutes les surfaces pendant environ 10 minutes. Retirez-le avec une cuillère à égoutter et réservez.

2.   Dans le poêlon, à feu moyen, réchauffez les derniers 15 ml (1 c. à table) d'huile. Tout en remuant aux 5 minutes, faites suer les échalotes françaises. Ajoutez l'ail et faites cuire 30 secondes ou jusqu'à ce qu'il exhale son parfum.

3.   Videz ce mélange dans la mijoteuse de 3,5 à 4 L. Ajoutez les champignons et le seitan. Incorporez le bouillon, la pâte de tomates, le vin et le thym séché (si vous l'utilisez). Salez et poivrez. Couvrez et laissez cuire à faible intensité de 6 à 8 heures.

4.   Peu avant le service, incorporez le thym frais (si vous l'utilisez). Au moment de servir, transvasez environ 240 ml (1 tasse) des champignons avec une petite quantité du jus de cuisson dans un mélangeur ou un robot culinaire. Ajoutez le *Gravy Master* et faites fonctionner l'appareil jusqu'à l'obtention d'un mélange lisse que vous incorporerez dans la mijoteuse pour épaissir la sauce.

Seitan barbecue garni de légumes

Les étages de légumes et de seitan baignent dans une sauce barbecue douce et épaisse, et rendent ce plat des plus consistants. Puisque les pelures constituent la partie la plus nutritive des pommes de terre, je ne les enlève pas lorsque la chose est possible. C'est le cas dans cette recette. Assurez-vous seulement de bien nettoyer les pommes de terre.

Format de la mijoteuse :
4 L

Temps de cuisson :
6 à 8 h

Intensité : faible

Donne 4 portions

30 ml (2 c. à table) d'huile d'olive
1 gros oignon jaune coupé en fines demi-lunes
2 grosses pommes de terre Yukon Gold, coupées en tranches de 0,6 cm (1/4 po) d'épaisseur
1 gros poivron rouge ou jaune, épépiné et coupé en fines rondelles
1 grosse carotte râpée
1 courgette de grosseur moyenne, émincée
340 g (12 oz) de seitan coupé en tranches de 0,6 cm (1/4 po) d'épaisseur
1 boîte de 170 g (6 oz) de pâte de tomates
5 ml (1 c. à thé) de moutarde sèche
60 ml (1/4 tasse) de mélasse noire non sulfurée
60 ml (1/4 tasse) de tamari ou d'une autre sauce soja
30 ml (2 c. à table) de vinaigre de cidre
30 ml (2 c. à table) de cassonade blonde tassée
240 ml (1 tasse) d'eau

1. À feu moyen-élevé, faites chauffer 15 ml (1 c. à table) d'huile dans un poêlon. Tout en remuant aux 5 minutes, faites dorer l'oignon. Placez-le dans la mijoteuse de 4 L. Faites colorer les pommes de terre dans le même poêlon et disposez-les sur le dessus des oignons déjà dans la mijoteuse. Disposez ensuite une couche de poivrons, de carottes et, finalement, de courgettes.

2. À feu moyen-élevé, faites chauffer les derniers 15 ml (1 c. à table) d'huile dans le même poêlon. Faites dorer le seitan des deux côtés de 7 à 10 minutes. Disposez-le sur les légumes dans la mijoteuse.

3. Dans un petit bol, mélangez la pâte de tomates, la moutarde, la mélasse, le tamari, le vinaigre, la cassonade et l'eau. Versez ce mélange sur les ingrédients dans la mijoteuse. Couvrez celle-ci et laissez cuire de 6 à 8 heures à faible intensité.

Sauce tomate pour pâtes

Servez cette sauce sur vos pâtes fraîches préférées. Une fois séparée en petites portions et entreposée dans des contenants très hermétiques, elle peut être réfrigérée ou congelée pour un usage ultérieur. Elle se conservera plusieurs jours au réfrigérateur et jusqu'à 1 mois au congélateur.

Format de la mijoteuse :
4 L

Temps de cuisson :
6 h

Intensité : faible

Donne environ 3 L (12 1/2 tasses)

30 ml (2 c. à table) d'huile d'olive
1 gros oignon jaune haché
1 petit poivron rouge épépiné et coupé en dés
1 carotte de grosseur moyenne, râpée
2 gousses d'ail émincées
3 boîtes de 795 g (28 oz) de tomates broyées
120 ml (1/2 tasse) de vin rouge sec
5 à 10 ml (1 à 2 c. à thé) de cassonade blonde tassée
 (ou au goût)
10 ml (2 c. à thé) de basilic séché
5 ml (1 c. à thé) d'origan séché
5 ml (1 c. à thé) de sel
1,25 ml (1/4 c. à thé) de poivre noir fraîchement moulu

1. À feu moyen, dans un poêlon de format moyen, faites chauffer l'huile. Faites sauter l'oignon, le poivron, la carotte et l'ail 5 minutes à couvert ou jusqu'à ce qu'ils ramollissent.
2. Transvasez le mélange de légumes dans la mijoteuse de 4 L. Ajoutez les tomates, le vin, la cassonade, le basilic, l'origan, le sel et le poivre. Laissez cuire à faible intensité pendant 6 heures à couvert.

Fettuccinis et sauce bolognaise aux lentilles

À Bologne, les tagliatelles sont les pâtes de prédilection pour accompagner la renommée sauce à la viande. Je préfère toutefois cette variante non traditionnelle de sauce lorsqu'elle est servie sur des fettuccinis.

Format de la mijoteuse :
3,5 à 4 L

Temps de cuisson :
6 h

Intensité : faible

Donne 4 portions

30 ml (2 c. à table) d'huile d'olive
1 petit oignon jaune haché
1 petite carotte hachée
1 branche de céleri émincée
2 gousses d'ail émincées
120 ml (1/2 tasse) de vin blanc sec
1 boîte de 795 g (28 oz) de tomates broyées
240 ml (1 tasse) de lentilles brunes sèches, triées et rincées
30 ml (2 c. à table) de pâte de tomates diluée dans 240 ml (1 tasse) d'eau chaude
1 pincée de noix de muscade fraîchement moulue
Sel, et poivre du moulin
120 ml (1/2 tasse) de haricots blancs cuits à la mijoteuse (page 107) ou en conserve, égouttés et rincés
60 ml (1/4 tasse) de lait ou de lait de soja
454 g (1 lb) de fettuccinis
2,5 ml (1/2 c. à thé) d'arôme de fumée liquide
30 ml (2 c. à table) de persil italien frais ciselé
Parmesan frais ou parmesan de soja râpé au moment de servir

1. À feu moyen, faites chauffer l'huile dans un grand poêlon. Faites sauter l'oignon, la carotte, le céleri et l'ail 10 minutes à couvert ou jusqu'à ce qu'ils soient tendres. Incorporez le vin et laissez frémir pendant 2 minutes.

2. Transvasez le mélange de légumes dans la mijoteuse de 4 L. Ajoutez les tomates, les lentilles, la pâte de tomates diluée et la muscade. Salez et poivrez. Couvrez la mijoteuse et laissez cuire à faible intensité pendant 6 heures.

3. Pendant que la sauce aux lentilles cuit, mélangez les haricots et le lait dans un robot culinaire ou un mélangeur jusqu'à l'obtention d'une consistance lisse. Réservez.

4. Lorsque vous êtes prêt à servir, faites cuire les pâtes dans une grande casserole d'eau bouillante salée. Remuez de temps à autre jusqu'à ce qu'elles soient *al dente* (environ 8 minutes). Égouttez-les bien.

5. Juste avant de servir, incorporez le mélange de haricots, l'arôme de fumée liquide et le persil dans la sauce. Mettez les pâtes cuites dans un bol de service, ajoutez la sauce, mélangez doucement et servez immédiatement avec le fromage.

Casserole de zitis

La mijoteuse est une bonne façon de faire cuire un plat réconfortant sans réchauffer la cuisine. Dans cette recette, les pâtes cuites sont ajoutées dans les 20 à 30 dernières minutes de cuisson. Sinon, bien que vos pâtes risquent d'être un peu collantes, vous pouvez mettre des pâtes crues au début de la cuisson et ajouter une tasse (250 ml) d'eau à la quantité recommandée dans cette recette.

Format de la mijoteuse :
4 L

Temps de cuisson : 4 h
(les pâtes sont ajoutées durant les 20 à 30 dernières min)

Intensité : faible

Donne 4 portions

30 ml (2 c. à table) d'huile d'olive
1 gros oignon haché
2 gousses d'ail émincées
1 boîte de 795 g (28 oz) de tomates broyées
1 paquet de 12 oz (340 g) de brisures de burger végétarien surgelées
240 ml (1 tasse) d'eau chaude
120 ml (1/2 tasse) de vin rouge sec
15 ml (1 c. à table) de basilic frais ciselé ou 5 ml (1 c. à thé) de basilic séché
Sel, et poivre du moulin
227 g (8 oz) de zitis, cuits selon le mode d'emploi de l'emballage, égouttés et rincés
30 ml (2 c. à table) de persil frais ciselé
80 ml (1/3 tasse) de parmesan frais ou de parmesan de soja râpé

1. À feu moyen, faites chauffer l'huile dans un grand poêlon. Faites suer l'oignon environ 5 minutes à couvert. Ajoutez l'ail et faites-le cuire 30 secondes ou jusqu'à ce qu'il exhale son parfum.
2. Transvasez ce mélange dans la mijoteuse de 4 L. Ajoutez les tomates, les brisures de burger, l'eau chaude, le vin et le basilic séché (si vous l'utilisez). Salez et poivrez. Couvrez la mijoteuse, réglez-la à faible intensité et laissez cuire pendant 3 1/2 heures.
3. Incorporez les zitis, couvrez de nouveau et laissez cuire pendant 20 à 30 minutes pour réchauffer de part en part.
4. Lorsque vous êtes prêt à servir, incorporez le persil et le basilic frais (si vous l'utilisez), et garnissez de fromage.

Lasagne végétarienne

Une lasagne à la mijoteuse ! Cela peut sembler étrange, mais c'est délicieux et très facile à préparer. Vous devrez probablement couper les lasagnes pour qu'elles entrent dans la mijoteuse. Si vous utilisez une grande mijoteuse peu profonde, le produit fini ressemblera beaucoup à un plat de lasagne conventionnel.

Format de la mijoteuse :
4 à 6 L

Temps de cuisson :
4 h

Intensité : faible

Donne 6 portions

30 ml (2 c. à table) d'huile d'olive
1 petit oignon jaune haché
1 grosse courgette râpée
227 g (8 oz) de champignons blancs tranchés
2 gousses d'ail émincées
2,5 ml (1/2 c. à thé) de basilic séché
2,5 ml (1/2 c. à thé) d'origan séché
Sel, et poivre du moulin
1 poivron rouge rôti coupé en dés (voir la note ci-après)
454 g (1 lb) de tofu ferme, égoutté
454 g (1 lb) de tofu mou, égoutté
80 ml (1/3 tasse) de parmesan frais ou de parmesan
   de soja râpé
60 ml (1/4 tasse) de persil frais ciselé
720 ml (3 tasses) de sauce tomate assaisonnée, maison
   (page 145) ou du commerce
227 g (8 oz) de lasagnes non cuites
360 ml (1 1/2 tasse) de mozzarella râpée régulière ou de soja

1. À feu moyen, dans un poêlon de format moyen, faites chauffer l'huile. Faites suer l'oignon environ 5 minutes à couvert. Ajoutez la courgette, les champignons, l'ail, le basilic et l'origan. Salez et poivrez. Faites cuire 5 minutes ou jusqu'à ce que les légumes ramollissent. Incorporez le poivron rôti et réservez.

2. À l'aide d'une cuillère en bois, mélangez dans un grand bol les deux tofus, le parmesan et le persil jusqu'à l'obtention d'une consistance homogène. Salez et poivrez. Ajoutez les légumes et mélangez le tout.

3. Étendez une couche mince de sauce tomate au fond de la mijoteuse de 4 à 6 L. Disposez une couche de lasagnes au-dessus. Faites suivre avec la moitié du mélange tofu-légumes, suivi par une autre couche de lasagnes. Étendez une couche de sauce sur les pâtes et couvrez d'un quart de la mozzarella. Faites d'autres étages jusqu'à ce que tous les ingrédients soient utilisés. Terminez avec une couche de sauce tomate garnie de fromage râpé. Couvrez la mijoteuse et laissez cuire à faible intensité pendant 4 heures.

4. Retirez le couvercle et laissez reposer à la température ambiante pendant 15 minutes avant de servir.

Note : Les poivrons rouges rôtis, vendus marinés dans l'huile et en pot, se trouvent facilement dans les supermarchés. Pour faire rôtir vos propres poivrons frais, tenez-les sur une flamme jusqu'à ce que la peau devienne noire et se couvre d'ampoules. Mettez-les ensuite dans un sac de papier ou de plastique pendant plusieurs minutes. Sortez-les du sac, grattez la partie noircie et retirez la tige, les graines et la membrane. Faites la recette.

Macaronis florentins

Ce plat réconfortant et délicieux est si riche et goûteux qu'il est difficile de croire qu'il s'adresse aux végétariens. La sauce crémeuse est obtenue par réduction des haricots blancs en purée, ce qui permet d'obtenir saveur et protéines sans devoir mettre de produits laitiers. L'ajout d'épinards vous donnera un repas à plat unique qui convient parfaitement lors des soirées d'été où vous êtes incité à la paresse et que vous avez envie d'un bon plat sans devoir allumer les fourneaux.

Format de la mijoteuse :
4 L

Temps de cuisson :
3 h

Intensité : faible

Donne 4 portions

227 g (8 oz) de macaronis

1 paquet de 283 g (10 oz) d'épinards hachés surgelés, cuits selon le mode d'emploi inscrit sur l'emballage, bien égouttés

30 ml (2 c. à table) d'huile d'olive

1 oignon jaune de grosseur moyenne, haché

120 ml (1/2 tasse) de noix de cajou crues et non salées

420 ml (1 3/4 tasse) d'eau

360 ml (1 1/2 tasse) de haricots blancs cuits à la mijoteuse (page 107) ou 1 boîte de 440 g (15 1/2 oz) de haricots blancs, égouttés et rincés

15 ml (1 c. à table) de pâte de miso blanc (facultatif)

10 ml (2 c. à thé) de jus de citron frais

1,25 ml (1/4 c. à thé) de moutarde sèche

1,25 ml (1/4 c. à thé) de piment de Cayenne broyé

1 pincée de muscade moulue

Sel

120 ml (1/2 tasse) de chapelure

au lieu de l'eau ajouter du bouillon Poulet

1. Faites cuire les macaronis 8 minutes dans une casserole d'eau bouillante salée ou jusqu'à ce qu'ils soient *al dente*. Égouttez et mettez dans un grand bol. Ajoutez les épinards et mélangez. Réservez.

2. À feu moyen, faites chauffer 15 ml (1 c. à table) d'huile dans un poêlon. Faites suer l'oignon environ 5 minutes à couvert. Réservez.

3. Pulvérisez les noix de cajou dans un mélangeur ou un robot culinaire. Ajoutez 240 ml (1 tasse) d'eau et mélangez jusqu'à l'obtention d'une consistance lisse. Ajoutez l'oignon, les haricots, le miso, 180 ml (3/4 tasse) d'eau, le jus de citron, la moutarde, le piment de Cayenne broyé et la muscade. Salez.

(La quantité de sel nécessaire variera si vous utilisez ou non la pâte de miso, qui a tendance à être salée.) Mélangez jusqu'à l'obtention d'une consistance lisse. Goûtez et, au besoin, rectifiez l'assaisonnement. Versez la sauce sur les macaronis et les épinards. Mélangez bien.

4. Transvasez le mélange dans la mijoteuse de 4 L légèrement huilée. Couvrez la mijoteuse et laissez cuire à faible intensité pendant 3 heures.

5. Un peu avant de servir, faites chauffer à feu moyen la dernière cuillère à table (15 ml) d'huile dans un petit poêlon. Tout en remuant, ajoutez la chapelure pour l'enduire d'huile et faites griller de 3 à 4 minutes. Retirez du feu et réservez. Saupoudrez la chapelure grillée sur le macaroni au moment de servir.

Doliques à œil noir, bettes à carde et nouilles au sarrasin

La saveur robuste des nouilles soba, les nouilles japonaises au sarrasin, complète le goût solide des doliques à œil noir. Certaines variétés de bettes à carde sont pourvues de tiges dures et épaisses, tandis que d'autres, plus feuillues, sont munies de tiges plus tendres. Si vous utilisez une variété avec des tiges coriaces, détachez-en les feuilles afin de faire cuire les tiges plus longtemps que le reste de la bette.

Format de la mijoteuse :
3,5 à 4 L

Temps de cuisson :
6 à 8 h

Intensité : faible

Donne 4 portions

1 botte de bettes à carde lavées, les feuilles séparées des tiges épaisses
30 ml (2 c. à table) d'huile d'olive
1 grosse carotte coupée en deux dans le sens de la longueur, puis coupée en diagonale en demi-lunes de 0,6 cm (1/4 po) d'épaisseur
2 échalotes françaises hachées
2 gousses d'ail émincées
720 ml (3 tasses) de doliques à œil noir cuits à la mijoteuse (page 107) ou 2 boîtes de 440 g (15 1/2 oz) de doliques à œil noir, égouttés et rincés
240 ml (1 tasse) de bouillon de légumes (voir « Remarques sur le bouillon de légumes », page 44)
Sel, et poivre du moulin
1 paquet de 227 g (8 oz) de nouilles au sarrasin

1. Si vous utilisez les tiges épaisses des bettes, coupez-les en tronçons de 0,6 cm (1/4 po) et faites-les cuire dans une casserole d'eau bouillante salée pendant 5 minutes. Coupez les feuilles des bettes à carde en lanières de 1,25 cm (1/2 po) d'épaisseur et faites-les cuire dans la même casserole 3 à 4 minutes de plus ou jusqu'à ce qu'elles soient tendres. Égouttez et réservez.
2. À feu moyen, dans un poêlon de format moyen, faites chauffer l'huile. Faites sauter la carotte, les échalotes et l'ail 5 minutes à couvert ou jusqu'à ce qu'ils ramollissent.
3. Transvasez ce mélange dans la mijoteuse de 3,5 à 4 L. Ajoutez les doliques à œil noir et le bouillon. Salez et poivrez. Couvrez la mijoteuse et laissez cuire à faible intensité de 6 à 8 heures.
4. Incorporez les bettes à carde. Goûtez et, au besoin, rectifiez l'assaisonnement.
Quand vous êtes prêt à servir, faites cuire les nouilles au sarrasin selon le mode d'emploi inscrit sur l'emballage. Égouttez-les bien et mettez-les dans un grand bol. Couvrez-les avec le mélange de bettes à carde et de doliques, et servez immédiatement.

Les farces
et les légumes farcis

• • •

Lorsque vous aurez envie de légumes farcis — des poivrons jusqu'aux courgettes —, sortez votre mijoteuse et préparez vos farces. La mijoteuse se veut l'appareil idéal pour faire cuire les légumes farcis, parce que sa chaleur douce et uniforme enveloppe les légumes, les rendant tendres et savoureux. Vous ne courez aucun risque de les brûler ou de les dessécher, comme cela se produit parfois avec le four conventionnel.

Ce chapitre comporte de nombreuses recettes à ajouter à votre répertoire de légumes farcis, que ce soit les « Poivrons farcis à la salsa, au riz et aux haricots » (page 163) ou l'« Aubergine farcie au boulgour et aux lentilles » (page 170). Les combinaisons possibles augmentent rapidement, parce que vous pouvez associer les différentes farces aux légumes de votre choix. Par exemple, vous pouvez utiliser le mélange des « Poivrons farcies à la salsa, au riz et aux haricots » (page 163) pour farcir une courge plutôt que des poivrons. En raison de leur grosseur, la plupart des

légumes farcis devront cuire dans une mijoteuse de 5,5 à 6 L. Si vous possédez un modèle plus petit, vous devrez dans la plupart des cas couper de moitié les ingrédients de la recette.

La mijoteuse convient aussi parfaitement pour faire cuire les farces elles-mêmes, par exemple cette merveilleuse farce à la panade et à la sarriette qui accompagne souvent les repas des fêtes. Certaines des recettes de ce chapitre, par exemple la « Farce aux champignons sauvages » (page 156) et la « Farce aux marrons et aux pommes » (page 158), sont si riches et pleines de saveur qu'elles peuvent être servies comme mets principal.

Pour une entrée plus copieuse, essayez le « Rôti de seitan farci à la sarriette et à la sauce aux champignons » (page 178), un rôti savoureux et consistant enveloppant une délicieuse farce au pain. En reconnaissance de l'héritage écossais de mon mari, j'ai aussi ajouté une recette inhabituelle de haggis végétarien, qui consiste en une feuille de pâte de soja enveloppant une délicieuse farce aux légumes et à l'avoine, une farce qui pourrait également accompagner les légumes de votre choix.

Que ce soit pour les repas simples de semaine ou les festins des jours de fête, ce chapitre contient des recettes qui devraient ravir chacun.

Trucs pour faire cuire les farces à la mijoteuse

Les farces peuvent parfois sécher et durcir sur les bords lorsqu'elles cuisent trop longtemps ou à une température trop élevée. Pour éviter ce problème, vous devriez :

- ne jamais faire cuire vos farces plus de trois heures ;
- toujours les faire cuire à faible intensité.

De plus, vous pourriez :

- remuer le mélange à l'occasion ;
- mettre vos farces dans un plat de cuisson couvert à l'intérieur de la mijoteuse (déposez le plat sur une grille ou un dessous-de-plat avec 2,5 cm (1 po) d'eau au fond de la mijoteuse).

Farce aux champignons sauvages

Cette farce, dont l'intense saveur forestière provient de l'utilisation de trois sortes de champignons, est délicieuse. Si vous la servez en plat principal, vous pourrez augmenter l'apport en protéines en ajoutant jusqu'à 480 ml (2 tasses) de saucisse de soja cuite et émiettée. Faites cuire cette farce à la panade à faible intensité dans la mijoteuse, de même que toutes celles contenant du pain car, à intensité élevée, le pourtour de la farce a tendance à se dessécher.

Format de la mijoteuse :
4 L

Temps de cuisson :
3 à 4 h

Intensité : faible

Donne 8 portions

60 ml (1/4 tasse) de bolets comestibles (porcini) séchés
240 ml (1 tasse) d'eau bouillante
30 ml (2 c. à table) d'huile d'olive
1 oignon jaune de grosseur moyenne, haché
1 branche de céleri émincée
113 g (4 oz) de champignons cremini hachés grossièrement
113 g (4 oz) de pleurotes hachés grossièrement
5 ml (1 c. à thé) de thym séché
5 ml (1 c. à thé) de sauge moulue
1,9 L (8 tasses) de cubes de pain de 1,25 cm (1/2 po)
30 ml (2 c. à table) de persil frais ciselé
5 ml (1 c. à thé) de sel
1,25 ml (1/4 c. à thé) de poivre noir fraîchement moulu
240 à 360 ml (1 à 1 1/2 tasse) de bouillon de légumes
   (voir « Remarques sur le bouillon de légumes », page 44)

1. Faites tremper les bolets comestibles (porcini) dans l'eau pendant 30 minutes. Égouttez-les en réservant 120 ml (1/2 tasse) de l'eau de trempage. Rincez les champignons et hachez-les grossièrement.

2. À feu moyen, faites chauffer l'huile dans un grand poêlon. Faites sauter les oignons et le céleri 5 minutes à couvert ou jusqu'à ce qu'ils ramollissent. Tout en remuant pour bien enrober les ingrédients, ajoutez tous les champignons, le thym et la sauge.

3. Transvasez le mélange de légumes dans la mijoteuse de 4 L. Ajoutez les cubes de pain, le persil, le sel et le poivre. Incorporez le liquide de trempage des champignons et ce qu'il faut de bouillon pour humecter la préparation. Lissez la surface de la farce. Couvrez la mijoteuse et laissez cuire à faible intensité de 3 à 4 heures. Servez chaud.

Farce aux canneberges et aux noix

Grâce aux noix croquantes, à la saveur aigre-douce des canneberges et au brandy qui la composent, cette farce est une symphonie de textures et de saveurs.

Format de la mijoteuse :	30 ml (2 c. à table) d'huile d'olive
4 L	1 oignon jaune de grosseur moyenne, haché

Format de la mijoteuse :
4 L

Temps de cuisson :
3 à 4 h

Intensité : faible

Donne 8 portions

30 ml (2 c. à table) d'huile d'olive
1 oignon jaune de grosseur moyenne, haché
1 branche de céleri émincée
5 ml (1 c. à thé) de thym séché
5 ml (1 c. à thé) de sauge moulue
30 ml (2 c. à table) de brandy
1,9 L (8 tasses) de cubes de pain de 1,25 cm (1/2 po)
240 ml (1 tasse) de noix de Grenoble hachées
80 ml (1/3 tasse) de canneberges sucrées et séchées
60 ml (1/4 tasse) de persil frais ciselé
5 ml (1 c. à thé) de sel
1,25 ml (1/4 c. à thé) de poivre noir fraîchement moulu
360 à 480 ml (1 1/2 à 2 tasses) de bouillon de légumes
(voir « Remarques sur le bouillon de légumes », page 44)

1.   À feu moyen, faites chauffer l'huile dans un grand poêlon. Faites sauter l'oignon et le céleri 5 minutes à couvert ou jusqu'à ce qu'ils soient tendres. Tout en remuant pour bien enrober les légumes, ajoutez le thym et la sauge. Incorporez le brandy et faites cuire pendant 1 minute.

2.   Transvidez le mélange dans la mijoteuse de 4 L. Ajoutez les cubes de pain, les noix, les canneberges, le persil, le sel et le poivre. Incorporez juste ce qu'il faut de bouillon pour humecter la préparation. Rectifiez l'assaisonnement et ajoutez un peu plus de bouillon si le mélange est trop sec. Couvrez la mijoteuse et laissez cuire à faible intensité de 3 à 4 heures. Servez chaud.

Farce aux marrons et aux pommes

Les marrons prêts à l'emploi se trouvent en pot ou en conserve dans les épiceries bien garnies et les boutiques gastronomiques. Les marrons frais sont plus économiques, mais ils demandent un certain temps de préparation. Après avoir lu la note ci-après sur la façon de préparer les marrons frais, vous aurez désormais le choix !

Format de la mijoteuse :
4 à 6 L

Temps de cuisson :
3 à 4 h

Intensité : faible

Donne 8 portions

Comment préparer les marrons frais

Entaillez le côté plat de la coquille en y faisant un « X » avec un couteau aiguisé. Faites bouillir les marrons ou faites-les rôtir à 180 °C (350 °F) jusqu'à ce que les coquilles se racornissent. Retirez la coquille externe et la peau interne avec un couteau de cuisine bien aiguisé pendant que les marrons sont encore chauds, ce qui facilitera le travail.

30 ml (2 c. à table) d'huile d'olive
1 gros oignon jaune haché
1 branche de céleri émincée
5 ml (1 c. à thé) de sauge moulue
2,5 ml (1/2 c. à thé) de thym séché
240 ml (1 tasse) de marrons cuits hachés
2 pommes Granny Smith, pelées, étrognées et coupées en dés
1,9 L (8 tasses) de cubes de pain de 1,25 cm (1/2 po)
45 ml (3 c. à table) de persil frais ciselé
5 ml (1 c. à thé) de sel
1,25 ml (1/4 c. à thé) de poivre noir fraîchement moulu
240 à 360 ml (1 à 1 1/2 tasse) de bouillon de légumes (voir « Remarques sur le bouillon de légumes », page 44)

1. À feu moyen, faites chauffer l'huile dans un grand poêlon. Faites sauter l'oignon et le céleri 5 minutes à couvert ou jusqu'à ce qu'ils ramollissent. Incorporez la sauge et le thym.
2. Transvasez le mélange dans la mijoteuse de 4 à 6 L. Ajoutez les marrons, les pommes, les cubes de pain, le persil, le sel et le poivre. Incorporez juste ce qu'il faut de bouillon pour humecter la préparation et mélangez bien. Goûtez et, au besoin, rectifiez l'assaisonnement. Laissez cuire à faible intensité de 3 à 4 heures à couvert. Servez chaud.

Farce au riz sauvage et aux fruits secs

Cette élégante recette, facile à préparer, combine le riz sauvage et des morceaux de fruits secs.

Format de la mijoteuse :
4 à 6 L

Temps de cuisson : 5 h

Intensité : élevée pour 3 h ;
faible pour 2 h

Donne 6 à 8 portions

30 ml (2 c. à table) d'huile d'olive
1 gros oignon jaune haché
2 branches de céleri émincées
120 ml (1/2 tasse) de riz sauvage
660 ml (2 3/4 tasses) de bouillon de légumes
(voir « Remarques sur le bouillon de légumes », page 44)
Sel, et poivre du moulin
240 ml (1 tasse) de morceaux de fruits secs mélangés, par
exemple des raisins secs, des abricots séchés et des
pommes séchées
Eau bouillante (selon le besoin)
1,5 L (6 tasses) de cubes de pain de 1,25 cm (1/2 po)
60 ml (1/4 tasse) de persil frais ciselé
5 ml (1 c. à thé) de thym séché

1. À feu moyen, faites chauffer l'huile dans un grand poêlon. Faites sauter l'oignon et le céleri 5 minutes à couvert ou jusqu'à ce qu'ils ramollissent.

2. Videz ce mélange dans la mijoteuse de 4 à 6 L. Ajoutez le riz et le bouillon. Salez et poivrez au goût. Mélangez le tout. Couvrez la mijoteuse et laissez cuire 3 heures à faible intensité ou jusqu'à ce que le riz soit tendre.

3. Pendant ce temps, mettez les fruits secs dans un petit bol résistant à la chaleur. Couvrez-les pendant 15 minutes avec l'eau bouillante pour qu'ils ramollissent. Égouttez et réservez.

4. Une fois que le riz est tendre, incorporez les cubes de pain, le persil, le thym et les fruits ramollis. Goûtez et, au besoin, rectifiez l'assaisonnement. Couvrez la mijoteuse et laissez cuire à faible intensité pendant 2 heures de plus. Servez chaud.

Farce traditionnelle à la panade

Voici une recette de base sans tambour ni trompette. Cette farce, qui contient les bonnes choses que nos mères avaient l'habitude d'utiliser, est facile à réaliser à la mijoteuse.

Format de la mijoteuse :
4 L

Temps de cuisson :
3 à 4 h

Intensité : faible

Donne 8 portions

30 ml (2 c. à table) d'huile d'olive
1 gros oignon jaune haché
2 branches de céleri émincées
5 ml (1 c. à thé) de sauge moulue
5 ml (1 c. à thé) de marjolaine séchée
5 ml (1 c. à thé) de thym séché
2,5 L (10 tasses) de cubes de pain de 1,25 cm (1/2 po)
60 ml (1/4 tasse) de persil frais ciselé
5 ml (1 c. à thé) de sel
1,25 ml (1/4 c. à thé) de poivre noir fraîchement moulu
240 à 360 ml (1 à 1 1/2 tasse) de bouillon de légumes (voir « Remarques sur le bouillon de légumes », page 44)

1. À feu moyen, faites chauffer l'huile dans un grand poêlon. Faites sauter l'oignon et le céleri 5 minutes à couvert ou jusqu'à ce qu'ils ramollissent. Incorporez la sauge, la marjolaine et le thym.

2. Déposez les cubes de pain dans la mijoteuse de 4 L. Ajoutez le persil, le sel, le poivre et le mélange à l'oignon. Incorporez juste ce qu'il faut de bouillon pour humecter la préparation. Couvrez la mijoteuse et laissez cuire à faible intensité de 3 à 4 heures. Servez chaud.

Farce épicée à la basque

Cette farce savoureuse est adaptée d'une recette de famille de mon amie Lisa, où on y remplace la saucisse chorizo par du tofu. J'utilise parfois de la saucisse de soja émiettée au lieu du tofu, et le résultat est tout aussi délicieux.

Format de la mijoteuse :
4 à 6 L

Temps de cuisson :
3 à 4 h

Intensité : faible

Donne 6 à 8 portions

30 ml (2 c. à table) d'huile d'olive
1 gros oignon jaune haché
1 petit poivron vert, épépiné et coupé en dés
1 branche de céleri émincée
2 gousses d'ail émincées
1,5 L (6 tasses) de cubes de pain de 1,25 cm (1/2 po)
454 g (1 lb) de tofu ferme, égoutté et émietté
30 ml (2 c. à table) de tamari ou d'une autre sauce soja
2 pommes à cuire, comme des Granny Smith ou des McIntosh, pelées, étrognées et coupées en dés
45 ml (3 c. à table) de persil frais ciselé
5 ml (1 c. à thé) de sucre ou d'un édulcorant naturel
5 ml (1 c. à thé) de sel
5 ml (1 c. à thé) de thym séché
2,5 ml (1/2 c. à thé) de piment de Cayenne broyé
2,5 ml (1/2 c. à thé) de sauge moulue
1,25 ml (1/4 c. à thé) de cumin moulu
1,25 ml (1/4 c. à thé) de curcuma
1,25 ml (1/4 c. à thé) de poivre de Cayenne
1,25 ml (1/4 c. à thé) de clou de girofle moulu
1,25 ml (1/4 c. à thé) de muscade moulue
1,25 ml (1/4 c. à thé) de poivre noir fraîchement moulu

1. À feu moyen, faites chauffer l'huile dans un grand poêlon. Faites sauter l'oignon, le poivron, le céleri et l'ail 10 minutes à couvert ou jusqu'à ce qu'ils ramollissent.
2. Versez les cubes de pain, le tofu, le tamari, les pommes, le persil, le sucre, le sel, les épices et les légumes sautés dans la mijoteuse de 4 à 6 L. Mélangez bien, en incorporant juste ce qu'il faut d'eau pour humecter le mélange. Goûtez et, au besoin, rectifiez l'assaisonnement. Couvrez la mijoteuse et laissez cuire à faible intensité de 3 à 4 heures. Servez chaud.

Pudding de pain perdu aux légumes et à la sarriette

Ce pudding au pain polyvalent peut être dégusté lors d'un brunch, du déjeuner ou du souper. Il peut être préparé à l'avance et réfrigéré directement dans le plat interne de la mijoteuse.

Format de la mijoteuse :
4 à 6 L

Temps de cuisson :
4 à 5 h

Intensité : faible

Donne 6 à 8 portions

30 ml (2 c. à table) d'huile d'olive
1 oignon jaune de grosseur moyenne, haché
1/2 petit poivron rouge, épépiné et coupé en dés
1 carotte de grosseur moyenne, râpée
1 petite courgette râpée
113 g (4 oz) de champignons blancs tranchés
2 gousses d'ail émincées
Sel, et poivre du moulin
360 ml (1 1/2 tasse) de petits haricots blancs cuits à la mijoteuse (page 107) ou 1 boîte de 440 g (15 1/2 oz) de petits haricots blancs ou d'autres haricots blancs, égouttés et rincés
480 ml (2 tasses) de bouillon de légumes (voir « Remarques sur le bouillon de légumes », page 44)
7,5 ml (1 1/2 c. à thé) de moutarde de Dijon
5 ml (1 c. à thé) de sarriette fraîche ciselée ou 1,25 ml (1/4 c. à thé) de sarriette séchée
3,75 ml (3/4 c. à thé) de sel
0,50 ml (1/8 c. à thé) de piment de Cayenne broyé
113 g (4 oz) de mozzarella râpée régulière ou de soja
1 pain italien tranché

1.   À feu moyen, faites chauffer l'huile dans un grand poêlon. Faites suer l'oignon environ 5 minutes à couvert. Ajoutez le poivron, la carotte, la courgette, les champignons et l'ail. Salez et poivrez. Faites sauter 3 minutes ou jusqu'à ce que les légumes ramollissent légèrement. Retirez du feu.

2.   Dans un robot culinaire ou un mélangeur, réduisez en purée lisse les haricots, le bouillon, la moutarde, la sarriette, le sel et le piment de Cayenne broyé. Mélangez aux légumes sautés, puis incorporez le fromage.

3.   Coupez les tranches de pain en petits morceaux et disposez environ un tiers du pain au fond de la mijoteuse de 4 à 6 L. Versez environ un tiers du mélange de légumes sur le pain. Utilisez une fourchette pour bien répartir ces derniers. Répétez avec une deuxième couche de pain, suivie d'une deuxième couche du mélange de légumes. Couvrez avec le pain qui reste, en pressant doucement sur celui-ci pour éliminer l'air. Versez le mélange de légumes restant en l'étalant uniformément sur la couche de pain. Couvrez la mijoteuse et laissez cuire à faible intensité de 4 à 5 heures.

Poivrons farcis à la salsa, au riz et aux haricots

Utilisez des poivrons rouges, verts ou jaunes et de la salsa douce ou épicée, selon votre préférence.

Format de la mijoteuse :
5,5 à 6 L

Temps de cuisson :
4 h

Intensité : faible

Donne 4 portions

4 gros poivrons
600 ml (2 1/2 tasses) de riz complet ou blanc, cuit
360 ml (1 1/2 tasse) de haricots rouges cuits à la mijoteuse
  (page 107) ou 1 boîte de 440 g (15 1/2 oz) de haricots
  rouges, égouttés et rincés
240 ml (1 tasse) de salsa à la tomate
3 oignons verts émincés
Sel, et poivre du moulin
1 boîte de 411 g (14 1/2 oz) de tomates broyées
2,5 ml (1/2 c. à thé) de cumin moulu
1,25 ml (1/4 c. à thé) d'origan séché
2,5 ml (1/2 c. à thé) de sucre

1. Coupez le dessus des poivrons et réservez-les. Retirez les graines et les membranes. Disposez les poivrons à la verticale directement dans la mijoteuse de 5,5 à 6 L.

2. Dans un bol, mélangez le riz, les haricots, la salsa et les oignons. Salez et poivrez. Mélangez bien. En pressant légèrement, remplissez les poivrons avec le mélange de riz. Replacez les capuchons des poivrons.

3. Dans le même bol, mélangez les tomates, le cumin, l'origan et le sucre. Salez et poivrez. Versez ce mélange sur les poivrons et autour d'eux. Couvrez la mijoteuse, réglez-la à faible intensité et laissez cuire pendant 4 heures ou jusqu'à ce que les poivrons soient tendres mais qu'ils conservent encore leur forme. Servez chaud.

Poivrons farcis au couscous israélien et aux lentilles

Le couscous israélien est plus gros que le régulier. Dans cette farce, aussi bonne seule que dans les poivrons, il se marie très bien aux lentilles.

Format de la mijoteuse :
5,5 à 6 L

Temps de cuisson :
4 h

Intensité : faible

Donne 4 portions

4 gros poivrons rouges
45 ml (3 c. à table) d'huile d'olive
1 petit oignon jaune haché
480 ml (2 tasses) de couscous israélien cuit
360 ml (1 1/2 tasse) de lentilles cuites, égouttées
80 ml (1/3 tasse) de tomates séchées reconstituées ou conservées dans l'huile, égouttées et hachées
15 ml (1 c. à table) de persil frais ciselé
1,25 ml (1/4 c. à thé) d'origan séché
Sel, et poivre du moulin
80 ml (1/3 tasse) de pâte de tomates
30 ml (2 c. à table) de jus d'orange
5 ml (1 c. à thé) de sucre
2,5 ml (1/2 c. à thé) de moutarde de Dijon
240 ml (1 tasse) d'eau
1,25 ml (1/4 c. à thé) de piment de Cayenne broyé (facultatif)

1. Coupez le dessus des poivrons, et retirez les graines et les membranes. Enlevez les tiges et hachez les capuchons des poivrons. Réservez. Disposez les poivrons à la verticale dans la mijoteuse de 5,5 à 6 L.

2. À feu moyen, faites chauffer 15 ml (1 c. à table) d'huile dans un grand poêlon. Faites sauter l'oignon et le poivron hachés 5 minutes à couvert ou jusqu'à ce qu'ils soient tendres.

3. Dans un bol de format moyen, combinez le couscous, les lentilles, le mélange d'oignon et de poivron, les tomates séchées, le persil et l'origan. Salez et poivrez. En pressant légèrement, remplissez les poivrons de la farce.

4. Dans le même bol, mélangez la pâte de tomates, le jus d'orange, le sucre, la moutarde et l'eau. Ajoutez le piment de Cayenne broyé (si vous l'utilisez). Salez et poivrez. Ajoutez le reste de l'huile, soit 30 ml (2 c. à table). Versez ce mélange sur les poivrons et autour d'eux. Couvrez la mijoteuse et laissez cuire à faible intensité pendant 4 heures ou jusqu'à ce que les poivrons soient tendres mais qu'ils conservent toujours leur forme. Servez chaud.

Poivrons farcis au riz, à la noix de coco et à la mangue

Les saveurs thaïlandaises sont en vedette dans cette variante rafraîchissante des poivrons farcis. La grosseur des poivrons déterminera le format de mijoteuse nécessaire. Il vous faudra un modèle de 5,5 à 6 L pour faire entrer quatre gros poivrons (ou plus). Si vous ne possédez qu'une petite mijoteuse, utilisez des poivrons plus petits ou préparez-en moins.

Format de la mijoteuse :
5,5 à 6 L

Temps de cuisson :
4 h

Intensité : faible

Donne 4 portions

4 gros poivrons verts ou rouges
30 ml (2 c. à table) d'huile d'arachide
1 gros oignon rouge haché
480 ml (2 tasses) de riz au jasmin ou d'autre riz à grain long, cuit
120 ml (1/2 tasse) de noix de coco non sucrée et râpée
120 ml (1/2 tasse) de noix de cajou ou d'arachides, rôties à sec et non salées, concassées
120 ml (1/2 tasse) de basilic thaï frais ou de coriandre fraîche ciselés
10 ml (2 c. à thé) de jus de lime frais
5 ml (1 c. à thé) de sucre
Sel, et poivre du moulin
1 mangue mûre, pelée, dénoyautée et coupée en deux

1.   Coupez le dessus des poivrons, et retirez les graines et les membranes. Enlevez les tiges et hachez les capuchons des poivrons. Réservez. Déposez les poivrons à la verticale dans la mijoteuse de 5,5 à 6 L.

2.   À feu moyen, faites chauffer 15 ml (1 c. à table) d'huile dans un grand poêlon. Faites sauter l'oignon et le poivron hachés 5 minutes à couvert ou jusqu'à ce qu'ils ramollissent.

3.   Dans un bol, mélangez les légumes sautés, le riz, la noix de coco, les noix de cajou, le basilic, le jus de lime et le sucre. Salez et poivrez. Ajoutez le reste de l'huile, soit 15 ml (1 c. à table). Hachez une moitié de la chair de la mangue et incorporez à la farce. Mélangez bien et, en pressant légèrement, remplissez les poivrons de cette farce. Couvrez la mijoteuse et laissez cuire à faible intensité pendant 4 heures ou jusqu'à ce que les poivrons soient tendres mais qu'ils conservent toujours leur forme.

4.   Au moment de servir, coupez la dernière moitié de mangue en tranches minces et garnissez-en les poivrons.

Courge farcie exquise

Utilisez une courge à chair orangée et compacte, comme la courge musquée, la Buttercup, la kabocha ou la courge poivrée. Une mijoteuse ovale de 6 L est idéale pour faire entrer les demi-courges. Sinon, choisissez une courge qui s'insère dans votre mijoteuse et coupez le dessus de plusieurs centimètres (quelques pouces) afin de pouvoir retirer les graines et farcir la courge.

Format de la mijoteuse : 6 L (ovale)	15 ml (1 c. à table) d'huile d'olive
	1 oignon jaune de grosseur moyenne, haché
	1 carotte de grosseur moyenne, râpée
	1 petit poivron jaune, épépiné et coupé en dés
Temps de cuisson : 6 h	2 gousses d'ail émincées
	1,25 ml (1/4 c. à thé) de curcuma
	600 ml (2 1/2 tasses) de riz brun ou blanc, cuit
	15 ml (1 c. à table) de persil frais ciselé
Intensité : faible	5 ml (1 c. à thé) de thym séché ou de sauge moulue
	Sel, et poivre du moulin
Donne 4 portions	1 grosse courge d'hiver, coupée en deux et épépinée
	240 ml (1 tasse) d'eau chaude

1. À feu moyen, faites chauffer l'huile dans un grand poêlon. Faites sauter l'oignon, la carotte et le poivron 5 minutes à couvert ou jusqu'à ce qu'ils ramollissent. Ajoutez l'ail et le curcuma. Incorporez ensuite le riz, le persil et le thym. Salez et poivrez. Mélangez bien et remplissez les courges de cette farce.

2. Versez l'eau dans la mijoteuse ovale de 6 L et déposez-y les moitiés de courge, la farce vers le haut. Couvrez la mijoteuse et laissez cuire à faible intensité 6 heures ou jusqu'à ce que la courge soit tendre. Servez chaud.

Courge farcie au couscous, aux abricots et aux pistaches

Avec son couscous épicé parfumé au jus de pomme et la présence d'abricots et de pistaches, ce mets principal nourrissant ressemble davantage à un dessert. Si vous utilisez une courge un peu plus sucrée, comme la courge kabocha, c'est encore mieux. Pour vous faciliter le travail, au moment de trancher la courge, faites-la chauffer au micro-ondes pendant une minute, puis laissez-la tiédir durant une autre minute. De plus, si votre courge est asymétrique, coupez un petit bout de l'écorce du dessous pour qu'elle tienne bien à l'horizontale dans la mijoteuse.

Format de la mijoteuse :
5,5 à 6 L

Temps de cuisson :
6 h

Intensité : faible

Donne 4 portions

480 ml (2 tasses) de jus de pomme
240 ml (1 tasse) de couscous
1,25 ml (1/4 c. à thé) de cannelle moulue
1,25 ml (1/4 c. à thé) de piment de la Jamaïque moulu
240 ml (1 tasse) d'abricots séchés et hachés
30 ml (2 c. à table) d'huile d'olive
1 gros oignon jaune haché
1 gousse d'ail émincée
120 ml (1/2 tasse) de pistaches concassées
Sel, et poivre du moulin
1 grosse courge kabocha ou Buttercup, ou une autre variété de courge, coupée en deux et épépinée
240 ml (1 tasse) d'eau chaude

1. Dans une casserole de format moyen, amenez le jus de pomme à ébullition. Ajoutez le couscous, la cannelle et le piment de la Jamaïque. Couvrez, réglez-la cuisinière à feu doux, et laissez cuire pendant 10 minutes. Retirez du feu et incorporez les abricots. Couvrez et réservez.
2. À feu moyen, faites chauffer l'huile dans un grand poêlon. Faites suer l'oignon et l'ail environ 5 minutes à couvert.
3. À l'aide une fourchette, faites gonfler le couscou. Incorporez ensuite le mélange d'oignon et d'ail, et les pistaches. Salez et poivrez. Mélangez bien.
4. Déposez les moitiés de courge, cavité vers le haut, dans la mijoteuse de 5,5 à 6 L. Remplissez-les de farce. Versez soigneusement l'eau chaude dans la mijoteuse sans toucher à la courge. Couvrez la mijoteuse et laissez cuire à faible intensité 6 heures ou jusqu'à ce que la courge soit tendre. Servez chaud.

Courgettes farcies aux tomates, aux haricots blancs et au pesto

Comme pour la plupart des recettes de légumes farcis, vous aurez besoin ici d'une mijoteuse de grand format (de préférence ovale) pour contenir les courgettes.

Format de la mijoteuse : 5,5 à 6 L (ovale)	2 grosses ou 4 petites courgettes, les extrémités retirées, et coupées en deux dans le sens de la longueur
	30 ml (2 c. à table) d'huile d'olive
Temps de cuisson : 3 à 4 h	2 échalotes françaises émincées
	1 grosse gousse d'ail émincée
	Sel, et poivre du moulin
	1 grosse tomate mûre, coupée en dés
Intensité : faible	360 ml (1 1/2 tasse) de haricots blancs (page 107) ou 1 boîte de 440 g (15 1/2 oz) de haricots blancs, égouttés et rincés
	80 ml (1/3 tasse) de pignons grillés (page 28)
Donne 4 portions	30 ml (2 c. à table) de persil frais ciselé
	30 ml (2 c. à table) de basilic frais ciselé

1.   À l'aide d'une cuillère, retirez la chair des courgettes tout en conservant 0,6 cm (1/4 po) de chair et l'écorce intacts. Hachez la pulpe.

2.   À feu moyen, faites chauffer 15 ml (1 c. à table) d'huile d'olive dans un poêlon. Faites revenir les échalotes, l'ail et la courgette hachée 10 minutes à couvert ou jusqu'à ce que les légumes soient tendres. Incorporez la tomate, les haricots, les pignons, le persil et le basilic. Salez et poivrez. Mélangez bien.

3.   Remplissez les barquettes de courgette avec la farce et déposez-les dans la mijoteuse ovale de 5,5 à 6 L légèrement huilée. Versez le reste de l'huile, soit 15 ml (1 c. à table), sur les courgettes. Couvrez la mijoteuse et laissez cuire à faible intensité de 3 à 4 heures ou jusqu'à ce que les courgettes soient tendres.

Courgettes farcies au riz et aux chipotles

La piquante saveur de fumée des chipotles égaie cette farce au riz, qui convient également aux poivrons et à d'autres légumes. Les chipotles se présentent séchés ou en pot dans une sauce tomate épicée appelée *adobo*. L'une ou l'autre forme peut être utilisée dans cette recette. Si vous employez des piments séchés, vous devrez cependant les faire ramollir dans l'eau chaude avant de les réduire en purée.

Format de la mijoteuse :
5,5 à 6 L (ovale)

Temps de cuisson :
3 à 4 h

Intensité : faible

Donne 4 portions

4 petites ou 2 grosses courgettes, coupées en deux, les tiges enlevées
30 ml (2 c. à table) d'huile d'olive
1 petit oignon jaune haché
1 petite carotte râpée
Sel, et poivre du moulin
5 ml (1 c. à thé) de cumin moulu
480 ml (2 tasses) de riz brun ou blanc, cuit
1 piment chipotle en purée

1. À l'aide d'une cuillère, retirez la chair des courgettes tout en conservant 0,6 cm (1/4 po) de chair et l'écorce intacts. Placez les barquettes de courgette, cavité vers le haut, dans la mijoteuse ovale de 5,5 à 6 L légèrement huilée. Hachez la pulpe.

2. À feu moyen, faites chauffer 15 ml (1 c. à table) d'huile d'olive dans un grand poêlon. Faites sauter l'oignon, la carotte et la courgette hachée 5 minutes à couvert ou jusqu'à ce qu'ils ramollissent. Ajoutez le cumin, le riz et la purée de chipotles. Salez et poivrez. Mélangez bien.

3. Remplissez les courgettes avec la farce. Versez la dernière cuillère à table (15 ml) d'huile sur les courgettes. Couvrez la mijoteuse et laissez cuire à faible intensité de 3 à 4 heures ou jusqu'à ce que les courgettes soient tendres. Servez chaud.

Aubergine farcie au boulgour et aux lentilles

Pour cette recette, il vous faudra une mijoteuse ovale de 5,5 à 6 L afin d'accueillir l'aubergine avec sa farce copieuse et nutritive au boulgour et aux lentilles. Bien connu pour son utilisation dans le taboulé, le boulgour est une céréale à cuisson rapide obtenue à partir de grains de blé qui ont été cuits à la vapeur, séchés puis concassés. Vendu dans les magasins d'aliments naturels, les épiceries fines et les boutiques gastronomiques, le boulgour possède une saveur franche et une texture semi-ferme.

Format de la mijoteuse :
5,5 à 6 L (ovale)

Temps de cuisson :
4 à 5 h

Intensité : faible

Donne 4 portions

1 grosse aubergine coupée en deux dans le sens de la longueur
30 ml (2 c. à table) d'huile d'olive
1 petit oignon jaune haché
1 petite carotte râpée
2 gousses d'ail émincées
1 piment jalapeño (facultatif), épépiné et haché
240 ml (1 tasse) de lentilles cuites et égouttées
240 ml (1 tasse) de boulgour cuit
Sel, et poivre du moulin
1 boîte de 411 g (14 1/2 oz) de tomates broyées
15 ml (1 c. à table) de poudre de chili
5 ml (1 c. à thé) de gingembre frais, pelé et râpé
120 ml (1/2 tasse) d'eau

1. À l'aide d'une cuillère, retirez la chair de l'aubergine tout en conservant 0,6 cm (1/4 po) de chair et l'écorce intacts. Hachez grossièrement la pulpe.

2. À feu moyen, faites chauffer l'huile dans un grand poêlon. Faites revenir l'oignon, la carotte, l'aubergine hachée, l'ail et le jalapeño (si vous l'utilisez) 5 minutes à couvert ou jusqu'à ce que les légumes soient tendres. Transférez le tout dans un grand bol à mélanger.

3. Dans ce bol, incorporez les lentilles et le boulgour, puis salez et poivrez. Mélangez bien, puis remplissez les coquilles d'aubergine avec cette farce. Disposez les deux moitiés d'aubergine farcies dans la mijoteuse ovale de 5,5 à 6 L.

4. Dans le même bol, déposez les tomates, la poudre de chili, le gingembre et l'eau. Salez et poivrez. Mélangez bien. Versez ensuite la sauce sur les moitiés d'aubergine et autour d'elles dans la mijoteuse. Couvrez cette dernière et laissez cuire à faible intensité de 4 à 5 heures ou jusqu'à ce que l'aubergine soit tendre mais qu'elle conserve toujours sa forme. Servez chaud.

Oignons Vidalia farcis aux shiitake à la sauce hoisin

La sauce hoisin rehausse la douceur des oignons, que complète le goût boisé des shiitake. Si le format de votre mijoteuse est plus petit que 5,5 à 6 L, assurez-vous que vos oignons y entrent. Avec une petite mijoteuse, vous devrez peut-être préparer moins d'oignons.

Format de la mijoteuse : 5,5 à 6 L	4 gros oignons Vidalia ou d'autres oignons jaunes doux, pelés
	15 ml (1 c. à table) d'huile d'arachide
	170 g (6 oz) de champignons shiitake frais, pieds enlevés et chapeaux finement tranchés
Temps de cuisson : 6 h	15 ml (1 c. à table) de tamari ou d'une autre sauce soja
	60 ml (1/4 tasse) de sauce hoisin
	15 ml (1 c. à table) d'huile de sésame grillé
Intensité : faible	240 ml (1 tasse) de chapelure
	240 ml (1 tasse) d'eau chaude

Donne 4 portions

1. Coupez le dessus des oignons et creusez-les, en conservant une coquille de 1,25 cm (1/2 po) d'épaisseur. Hachez suffisamment de chair d'oignon pour obtenir 120 ml (1/2 tasse).
2. À feu moyen, faites chauffer l'huile dans un grand poêlon. Faites suer l'oignon haché environ 5 minutes à couvert. Ajoutez les champignons et faites cuire 3 minutes ou jusqu'à ce qu'ils ramollissent. Incorporez le tamari, 30 ml (2 c. à table) de sauce hoisin et l'huile de sésame. Incorporez ensuite la chapelure.
3. Remplissez les coquilles d'oignon avec la farce et disposez-les dans la mijoteuse de 5,5 à 6 L.
4. Mettez le reste de la sauce hoisin, soit 30 ml (2 c. à table), dans un petit bol. Tout en remuant pour bien mélanger, incorporez l'eau. Versez ce mélange sur les oignons et autour d'eux dans la mijoteuse. Couvrez cette dernière et laissez cuire à faible intensité pendant 6 heures ou jusqu'à ce que les oignons soient tendres.

Cigares au chou farcis au riz et aux raisins

Des raisins secs, du jus de pomme et une touche de sucre et d'épices confèrent une certaine douceur à ces succulents et nutritifs cigares au chou farcis de riz brun au goût de noix.

Format de la mijoteuse :
5,5 à 6 L

Temps de cuisson :
6 à 8 h

Intensité : faible

Donne 4 à 6 portions

1 gros chou vert, étrogné
30 ml (2 c. à table) d'huile d'olive
1 oignon jaune de grosseur moyenne, haché
120 ml (1/2 tasse) de raisins secs, trempés dans l'eau chaude 10 minutes et égouttés
30 ml (2 c. à table) de persil frais ciselé
5 ml (1 c. à thé) de sucre ou d'un édulcorant naturel
1,25 ml (1/4 c. à thé) de piment de la Jamaïque moulu
0,50 ml (1/8 c. à thé) de cannelle moulue
0,50 ml (1/8 c. à thé) de piment de Cayenne broyé
Sel, et poivre du moulin
720 ml (3 tasses) de riz brun, cuit
15 ml (1 c. à table) de jus de citron frais
3/4 de tasse (80 ml) d'eau
3/4 de tasse (80 ml) de jus de pomme

1. Faites cuire le chou à la vapeur dans une marguerite pendant 10 minutes ou jusqu'à ce que les premières couches de feuilles aient ramolli. Retirez-le de la casserole et laissez-le tiédir.

2. À feu moyen, faites chauffer 15 ml (1 c. à table) d'huile d'olive dans un grand poêlon. Faites suer l'oignon environ 5 minutes à couvert. Ajoutez les raisins secs, le persil, le sucre, le piment de la Jamaïque et la cannelle. Assaisonnez avec le piment de Cayenne broyé, le sel et le poivre noir, et mélangez bien. Retirez du feu, puis incorporez le riz et le jus de citron.

3. Retirez les feuilles de chou attendries et mettez-les sur un plan de travail, côté nervure vers le bas. Déposez environ 80 ml (1/3 tasse) de farce sur chaque feuille. Roulez chaque feuille autour de la farce en pinçant les bords pendant que vous effectuez l'opération. Répétez la procédure jusqu'à ce que toute la farce soit utilisée ; si nécessaire, faites ramollir davantage de feuilles de chou à la vapeur.

4. Mettez les cigares au chou dans la mijoteuse de 5,5 à 6 L, le joint en dessous. Versez le reste de l'huile d'olive, soit 15 ml (1 c. à table), l'eau et le jus de pomme sur les cigares au chou. Couvrez la mijoteuse et laissez cuire à faible intensité de 6 à 8 heures ou jusqu'à ce que le chou soit tendre. Servez chaud.

Cigares au chou farcis au tempeh et à l'orge perlé

Nommés *halupki* en slovaque et *galumpki* en polonais, ces cigares au chou sont habituellement farcis de riz ou d'orge perlé et de viande hachée. Ici, j'utilise l'orge perlé et le tempeh, mais vous pouvez facilement leur substituer une autre céréale cuite et des brisures de burger végétarien.

Format de la mijoteuse :
5,5 à 6 L

Temps de cuisson :
6 à 8 h

Intensité : faible

Donne 4 à 6 portions

1 gros chou vert, étrogné
15 ml (1 c. à table) d'huile d'olive
1 oignon jaune de grosseur moyenne, râpé
1 petite carotte râpée
340 g (12 oz) de tempeh finement haché
600 ml (2 1/2 tasses) d'orge perlé cuit
2,5 ml (1/2 c. à thé) d'aneth
Sel, et poivre du moulin
1 boîte de 411 g (14 1/2 oz) de tomates broyées
80 ml (1/3 tasse) de sucre ou d'un édulcorant naturel
60 ml (1/4 tasse) de vinaigre de cidre

1.   Faites cuire le chou à la vapeur dans une grande casserole avec une marguerite 10 minutes ou jusqu'à ce que les premières couches de feuilles soient tendres. Retirez le chou de la casserole et laissez-le tiédir.

2.   À feu moyen, faites chauffer l'huile d'olive dans un grand poêlon. Faites sauter l'oignon et la carotte 10 minutes à couvert ou jusqu'à ce qu'ils ramollissent. Ajoutez le tempeh et faites cuire 5 minutes de plus. Retirez du feu et ajoutez l'orge et l'aneth. Salez et poivrez. Mélangez bien.

3.   Retirez les feuilles de chou qui sont tendres et mettez-les sur un plan de travail, côté nervure vers le bas. Déposez environ 80 ml (? tasse) de la farce au centre de chaque feuille. Roulez chaque feuille autour de la farce, en pinçant les bords pendant que vous effectuez l'opération. Répétez la procédure jusqu'à ce que toute la farce soit utilisée ; si nécessaire, faites ramollir davantage de feuilles de chou à la vapeur. Déposez les cigares au chou dans la mijoteuse de 5,5 à 6 L, le joint en dessous.

4.   Dans un bol, mélangez les tomates, le sucre et le vinaigre, puis salez et poivrez. Versez le mélange sur les cigares au chou. Couvrez la mijoteuse et laissez cuire à faible intensité de 6 à 8 heures ou jusqu'à ce que les cigares soient tendres.

Haggis végétarien enveloppé de yuba

Le yuba, constitué de peaux de caillette d'haricots (la peau qui se forme sur le lait de soja quand il est chauffé), se trouve dans les marchés asiatiques. Il se vend en larges feuilles, frais ou surgelé. C'est un ingrédient qui se prête à de nombreuses sauces et que l'on utilise souvent pour faire des rouleaux. Ici, il servira d'enveloppe croustillante à une variante végétarienne savoureuse d'une recette traditionnelle écossaise. Le mets obtenu est habituellement accompagné de pommes de terre en purée et de rutabagas également en purée. On sert ce plat le 25 janvier, le jour de l'anniversaire de Robert Burn (un poète national écossais).

Format de la mijoteuse :
4 L

Temps de cuisson :
4 h

Intensité : faible

Donne 4 portions

30 ml (2 c. à table) d'huile d'olive
1 gros oignon jaune haché
2 grosses carottes finement râpées
113 g (4 oz) de champignons blancs hachés
420 ml (1 3/4 tasse) de bouillon de légumes (voir « Remarques sur le bouillon de légumes », page 44)
180 ml (3/4 tasse) de flocons d'avoine
360 ml (1 1/2 tasse) de haricots rouges cuits à la mijoteuse (page 107) ou 1 boîte de 440 g (15 1/2 oz) de haricots rouges, égouttés et rincés
160 ml (2/3 tasse) de pacanes ou d'autres noix concassées
30 ml (2 c. à table) de persil frais ciselé
30 ml (2 c. à table) de whisky écossais (facultatif)
22,5 ml (1 1/2 c. à table) de tamari ou d'une autre sauce soja
22,5 ml (1 1/2 c. à thé) de thym séché
0,50 ml (1/8 c. à thé) de muscade moulue
0,50 ml (1/8 c. à thé) de piment de Cayenne broyé
Sel, et poivre du moulin
1 grande feuille de peaux de caillette d'haricots (yuba) fraîche ou surgelée, dégelée si nécessaire

1. À feu moyen, faites chauffer l'huile dans un grand poêlon. Faites sauter l'oignon et les carottes 5 minutes à couvert ou jusqu'à ce qu'ils ramollissent. Ajoutez les champignons et le bouillon. Incorporez les flocons d'avoine. Laissez mijoter, à feu doux, pendant 10 minutes à découvert.

2. Écrasez ou hachez grossièrement les haricots rouges et incorporez-les au mélange à l'avoine. Ajoutez les noix, le persil, le whisky (si vous l'utilisez), le tamari, le thym, la muscade et le piment de Cayenne broyé. Salez et poivrez. Mélangez bien.

3. Le yuba doit être souple. S'il est cassant, laissez-le ramollir pendant quelques secondes dans un bol peu profond rempli d'eau. Chemisez la mijoteuse de 4 L légèrement huilée avec la feuille de yuba et déposez-y la farce. Rabattez la feuille de yuba sur le mélange pour l'envelopper. Couvrez la mijoteuse et laissez cuire à faible intensité pendant 4 heures.

4. Pour servir, coupez des pointes à l'aide d'un couteau pointu. Retirez chaque portion à l'aide d'une grande cuillère. Servez chaud.

Note : Si vous ne trouvez pas de peaux de caillette d'haricots, vous pouvez préparer la recette en omettant cet ingrédient. Vous n'avez qu'à déposer la farce directement dans le plat de cuisson de la mijoteuse légèrement huilée et à poursuivre la recette. La farce est aussi délicieuse pour garnir une courge kabocha ou toute autre grosse courge d'hiver.

Facteurs qui influencent la cuisson à la mijoteuse

Le temps nécessaire pour cuire les aliments dépend non seulement de la cuisson à intensité élevée ou à faible intensité, mais aussi de nombreux autres facteurs, par exemple :

- La taille des morceaux de légumes et des autres ingrédients de la recette.
- La quantité de liquide dans le plat. Un truc : si vous utilisez un liquide chaud ou bouillant, cela réduira le temps de cuisson.
- La température des ingrédients. S'ils sont à la température ambiante, ces derniers cuiront plus vite que s'ils sortent (ou le plat en céramique sort) du réfrigérateur.
- La marque et le modèle de la mijoteuse. Certaines mijoteuses sont réglées de manière différente des autres, ce qui fait que la température basse (faible intensité) peut être plus élevée de quelques degrés selon le modèle. J'ai découvert que l'une de mes mijoteuses cuisait plus « rapidement » que les autres, et j'ai dû m'ajuster en conséquence.

Bracioles au seitan braisé au vin

Bracioles est le nom donné à ces roulades italiennes que l'on prépare habituellement avec de fines tranches de bœuf. Ces bracioles végétariennes utilisent du seitan à la place du bœuf. Le seitan, cuit à la mijoteuse, absorbe la riche saveur de la sauce au vin. Pour épaissir la sauce qui nappera les bracioles, transvidez-la dans une casserole et faites-la bouillir. Incorporez 15 ml (1 c. à table) de fécule de maïs diluée dans 30 ml (2 c. à table) d'eau froide et brassez pendant 1 minute. Goûtez et, au besoin, rectifiez l'assaisonnement. Les bracioles sont également délicieuses recouvertes de sauce tomate et accompagnées de pâtes et d'une salade verte.

Format de la mijoteuse :
4 à 6 L

Temps de cuisson :
4 h

Intensité : faible

Donne 4 à 6 portions

30 ml (2 c. à table) d'huile d'olive
2 gousses d'ail émincées
170 g (6 oz) de champignons blancs émincés
480 ml (2 tasses) de chapelure
60 ml (1/4 tasse) de pignons grillés (page 28)
30 ml (2 c. à table) de raisins secs
15 ml (1 c. à table) de persil frais ciselé
Sel, et poivre du moulin
454 g (1 lb) de seitan cru (page 141 ; voir également la
   note page suivante)
240 ml (1 tasse) de vin rouge sec
120 ml (1/2 tasse) d'eau
30 ml (2 c. à table) de tamari ou d'une autre sauce soja

1. À feu moyen, faites chauffer 15 ml (1 c. à table) d'huile d'olive dans un poêlon. Faites revenir l'ail et les champignons 5 minutes à couvert ou jusqu'à ce qu'ils ramollissent. Incorporez la chapelure, les pignons, les raisins secs et le persil. Salez et poivrez. Laissez tiédir.

2. À l'aide d'un rouleau à pâtisserie, abaissez le seitan cru à 0,6 cm (1/4 po) d'épaisseur sur un plan de travail. Coupez-le en 6 parts égales. Étendez la farce sur ces 6 morceaux jusqu'au rebord. Roulez les parts de seitan, côté joint en dessous, et réservez. Attachez avec de la ficelle de cuisine, si nécessaire.

3. À feu moyen-élevé, faites chauffer le reste de l'huile, soit 15 ml (1 c. à table), dans un grand poêlon. Faites dorer les rouleaux de seitan sur toutes les surfaces pendant environ 5 minutes.

4. Mettez les rouleaux de seitan, côté joint en bas, dans la mijoteuse de 4 à 6 L légèrement huilée. Versez le vin, l'eau et le tamari sur les braciole et autour d'elles dans la mijoteuse. Couvrez et laissez cuire à faible intensité pendant 4 heures.

5. Enlevez la ficelle (si vous l'avez utilisée) avant de servir et nappez les braciole (voir l'introduction).

Note : Il est important que vous utilisiez du seitan cru (ni poché ni cuit d'aucune autre façon) pour cette recette, que vous l'ayiez fait vous-même (page 141) ou à partir du produit *Seitan Quick Mix*.

Rôti de seitan farci à la sarriette et à la sauce aux champignons

Ce délicieux rôti, qui permet de servir plusieurs convives, fait des merveilles avec une sauce et des pommes de terre en purée. Suivez la recette maison, mais sans pocher le seitan, ou utilisez le produit *Seitan Quick Mix* que l'on trouve dans les magasins d'aliments naturels.

Format de la mijoteuse : **6 L (ovale)**	**454 g (1 lb) de seitan cru, non poché (page 141)**
	120 ml (1/2 tasse) de tamari ou d'une autre sauce soja
	30 ml (2 c. à table) d'huile d'olive
	1 petit oignon jaune haché
Temps de cuisson : **6 à 8 h**	**120 ml (1/2 tasse) de céleri haché**
	5 ml (1 c. à thé) de thym séché
	5 ml (1 c. à thé) de sauge moulue
	1,5 L (6 tasses) de cubes de pain de 1,25 cm (1/2 po)
Intensité : faible	**227 g (8 oz) de saucisse de soja cuite, émiettée ou grossièrement hachée**
	30 ml (2 c. à table) de persil frais ciselé
Donne 8 portions	**5 ml (1 c. à thé) de sel**
	1,25 ml (1/4 c. à thé) de poivre noir fraîchement moulu
	Environ 120 ml (1/2 tasse) d'eau
	180 ml (3/4 tasse) d'eau mélangée à 15 ml (1 c. à table) de tamari ou d'une autre sauce soja
	Sauce aux champignons (voir ci-après)

1. Dans un sac en plastique avec fermeture et glissière, faites mariner le seitan dans le tamari 30 minutes à température ambiante, voire toute la nuit au réfrigérateur.

2. À feu moyen, faites chauffer l'huile dans un grand poêlon. Faites sauter l'oignon et le céleri de 5 à 7 minutes à couvert ou jusqu'à ce qu'ils ramollissent. Incorporez le thym et la sauge. Retirez du feu.

3. Dans un grand bol, mélangez les cubes de pain, la saucisse, le persil, le sel, le poivre et le mélange d'oignon et de céleri. Goûtez et, au besoin, rectifiez l'assaisonnement. Ajoutez juste ce qu'il faut d'eau pour humecter la farce. Réservez.

4. Égouttez le seitan et asséchez-le avec du papier absorbant. À l'aide d'un rouleau à pâtisserie, abaissez-le à 0,6 cm (1/4 po) d'épaisseur sur un plan de travail. Étendez la farce et roulez le seitan. Si nécessaire, ficelez-le.

5. Déposez le rôti, côté joint en bas, dans une mijoteuse ovale de 6 L légèrement huilée. À l'aide d'une fourchette, piquez le rôti à plusieurs endroits. Versez ensuite le mélange d'eau et de tamari sur le dessus. Couvrez la mijoteuse et laissez cuire à faible intensité de 6 à 8 heures.

6. Retirez délicatement le rôti de la mijoteuse et laissez-le reposer 10 minutes avant de le trancher. Utilisez un couteau dentelé pour faire des tranches de 1,25 cm (1/2 po) d'épaisseur. Servez chaud avec la sauce aux champignons.

Sauce aux champignons rapide

On trouve les colorants bruns pour les sauces végétariennes, tel le *Gravy Master*, dans les supermarchés. Ces colorants permettent d'obtenir une sauce à la couleur riche et profonde.

480 ml (2 tasses) d'eau
240 ml (1 tasse) de champignons blancs grossièrement hachés
45 ml (3 c. à table) de tamari ou d'une autre sauce soja
5 ml (1 c. à thé) de thym séché
Sel, et poivre du moulin
22,5 ml (1 1/2 c. à table) de fécule de maïs dissoute dans 45 ml (3 c. à table) d'eau
5 ml (1 c. à thé) de *Gravy Master* ou d'un autre colorant brun pour les sauces végétariennes

1. Dans une petite casserole, mélangez l'eau, les champignons, le tamari et le thym. Salez et poivrez, puis amenez à ébullition. Réglez ensuite la cuisinière à feu doux et laissez frémir pendant 3 minutes ou jusqu'à ce que les champignons soient ramollis.

2. Transvasez le mélange dans un mélangeur ou un robot culinaire. Réduisez-le en une purée lisse. Remettez le mélange dans la casserole. À feu élevé, amenez-le à ébullition. Réglez maintenant à feu doux et, à l'aide d'un fouet, incorporez la fécule de maïs. Laissez frémir 1 à 2 minutes ou jusqu'à ce que la sauce épaississe. Incorporez le *Gravy Master* ou tout autre colorant brun pour sauce. Goûtez et, au besoin, rectifiez l'assaisonnement. Servez chaud.

Donne 600 ml (2 1/2 tasses)

Artichauts farcis à l'ail et au fromage

Préparez autant d'artichauts que peut en contenir votre mijoteuse. J'utilise un modèle de 5,5 L qui accepte quatre gros artichauts.

Format de la mijoteuse :
5,5 à 6 L

Temps de cuisson :
4 h

Intensité : faible

Donne 4 portions

30 ml (2 c. à table) d'huile d'olive
3 gousses d'ail hachées
340 g (12 oz) de saucisse de soja émiettée
720 ml (3 tasses) de chapelure
80 ml (1/3 tasse) de parmesan frais ou de parmesan de soja râpé
45 ml (3 c. à table) de persil frais ciselé
Piment de Cayenne broyé
Sel, et poivre du moulin
4 gros artichauts
Jus de 2 citrons
480 ml (2 tasses) d'eau

1. À feu moyen, faites chauffer 15 ml (1 c. à table) d'huile dans un grand poêlon. Faites suer l'ail environ 30 secondes. Tout en remuant, incorporez la saucisse et faites cuire 5 minutes. Retirez du feu, ajoutez la chapelure, le fromage et le persil. Assaisonnez avec le piment de Cayenne broyé, le sel et le poivre noir. Mélangez bien et réservez.

2. Coupez la base de la tige des artichauts pour que ces derniers se tiennent droits. Coupez environ 2,5 cm (1 po) du dessus de chaque artichaut et, avec des ciseaux, enlevez les bouts pointus des feuilles. Dans un bol, mélangez la moitié du jus de citron avec l'eau et trempez-y les artichauts coupés pour les empêcher de brunir. Ensuite, écartez les feuilles de chaque artichaut autant que possible et remplissez de farce les espaces libres en pressant avec vos doigts pour en faire tenir le plus possible.

3. Déposez les artichauts farcis dans une mijoteuse assez grande pour les contenir en une seule couche. Versez environ 2,5 cm (1 po) d'eau dans le fond de la mijoteuse. Mettez le reste de l'huile d'olive, soit 15 ml (1 c. à table), et le reste du jus de citron sur les artichauts. Couvrez la mijoteuse, réglez-la à faible intensité et laissez cuire pendant 4 heures ou jusqu'à ce que les feuilles s'enlèvent facilement et qu'elles soient tendres. Servez chaud ou à la température ambiante.

Les légumes

• • •

En plus de sa vocation pour faire cuire les soupes, les ragoûts et les plats de haricots, la mijoteuse est aussi indiquée pour préparer de nombreux légumes. Les légumes durs, tels les pommes de terre, les carottes, le panais, les betteraves et les courges, profitent tous d'une cuisson lente et douce. Il en va de même pour de nombreux autres légumes, incluant le céleri, les tomates, le chou et les oignons.

Ce chapitre présente de nombreux plats de légumes mijotés, comme la « Ratatouille » (page 183), les « Légumes-racines braisés au vinaigre balsamique » (page 194) et les « Oignons cipollinis aigres-doux aux noix et aux raisins » (page 198).

La mijoteuse permet également de préparer des casseroles, comme la « Casserole de patates douces à l'ananas et à la noix de coco » (page 192) ou la « Casserole de haricots blancs et verts » (page 197). Elle peut même servir à faire cuire les pommes de terre ou les épis de maïs lorsque vous ne voulez pas réchauffer la cuisine pendant les chaudes journées d'été. Ce chapitre est par ailleurs rempli de plats d'accompagnement qui devraient vous convaincre de posséder deux mijoteuses — une grande pour les plats principaux et une plus petite pour les plats d'accompagnement.

Ratatouille

La cuisson à la mijoteuse fait ressortir les saveurs des légumes dans ce mélange inspiré du fameux plat provençal. Dégustez la ratatouille en accompagnement ou encore sur du riz ou des pâtes en entrée.

Format de la mijoteuse :
3,5 à 4 L

Temps de cuisson :
4 h

Intensité : faible

Donne 4 à 6 portions

30 ml (2 c. à table) d'huile d'olive
1 petite aubergine coupée en dés de 1,5 cm (1/2 po)
1 petit oignon jaune coupé en dés
1 petit poivron rouge, épépiné et coupé en dés de 1,5 cm (1/2 po) vert
2 gousses d'ail finement hachées
2 petites courgettes coupées en rondelles de 1,5 cm (1/2 po)
1 boîte de 794 g (28 oz) de tomates en dés, avec leur jus
5 ml (1 c. à thé) de thym séché
Sel, et poivre du moulin
45 ml (3 c. à table) de pesto maison (page 63) ou du commerce

1. À feu moyen, faites chauffer 15 ml (1 c. à table) d'huile dans un grand poêlon. Tout en remuant, faites sauter l'aubergine 5 minutes ou jusqu'à ce qu'elle ramollisse. À l'aide d'une cuillère à égoutter, mettez l'aubergine dans la mijoteuse de 3,5 à 4 L.

2. À feu moyen, ajoutez 15 ml (1 c. à table) d'huile dans le même poêlon. Faites suer l'oignon environ 5 minutes à couvert. Versez-le dans la mijoteuse. Ajoutez le poivron, l'ail, les courgettes, les tomates et leur jus, puis le thym. Salez et poivrez. Couvrez et laissez cuire 4 heures à faible intensité ou jusqu'à ce que les légumes soient tendres.

3. Juste avant le service, incorporez le pesto.

Tian végétarien aux herbes de Provence

Traditionnellement, cette casserole végétarienne du terroir français mijote dans un plat en poterie nommé *tian*. La cuisson à la mijoteuse est donc tout indiquée pour ce plat. Les herbes de Provence, un mélange d'herbes aromatiques, sont disponibles dans les boutiques gastronomiques et les épiceries fines. Si vous n'arrivez pas à en dénicher, vous pouvez préparer un mélange similaire avec trois parts de marjolaine, de sarriette et de thym séchés et une part de basilic, de romarin, d'estragon et de graines de fenouil.

Format de la mijoteuse :
3,5 à 4 L

Temps de cuisson :
6 à 8 h

Intensité : faible

Donne 4 à 6 portions

6 échalotes françaises, coupées en deux
2 grosses gousses d'ail finement hachées
360 ml (1 1/2 tasse) de carottes miniatures
454 g (1 lb) de petites pommes de terre rouges, coupées en quartiers
1 petit poivron rouge, épépiné et coupé en dés
360 ml (1 1/2 tasse) de tomates cerises coupées en deux
60 ml (1/4 tasse) de bouillon de légumes (voir « Remarques sur le bouillon de légumes », page 44) ou d'eau
45 ml (3 c. à table) d'huile d'olive
7,5 ml (1 1/2 c. à thé) d'herbes de Provence
Sel, et poivre du moulin
240 ml (1 tasse) de miettes de pain frais

1.   Mélangez les légumes dans la mijoteuse de 3,5 à 4 L. Ajoutez le bouillon et 30 ml (2 c. à table) d'huile d'olive. Saupoudrez des herbes de Provence, puis salez et poivrez. Remuez pour bien enrober les légumes. Couvrez la mijoteuse et laissez cuire de 6 à 8 heures à faible intensité.
2.   Dans un petit poêlon, à feu moyen, faites dorer les miettes de pain dans 15 ml (1 c. à table) d'huile d'olive. Réservez.
3.   Quand le *tian* est cuit, garnissez de miettes de pain et servez.

Chou vert braisé

Le chou vert est populaire dans le sud des États-Unis, où on le fait souvent cuire sur la cuisinière à feu doux. La mijoteuse vous permettra de faire braiser votre chou sans avoir à le surveiller. Nettoyez-le bien, pour éliminer tout résidu de sable ou de gravier. L'arôme de fumée liquide, que l'on trouve dans les supermarchés, ajoute une touche intéressante à ce plat.

Format de la mijoteuse :
3,5 à 4 L

Temps de cuisson :
6 h

Intensité : faible

Donne 4 portions

15 ml (1 c. à table) d'huile d'olive
1 petit oignon jaune haché
1 grosse gousse d'ail finement hachée
454 g (1 lb) de chou vert frais, les grosses tiges retirées, bien lavé et grossièrement haché
240 ml (1 tasse) de bouillon de légumes (voir « Remarques sur le bouillon de légumes », page 44) ou d'eau
Sel, et poivre du moulin
22,5 ml (1 1/2 c. à table) de vinaigre de cidre ou 5 ml (1 c. à thé) d'arôme de fumée liquide

1. Versez l'huile dans la mijoteuse de 3,5 à 4 L. Faites suer l'oignon et l'ail à couvert à intensité élevée pendant que vous préparez le reste des ingrédients.
2. Ajoutez le chou vert et le bouillon dans la mijoteuse. Salez et poivrez. Couvrez la mijoteuse et laissez cuire 6 heures à faible intensité ou jusqu'à ce que le chou soit tendre.
3. Juste avant de servir, incorporez le vinaigre ou l'arôme de fumée liquide.

Pommes de terre cuites à petit feu

Les pommes de terre enveloppées dans le papier d'aluminium produisent leur propre vapeur qui les fait cuire doucement dans la mijoteuse. La grosseur des pommes de terre influencera toutefois la durée de la cuisson. Lorsque vous pensez que vos pommes de terre sont prêtes, piquez-les à l'aide d'une fourchette. Si cette dernière s'y enfonce facilement, les pommes de terre sont cuites.

Format de la mijoteuse :
4 à 6 L

Temps de cuisson :
6 à 8 h

Intensité : faible

Donne 4 portions

4 pommes de terre Russet, ou autres pommes de terre, bien nettoyées mais pas asséchées

1. À l'aide d'une fourchette, piquez les pommes de terre et enveloppez-les individuellement dans du papier d'aluminium.
2. Déposez les pommes de terre dans la mijoteuse de 4 à 6 L. Couvrez la mijoteuse et laissez-les cuire de 6 à 8 heures à faible intensité ou jusqu'à ce qu'elles soient tendres.

Deux, c'est mieux

Si vous trouvez pratique de posséder une mijoteuse, vous trouverez qu'en avoir une seconde double le plaisir. Comme tous les adeptes de la mijoteuse l'ont découvert un jour, il faut une petite et une grande mijoteuse — souvent utilisées en même temps. Parfois, vous vous servirez de la plus grande pour le mets principal et de la plus petite pour un plat d'accompagnement, une soupe ou un dessert. J'en possède trois : une petite ronde, une grande ronde et une grande ovale. J'utilise chacune fréquemment, notamment lorsque je fais un marathon de popote, habituellement le dimanche, lorsque mon mari et moi bourdonnons dans la cuisine et hachons tout ce que nous voyons. Nous préparons ainsi plusieurs plats d'avance pour la semaine, et en congelons parfois pour en faire une utilisation ultérieure. Même si tout ce que vous voulez, c'est simplement profiter des recettes qui cuisent mieux dans un format particulier, vous songerez peut-être à acquérir une seconde mijoteuse.

Purée de pommes de terre à l'ail

La mijoteuse est un appareil commode pour préparer les pommes de terre en purée. Non seulement pouvez-vous préparer et servir les pommes de terre dans le même contenant, mais aussi se conserveront-elles au chaud dans la mijoteuse pendant que vous finirez de préparer le reste du repas.

Format de la mijoteuse :
3,5 à 4 L

Temps de cuisson :
4 à 5 h

Intensité : faible

Donne 4 portions

15 ml (1 c. à table) d'huile d'olive
3 grosses gousses d'ail broyées
681 g (1 1/2 lb) de pommes de terre Yukon Gold ou Russet, non pelées, bien nettoyées et coupées en morceaux de 5 cm (2 po)
120 ml (1/2 tasse) de bouillon de légumes (voir « Remarques sur le bouillon de légumes », page 44)
60 ml (1/4 tasse) de lait ou de lait de soja chaud
Sel, et poivre du moulin

1. Étendez l'huile au fond de la mijoteuse de 3,5 à 4 L. Ajoutez l'ail et les pommes de terre. Versez-y le bouillon. Couvrez et laissez cuire de 4 à 5 heures à faible intensité ou jusqu'à ce que les pommes de terre soient tendres.

2. Incorporez le lait, puis salez et poivrez. À l'aide d'un pilon à purée, écrasez les pommes de terre et l'ail jusqu'à ce que tous les ingrédients soient mélangés. Il peut rester quelques grumeaux. Servez chaud.

Pommes de terre au pesto et aux tomates séchées

Dans ce plat, que vous pouvez servir en entrée ou en accompagnement, le pesto et les tomates séchées se marient au goût crémeux des pommes de terre Yukon Gold.

Format de la mijoteuse :
3,5 à 4 L

Temps de cuisson :
6 h

Intensité : faible

Donne 4 à 6 portions

45 ml (3 c. à table) d'huile d'olive
1 oignon jaune de grosseur moyenne, haché
2 gousses d'ail finement hachées
80 ml (1/3 tasse) de tomates séchées dans l'huile ou reconstituées, égouttées et hachées
681 g (1 1/2 lb) de pommes de terre Yukon Gold ou d'autres pommes de terre tout usage, pelées et coupées en tranches de 5 mm (1/4 po) d'épaisseur
Sel, et poivre du moulin
120 ml (1/2 tasse) de pesto maison (page 63) ou du commerce
120 ml (1/2 tasse) de chapelure

1. À feu moyen, faites chauffer 30 ml (2 c. à table) d'huile dans un grand poêlon. Faites suer l'oignon environ 5 minutes à couvert. Incorporez l'ail et les tomates séchées, et faites revenir 1 minute de plus ; réservez.

2. Huilez légèrement la mijoteuse de 3,5 à 4 L. Disposez la moitié des pommes de terre au fond du récipient. Garnissez avec la moitié du mélange à l'oignon. Salez et poivrez, puis couvrez avec la moitié du pesto. Disposez une dernière couche de pommes de terre, suivie du reste du mélange à l'oignon et du pesto. Salez et poivrez. Couvrez la mijoteuse et laissez cuire 6 heures à faible intensité ou jusqu'à ce que les pommes de terre soient tendres.

3. Dans un petit poêlon, à feu moyen, faites dorer la chapelure dans 15 ml (1 c. à table) d'huile d'olive. Réservez.

4. Au moment de servir, garnissez de chapelure.

Pommes de terre, fenouil, radicchio, basilic et olives Kalamata

Deux ingrédients méditerranéens par excellence, le fenouil et le radicchio, se mêlent aux pommes de terre dans ce plat simple et sublime parfumé au basilic et à la saveur salée des olives Kalamata. Si vous utilisez des pommes de terre grelots, vous pouvez les laisser entières, sinon vous devrez couper les pommes de terre en deux ou en quartiers.

Format de la mijoteuse : 4 L	454 g (1 lb) de pommes de terre grelots rouges ou blanches, ou entières et coupées en deux ou en quartiers 1 bulbe de fenouil de grosseur moyenne, les tiges enlevées, et coupé en quatre
Temps de cuisson : 5 à 6 h	1 petit radicchio coupé en quatre 4 gousses d'ail émincées 45 ml (3 c. à table) d'huile d'olive Sel, et poivre du moulin
Intensité : faible	120 ml (1/2 tasse) d'olives Kalamata dénoyautées et égouttées
Donne 4 portions	45 ml (3 c. à table) de basilic frais ciselé

1. Mélangez les pommes de terre, le fenouil, le radicchio et l'ail dans la mijoteuse de 4 L. Ajoutez l'huile d'olive, puis salez et poivrez. Remuez pour bien enrober les ingrédients d'huile. Couvrez la mijoteuse et laissez cuire de 5 à 6 heures à faible intensité ou jusqu'à ce que les légumes soient tendres.

2. Juste avant de servir, incorporez les olives et le basilic.

Patates douces mitonnées

L'humidité résiduelle du nettoyage des patates douces engendre un peu de vapeur dans la mijoteuse, ce qui aidera la cuisson. Le temps de cuisson variera selon la taille et la forme des patates. Lorsque vous pensez que ces dernières sont prêtes, testez-les à l'aide d'une fourchette. Si celle-ci s'y enfonce facilement, les patates sont cuites.

Format de la mijoteuse :
4 à 6 L

Temps de cuisson :
4 à 6 h

Intensité : faible

Donne 4 portions

4 patates douces de grosseur moyenne

Nettoyez les patates douces à fond, égouttez-les, mais ne les asséchez pas. Déposez-les dans la mijoteuse de 4 à 6 L. Couvrez cette dernière et laissez cuire de 4 à 6 heures à faible intensité ou jusqu'à ce que les patates soient tendres.

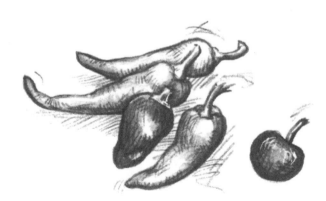

Purée de patates douces aux canneberges séchées

Les canneberges, avec leur goût acidulé, apportent une explosion de couleurs et de saveurs aux patates douces. Je ne serais pas surprise que ce plat devienne un des préférés de votre famille. Cette recette à la mijoteuse est particulièrement bienvenue pendant les repas des fêtes, quand il semble manquer de place sur la cuisinière ou dans le four.

Format de la mijoteuse :
3,5 à 4 L

Temps de cuisson :
6 h

Intensité : faible

Donne 4 à 6 portions

4 grosses patates douces, pelées et coupées en tranches de 1,5 cm (1/2 po) d'épaisseur
120 ml (1/2 tasse) de jus de pomme
60 ml (1/4 tasse) de cassonade blonde, tassée
Sel, et poivre du moulin
80 ml (1/3 tasse) de canneberges sucrées et séchées

1. Déposez les tranches de patates douces dans la mijoteuse de 3,5 à 4 L légèrement huilée. Dans un petit bol, mélangez le jus de pomme et la cassonade. Versez la préparation sur les patates. Salez et poivrez. Couvrez la mijoteuse et laissez cuire 6 heures à faible intensité ou jusqu'à ce que les patates douces soient tendres.

2. Juste avant de servir, à l'aide d'un pilon, réduisez les patates en une purée lisse. Incorporez ensuite les canneberges. Servez chaud.

Casserole de patates douces à l'ananas et à la noix de coco

Pendant que les patates douces râpées s'attendrissent, elles s'imprègnent des riches parfums de la noix de coco et de l'ananas dans cette casserole au goût tropical.

Format de la mijoteuse :
3,5 à 4 L

Temps de cuisson :
6 h

Intensité : faible

Donne 4 à 6 portions

908 g (2 lb) de patates douces, pelées et râpées
60 ml (1/4 tasse) de cassonade blonde, tassée
60 ml (1/4 tasse) de noix de coco non sucrée et râpée
1,25 ml (1/4 c. à thé) de cannelle moulue
120 ml (1/2 tasse) d'ananas frais ou en conserve haché
1,25 ml (1/4 c. à thé) d'extrait de coco pur
1,25 ml (1/4 c. à thé) d'extrait de vanille pur

1. Huilez légèrement le plat interne de la mijoteuse de 3,5 à 4 L. Mettez-y les patates douces, la cassonade, la noix de coco et la cannelle, puis remuez. Couvrez la mijoteuse et laissez cuire 6 heures à faible intensité.
2. Juste avant de servir, incorporez l'ananas et les extraits de coco et de vanille.

Courge glacée à l'érable, à l'ail et au gingembre

J'adore préparer ce plat qui parfume la maison en cuisant. Cette recette utilise la courge musquée parce qu'elle est plus facile à peler. Cependant, si vous le préférez, vous pouvez utiliser une kabocha ou une courge Buttercup sans les peler. Il s'agira de bien en nettoyer l'écorce.

Format de la mijoteuse :
3,5 à 4 L

Temps de cuisson :
6 h

Intensité : faible

Donne 4 portions

30 ml (2 c. à table) d'huile d'olive
1 petit oignon jaune finement tranché
2 grosses gousses d'ail émincées
1 morceau de 2,5 cm (1 po) de gingembre frais, pelé et finement tranché
30 ml (2 c. à table) d'eau
15 ml (1 c. à table) de tamari ou d'une autre sauce soja
1 grosse courge musquée, coupée en deux, épépinée et pelée
80 ml (1/3 tasse) de sirop d'érable pur
30 ml (2 c. à table) de cassonade blonde bien tassée ou d'un édulcorant naturel
Sel, et poivre du moulin

1. Étendez l'huile dans le fond de la mijoteuse de 3,5 à 4 L. Disposez-y les tranches d'oignon, suivies de l'ail et du gingembre. Mélangez l'eau et le tamari, et ajoutez dans la mijoteuse.
2. Coupez la courge musquée en morceaux de 5 cm (2 po). Ajoutez dans la mijoteuse. Versez le sirop d'érable sur la courge et saupoudrez la cassonade. Salez et poivrez.
3. Couvrez la mijoteuse. Laissez cuire 6 heures à faible intensité ou jusqu'à ce que la courge soit tendre. Servez chaud.

Légumes-racines braisés au vinaigre balsamique

La cuisson à la mijoteuse, combinée au vinaigre balsamique et au sucre, fait ressortir la douceur naturelle des légumes-racines.

Format de la mijoteuse : 3,5 à 4 L	3 grosses carottes coupées en tronçons de 2,5 cm (1 po) 4 échalotes françaises coupées en deux 2 petits navets pelés et coupés en cubes de 2,5 cm (1 po) 1 gros panais pelé et coupé en tronçons de 2,5 cm (1 po)
Temps de cuisson : 8 h	30 ml (2 c. à table) d'huile d'olive 30 ml (2 c. à table) de vinaigre balsamique 30 ml (2 c. à table) d'eau 15 ml (1 c. à table) de cassonade blonde, bien tassée
Intensité : faible	Sel, et poivre du moulin

Donne 4 portions

1. Placez les carottes, les échalotes, les navets et le panais dans la mijoteuse de 3,5 à 4 L.
2. Dans un petit bol, mélangez l'huile, le vinaigre, l'eau et la cassonade. Versez sur les légumes, puis salez et poivrez. Remuez pour bien enrober les légumes.
3. Couvrez la mijoteuse et laissez cuire 8 heures à faible intensité ou jusqu'à ce que les légumes soient tendres. Si possible, remuez une fois à mi-cuisson.

Betteraves aux trois oranges

La marmelade d'oranges, le jus d'orange concentré et le jus d'orange frais unissent leurs forces pour insuffler un goût d'agrumes aux betteraves. Pour un maximum de saveur, utilisez les plus petites betteraves que vous pourrez trouver.

Format de la mijoteuse :
3,5 à 4 L

Temps de cuisson :
6 à 8 h

Intensité : faible

Donne 4 portions

30 ml (2 c. à table) de marmelade d'oranges
30 ml (2 c. à table) de jus d'orange concentré surgelé,
    puis dégelé
Jus de 1 orange
30 ml (2 c. à table) d'huile d'olive extravierge
8 à 10 petites betteraves fraîches, parées, bien nettoyées
    et coupées en deux, ou 4 grosses betteraves, coupées en
    quartiers
Sel, et poivre du moulin

1. Dans un petit bol, mélangez la marmelade d'oranges, le jus d'orange concentré et le jus d'orange frais. Tout en remuant pour bien mélanger, ajoutez l'huile.
2. Déposez les betteraves dans la mijoteuse de 3,5 à 4 L. Tout en remuant pour bien enrober les betteraves, ajoutez le mélange à l'orange. Salez et poivrez. Couvrez la mijoteuse et laissez cuire de 6 à 8 heures à faible intensité ou jusqu'à ce que les betteraves soient tendres. Si possible, remuez à mi-cuisson.
3. Avant de servir, pelez les betteraves (la pelure devrait s'enlever facilement) et mettez-les dans un bol de service. Versez-y le jus de cuisson.

Haricots verts à la provençale

Ces haricots verts mijotent dans un mélange odoriférant de tomates, d'oignons et d'ail. Ils font un bon plat d'accompagnement ou peuvent garnir des pâtes, du riz ou des pommes de terre au four.

Format de la mijoteuse :
3,5 à 4 L

Temps de cuisson :
5 à 6 h

Intensité : faible

Donne 4 portions

30 ml (2 c. à table) d'huile d'olive
1 petit oignon jaune haché
2 gousses d'ail émincées
454 g (1 lb) de haricots verts, les extrémités enlevées, coupés en tronçons 2,5 cm (1 po)
1 boîte de 411 g (14 1/2 oz) de tomates en dés égouttées
Sel, et poivre du moulin

1. Versez l'huile dans la mijoteuse de 3,5 à 4 L. À intensité élevée et à couvert, faites suer l'oignon et l'ail pendant que vous préparez les autres ingrédients.
2. Ajoutez les haricots verts et les tomates. Salez et poivrez, puis remuez le mélange. Couvrez la mijoteuse. Laissez cuire de 5 à 6 heures à faible intensité ou jusqu'à ce que les haricots soient tendres.

Casserole de haricots blancs et verts

Les haricots blancs seront réduits en purée pour constituer une sauce crémeuse et savoureuse qui enrobera les haricots verts. Au lieu de la garniture aux amandes, vous pouvez utiliser des échalotes françaises. Sinon, vous pouvez garnir la casserole de miettes de pain grillées ou de mozzarella râpée régulière ou de soja.

Format de la mijoteuse :
3,5 à 4 L

Temps de cuisson :
4 à 6 h

Intensité : faible

Donne 4 portions

15 ml (1 c. à table) d'huile d'olive
1 petit oignon jaune haché
240 ml (1 tasse) de champignons blancs émincés
2 gousses d'ail finement hachées
360 ml (1 1/2 tasse) de haricots blancs cuits à la mijoteuse (page107) ou 1 boîte de 440 ml (15,5 oz) de haricots blancs, égouttés et rincés
240 ml (1 tasse) d'eau
Sel, et poivre du moulin
681 g (1 1/2 lb) de haricots verts, équeutés et coupés en tronçons de 2,5 cm (1 po)
120 ml (1/2 tasse) d'amandes en julienne grillées (voir ci-après)

1. À feu moyen-vif, faites chauffer l'huile dans un grand poêlon. Faites suer l'oignon environ 5 minutes à couvert. Placez-le ensuite dans un mélangeur. Dans le même poêlon, à feu moyen-vif, faites revenir les champignons et l'ail tout en remuant pendant 3 minutes ou jusqu'à ce qu'ils ramollissent. Réservez.

2. Ajoutez les haricots blancs et l'eau à l'oignon dans le mélangeur. Salez et poivrez. Actionnez l'appareil jusqu'à l'obtention d'une purée lisse.

3. Mettez les haricots verts et les champignons sautés dans la mijoteuse de 3,5 à 4 L. Garnissez avec la purée de haricots blancs. Couvrez la mijoteuse et laissez cuire de 4 à 6 heures à faible intensité ou jusqu'à ce que les haricots verts soient tendres.

4. Au moment de servir, garnissez les haricots verts d'amandes.

Comment faire griller les amandes

À feu moyen, mettez les amandes dans un poêlon non huilé. Remuez le poêlon sans arrêt jusqu'à ce que les amandes prennent une belle couleur dorée. Retirez-les immédiatement du poêlon pour éviter qu'elles ne brunissent.

Oignons cipollinis aigres-doux aux noix et aux raisins

Les petits oignons italiens (Cipolla di Genova) sont indiqués pour cette recette. Si vous n'en trouvez pas, vous pouvez utiliser d'autres petits oignons ou des oignons perlés. S'ils sont plus gros qu'une bouchée, coupez-les en deux dans le sens de la longueur. Si vous employez des oignons perlés, plongez-les d'abord dans une casserole d'eau bouillante pendant environ 15 secondes, puis égouttez-les ; retirez-en ensuite la pelure et la racine.

Format de la mijoteuse :
3,5 à 4 L

Temps de cuisson :
4 à 5 h

Intensité : faible

Donne 4 portions

30 ml (2 c. à table) d'huile d'olive
681 g (1 1/2 lb) d'oignons cipollinis ou d'autres petits oignons, pelés, parés et coupés en deux si nécessaire
45 ml (3 c. à table) de sucre ou d'un édulcorant naturel
60 ml (1/4 tasse) de vinaigre balsamique
120 ml (1/2 tasse) d'eau
80 ml (1/3 tasse) de raisins secs dorés
5 ml (1 c. à thé) de romarin frais ciselé (facultatif)
Sel, et poivre du moulin
80 ml (1/3 tasse) de noix de Grenoble hachées

1. À feu moyen-vif, faites chauffer l'huile dans un grand poêlon. Faites dorer les oignons environ 8 minutes.
2. Déposez-les dans la mijoteuse de 3,5 à 4 L. Ajoutez le sucre, le vinaigre, l'eau, les raisins secs et le romarin (si vous l'utilisez). Salez et poivrez. Couvrez la mijoteuse et laissez cuire de 4 à 5 heures à faible intensité ou jusqu'à ce que les oignons soient tendres.
3. Juste avant de servir, remuez les oignons pour les enrober de sauce et garnissez-les de noix. Servez chaud ou à la température ambiante.

Bok choy

Braisés dans une sauce délicieuse, les bok choy seront tendres et savoureux. Les bébés bok choy, que l'on trouve dans les marchés asiatiques et les supermarchés, sont très décoratifs lorsqu'on les coupe en deux dans le sens de la longueur et que l'on sert les moitiés entières. Ils sont cependant plus chers. Si vous ne trouvez que de gros bok choy, coupez-les en petits morceaux — le goût sera toujours excellent. Le *mirin*, ou vin de riz, est un vin de cuisson japonais doux qu'on trouve dans les marchés asiatiques et les supermarchés bien garnis.

Format de la mijoteuse : 5,5 à 6 L	30 ml (2 c. à table) de tamari ou d'une autre sauce soja
	15 ml (1 c. à table) de sauce hoisin
	15 ml (1 c. à table) de *mirin*
Temps de cuisson : 4 h	15 ml (1 c. à table) d'eau
	15 ml (1 c. à table) d'huile d'arachide
	1 grosse gousse d'ail émincée
	5 ml (1 c. à thé) de gingembre frais, pelé et haché
Intensité : faible	2 à 3 bébés bok choy, la tige enlevée, coupés en deux dans le sens de la longueur
	3 oignons verts émincés

Donne 4 à 6 portions

1. Dans un petit bol, mélangez le tamari, la sauce hoisin, le *mirin* et l'eau. Réservez.
2. Versez l'huile dans le fond de la mijoteuse de 5,5 à 6 L et réglez cette dernière à intensité élevée. Ajoutez l'ail et le gingembre et disposez-y les bok choy. Parsemez d'oignons verts et versez le mélange de tamari. Réglez ensuite la mijoteuse à faible intensité, couvrez-la et laissez cuire 4 heures ou jusqu'à ce que les bok choy soient tendres. Servez chaud.

Chou aigre-doux

La bonne saveur de ce plat de chou mijoté en fait un candidat idéal pour un dîner lors d'une soirée frisquette. Transformez-le en entrée en y ajoutant des saucisses végétariennes que vous aurez d'abord fait dorer.

Format de la mijoteuse :
3,5 à 4 L

Temps de cuisson :
5 à 6 h

Intensité : faible

Donne 6 à 8 portions

15 ml (1 c. à table) d'huile d'olive
1 petit oignon jaune haché
30 ml (2 c. à table) de farine tout usage non blanchie
60 ml (1/4 tasse) d'eau
180 ml (3/4 tasse) de vinaigre de cidre
120 ml (1/2 tasse) de cassonade blonde bien tassée ou d'un édulcorant naturel
1 chou rouge de grosseur moyenne, étrogné et râpé
1 pomme à cuire de grosseur moyenne, comme une Granny Smith ou une Rome Beauty, pelée, étrognée et coupée en dés
Sel, et poivre du moulin

1.   À feu moyen, faites chauffer l'huile dans un petit poêlon. Faites suer l'oignon environ 5 minutes. Tout en remuant, ajoutez la farine. Faites cuire pendant 1 minute. Ajoutez l'eau et remuez pour diluer la farine.

2.   Versez ce mélange dans la mijoteuse de 3,5 à 4 L, puis incorporez le vinaigre et la cassonade. Ajoutez le chou et la pomme. Salez et poivrez. Couvrez la mijoteuse et laissez cuire de 5 à 6 heures à faible intensité ou jusqu'à ce que le chou soit tendre. Goûtez et, au besoin, rectifiez l'assaisonnement. Servez chaud.

Céleri braisé au vermouth

Ce légume simple devient sophistiqué lorsque braisé dans le vermouth et le bouillon de légumes. Pour obtenir un contraste de couleurs saisissant, garnissez de dés de poivron rouge rôti ; pour un contraste de textures, recourez aux amandes en julienne grillées.

Format de la mijoteuse :
4 L
Temps de cuisson :
3 h
Intensité : faible

454 g (1 lb) de cœurs de céleri
30 ml (2 c. à table) d'huile d'olive
180 ml (3/4 tasse) de bouillon de légumes (voir « Remarques sur le bouillon de légumes », page 44)
60 ml (1/4 tasse) de vermouth blanc
Sel, et poivre du moulin

Donne 4 portions

1. Équeutez les cœurs de céleri et retirez les fils de chaque tige.
2. À feu moyen-vif, faites chauffer l'huile dans un grand poêlon. En le tournant à mi-cuisson, faites colorer le céleri pendant environ 5 minutes.
3. Transvasez le céleri dans la mijoteuse de 4 L. Ajoutez le bouillon et le vermouth. Salez et poivrez. Couvrez la mijoteuse et laissez cuire 3 heures à faible intensité ou jusqu'à ce que le céleri soit tendre, mais qu'il ne se défasse pas. Servez chaud.

Tomates à l'étouffée

Si vous faites une grosse récolte de tomates bien mûres, voici une façon formidable de les apprêter. Si vous utilisez des tomates italiennes, il y aura moins de liquide (comme elles sont plus petites, prenez-en 10 ou 12). Sinon, lorsque les tomates seront tendres, vous pouvez retirer le couvercle de la mijoteuse et faire réduire le liquide. Servez en accompagnement ou garnissez-en des pâtes ou du riz. Vous pouvez également congeler de petites portions que vous utiliserez dans des soupes ou des ragoûts. Lorsque vous congèlerez vos portions, assurez-vous d'avoir au moins 2,5 cm (1 po) d'espace libre dans le contenant, puisque la préparation va prendre de l'expansion. Dans un contenant hermétique, les tomates se conserveront plusieurs mois au congélateur.

Format de la mijoteuse :
3,5 à 4 L

Temps de cuisson :
5 à 6 h

Intensité : faible

Donne 6 portions

6 à 8 grosses tomates mûres, le pédoncule enlevé
15 ml (1 c. à table) d'huile d'olive
1 oignon jaune de grosseur moyenne, haché
120 ml (1/2 tasse) de céleri émincé
1/2 petit poivron vert (facultatif), épépiné et coupé en dés
10 ml (2 c. à thé) de sucre (ou au goût)
1 feuille de laurier
3,75 ml (3/4 c. à thé) de sel (ou au goût)
0,5 ml (1/8 c. à thé) de poivre noir fraîchement moulu

1. Plongez les tomates dans une casserole d'eau bouillante pendant 15 à 20 secondes, puis mettez-les dans de l'eau glacée pour les rafraîchir rapidement. Pelez-les, coupez-les en quartiers et épépinez-les. Mettez-les dans la mijoteuse de 3,5 à 4 L.
2. À feu moyen, faites chauffer l'huile dans un grand poêlon. Faites revenir l'oignon, le céleri et le poivron (si vous l'utilisez) 5 minutes à couvert ou jusqu'à ce qu'ils ramollissent. Transvasez dans la mijoteuse. Ajoutez le sucre, la feuille de laurier, le sel et le poivre, puis mélangez. Couvrez la mijoteuse et laissez cuire de 5 à 6 heures à faible intensité. Avant de servir, retirez la feuille de laurier.

Artichauts à feu doux

Quatre artichauts petits ou de grosseur moyenne (ou 6 bébés artichauts) rempliront une mijoteuse de 4 L. Si vous désirez préparer davantage d'artichauts, ou des artichauts plus gros, il vous faudra une mijoteuse de plus grand format.

Format de la mijoteuse :
4 L

Temps de cuisson :
6 à 8 h

Intensité : faible

Donne 4 portions

4 artichauts frais de grosseur moyenne
Jus de 1 citron
750 ml (3 tasses) d'eau bouillante

1. Coupez le dessus des artichauts sur environ 2,5 cm (1 po). Retirez la queue et coupez le bout pointu des feuilles avec une paire de ciseaux. Disposez les artichauts à la verticale dans la mijoteuse de 4 L.
2. Versez le jus de citron sur les artichauts, puis ajoutez l'eau dans la mijoteuse. Couvrez cette dernière et laissez cuire de 6 à 8 heures à faible intensité ou jusqu'à ce que les artichauts soient tendres. Servez chaud ou à la température ambiante.

Trucs et astuces pour la mijoteuse

- S'il y a trop de liquide à la fin de la cuisson, retirez le couvercle et réglez la mijoteuse à intensité élevée pour qu'il s'en évapore un peu. Inversement, s'il manque de liquide, ajoutez-en un peu.
- N'utilisez pas d'ingrédients congelés dans vos recettes. Faites-les d'abord dégeler, sinon le temps de cuisson sera faussé.
- Les légumes durs, tels les oignons et les carottes, ajoutés crus dans les soupes et les plats braisés cuiront assez facilement grâce au liquide présent. Cependant, ces mêmes légumes ajoutés crus à un ragoût resteront plus durs que le reste des ingrédients, parce qu'il n'y a pas assez de liquide pour les faire cuire. Lorsque vous ajoutez des légumes durs dans un ragoût, faites-les d'abord sauter afin de les attendrir.

Épis de maïs parfumés aux herbes

Les épis de maïs arrivant sur le marché pendant les chauds mois de l'été, la mijoteuse vous évitera de réchauffer davantage votre cuisine pendant que vous les ferez cuire. Laisser les feuilles vertes autour des épis, et glissez-y des herbes aromatiques, ce qui permettra aux parfums de se mêler pendant que le maïs cuira. Voici une façon intéressante d'utiliser les différentes herbes aromatiques de votre jardin. Si vous n'en avez pas, les épis cuiront quand même très bien !

Format de la mijoteuse :
5,5 à 6 L

Temps de cuisson :
2 à 4 h

Intensité : faible

Donne 4 portions

8 épis de maïs
8 à 16 branches de thym, de romarin, de basilic ou d'autres herbes fraîches
120 ml (1/2 tasse) d'eau chaude

1. Décollez les feuilles vertes des épis, sans les arracher. Enlevez la barbe des épis et nettoyez ces derniers à l'eau courante. Si nécessaire, coupez la tige pour faire entrer les épis dans la mijoteuse. Placez 1 ou 2 branches d'herbes contre chaque épi et rabattez les feuilles pour les emprisonner.
2. Déposez les épis debout si vous possédez une mijoteuse ronde et profonde. Si vous avez un modèle ovale peu profond, couchez-les sur le côté. Versez l'eau chaude, couvrez la mijoteuse et laissez cuire de 2 à 4 heures à faible intensité ou jusqu'à ce que le maïs soit tendre. Servez chaud.

Note : Vous devrez peut-être couper la tige ou une portion des épis pour que ceux-ci entrent dans votre mijoteuse.

Les condiments

• • •

Quiconque a préparé sur la cuisinière un chutney, un beurre de fruit ou un condiment semblable connaît le risque que la préparation prenne au fond et l'obligation qui en découle de remuer et de surveiller constamment. Lorsque vous utilisez la mijoteuse pour préparer vos confitures, vos condiments ou votre compote de pommes, vous évitez tous ces désagréments. Mélangez simplement vos ingrédients dans la mijoteuse, mettez cette dernière en marche et vaquez à vos occupations. Quelques heures plus tard, vous récolterez le fruit de votre attente avec le parfum (et la saveur) incomparable de vos plats doucement mijotés.

Ce chapitre contient une sélection de condiments savoureux, du « Chutney de tomates vertes » (page 209) au « Confit de canneberges et de cabernet » (page 212), en passant par la chaleureuse « Compote de pommes maison » (page 213) et le « Beurre de gingembre et de poire » (page 217).

Chutney à la poire et aux fruits secs

Les poires de votre choix, que ce soit des poires d'Anjou ou des Bartlett, devront être tout juste mûres, mais pas trop.

Format de la mijoteuse : 3,5 L	3 poires mûres pelées, étrognées et coupées en gros morceaux
	480 ml (2 tasses) de fruits secs mélangés, grossièrement hachés
Temps de cuisson : 3 à 4 h	120 ml (1/2 tasse) de raisins secs dorés
	2 oignons verts hachés
	60 ml (1/4 tasse) de sucre ou d'un édulcorant naturel
Intensité : faible	30 ml (2 c. à table) de vinaigre de vin blanc
	30 ml (2 c. à table) de jus de citron frais
	5 ml (1 c. à thé) de zeste de citron
Donne environ 1 L (4 tasses)	5 ml (1 c. à thé) de gingembre confit haché
	1,25 ml (1/4 c. à thé) de piment de Cayenne broyé (facultatif)

1. Placez les ingrédients dans la mijoteuse de 3,5 L. Couvrez cette dernière et laissez cuire de 3 à 4 heures à faible intensité.

2. Retirez le couvercle de la mijoteuse et laissez tiédir avant de réfrigérer dans des pots en verre ou tout autre contenant hermétique. Le chutney se conservera plusieurs semaines ainsi.

Chutney au gingembre, à l'ananas et aux canneberges

Ce chutney coloré est une symphonie de saveurs. Grâce aux canneberges, il ambitionne même de remplacer la sauce traditionnelle aux canneberges pendant les repas des fêtes. Il accompagne également à merveille le « Rôti de seitan farci à la sarriette et à la sauce aux champignons » (page 178).

Format de la mijoteuse :
3,5 L

Temps de cuisson :
4 h

Intensité : faible

Donne environ 1 L (4 tasses)

1 gros ananas mûr pelé, étrogné et coupé en gros morceaux
180 ml (3/4 tasse) de canneberges sucrées et séchées
3 oignons verts émincés
15 ml (1 c. à table) de gingembre confit haché
180 ml (3/4 tasse) de cassonade blonde bien tassée ou d'un édulcorant naturel
120 ml (1/2 tasse) de vinaigre de vin blanc
Jus et zeste de 1 citron
1,25 ml (1/4 c. à thé) de piment de Cayenne broyé

1. Mettez les ingrédients dans la mijoteuse de 3,5 L. Couvrez cette dernière et laissez cuire 4 heures à faible intensité.
2. Retirez le couvercle de la mijoteuse et laissez tiédir avant de réfrigérer dans des contenants hermétiques. Il est préférable de consommer ce chutney au cours des deux semaines suivantes.

Chutney de tomates vertes

Lorsque vous avez de nombreuses tomates vertes sous la main, cette recette de ce chutney est merveilleuse. Ce chutney convient non seulement aux plats indiens, mais aussi aux légumes rôtis, au seitan ou au tempeh braisés.

Format de la mijoteuse :
3,5 L

Temps de cuisson :
3 à 4 h

Intensité : faible

Donne environ 1 L (4 tasses)

1 L (4 tasses) de tomates vertes pelées, épépinées et coupées en dés
3 échalotes françaises hachées
240 ml (1 tasse) de raisins secs
180 ml (3/4 tasse) de sucre ou d'un édulcorant naturel
60 ml (1/4 tasse) de vinaigre de cidre
22,5 ml (1 1/2 c. à table) de gingembre frais, pelé et râpé
5 ml (1 c. à thé) de piment de la Jamaïque moulu
5 ml (1 c. à thé) de sel
1,25 ml (1/4 c. à thé) de clou de girofle moulu
1,25 ml (1/4 c. à thé) de piment de Cayenne broyé

1.   Mettez les ingrédients dans la mijoteuse de 3,5 L. Couvrez cette dernière et laissez cuire de 3 à 4 heures à faible intensité.

2.   Retirez le couvercle de la mijoteuse et laissez tiédir avant de réfrigérer dans des contenants hermétiques. Bien entreposé, ce chutney se conservera jusqu'à 1 mois.

Chutney aux pêches et aux dattes

Dans ce chutney où explosent les saveurs, les pêches fraîches se marient à la douceur des dattes et au mordant du gingembre. Servez-le pour accompagner les recettes de seitan ou de tempeh, ou avec des légumes rôtis.

Format de la mijoteuse :
3,5 L

Temps de cuisson :
2 à 3 h

Intensité : faible

Donne environ 840 ml
(3 1/2 tasses)

5 grosses pêches mûres, pelées, dénoyautées et coupées en dés
120 ml (1/2 tasse) de dattes dénoyautées et hachées
30 ml (2 c. à table) d'oignon haché
120 ml (1/2 tasse) de cassonade blonde bien tassée ou d'un édulcorant naturel
60 ml (1/4 tasse) de vinaigre de cidre
15 ml (1 c. à table) de jus de citron frais
5 ml (1 c. à thé) de gingembre frais, pelé et râpé
2,5 ml (1/2 c. à thé) de sel
1,25 ml (1/4 c. à thé) de piment de Cayenne broyé (facultatif)

1. Déposez les ingrédients dans la mijoteuse de 3,5 L. Couvrez cette dernière et laissez cuire de 2 à 3 heures à faible intensité.

2. Retirez le couvercle de la mijoteuse et laissez tiédir avant de réfrigérer dans des contenants hermétiques, où le chutney se conservera de 2 à 3 semaines.

Note : Pelez les pêches de la même manière que les tomates. Plongez-les dans l'eau bouillante environ 15 secondes et mettez-les ensuite dans l'eau glacée. La peau s'enlèvera facilement.

Chutney à la mangue, aux pommes et à la lime

Les saveurs délicieuses et typiques de la mangue, des pommes et de la lime s'associent dans ce chutney exubérant, qui peut accompagner un grand nombre de plats, de la cuisine indienne à la cuisine thaïlandaise. Il peut également donner un peu de mordant à des plats simples, par exemple les burgers végétariens ou le riz et les haricots.

Format de la mijoteuse :
3,5 L

Temps de cuisson :
4 h

Intensité : faible

Donne environ 840 ml (3 1/2 tasses)

2 grosses mangues mûres, pelées, dénoyautées et coupées en gros morceaux
1 grosse pomme à cuire, comme une Granny Smith ou une Rome Beauty, pelée, étrognée et coupée en dés
2 grosses échalotes françaises hachées
Jus et zeste de 2 limes
180 ml (3/4 tasse) de cassonade blonde bien tassée ou d'un édulcorant naturel
120 ml (1/2 tasse) de vinaigre de vin blanc
1 bâton de cannelle

1. Placez les ingrédients dans la mijoteuse de 3,5 L. Couvrez cette dernière et laissez cuire 4 heures à faible intensité.

2. Enlevez le couvercle de la mijoteuse et laissez tiédir. Retirez le bâton de cannelle et réfrigérez le chutney dans des contenants hermétiques. Il se conservera pendant plusieurs semaines.

Confit de canneberges et de cabernet

Ce confit revêt une dimension supplémentaire grâce au vin qu'il renferme, tandis que la pectine de la pomme lui donne de la texture. Bien entreposé, il se conservera jusqu'à 2 semaines au réfrigérateur.

Format de la mijoteuse :
3,5 à 4 L

Temps de cuisson :
4 h

Intensité : faible

**Donne environ 1 L
(4 tasses)**

2 paquets de 340 g (12 oz) de canneberges fraîches, triées et rincées

1 grosse pomme à cuire, comme une Granny Smith ou une Rome Beauty, pelée, étrognée et coupée en dés

360 ml (1 1/2 tasse) de cassonade blonde bien tassée ou d'un édulcorant naturel, ou au goût (voir la note ci-après)

Jus de 1 citron

5 ml (1 c. à thé) de cannelle moulue

2,5 ml (1/2 c. à thé) de piment de la Jamaïque moulu

120 ml (1/2 tasse) d'eau

60 ml (1/4 tasse) de cabernet ou d'un autre vin rouge sec

1.	Mélangez les ingrédients dans la mijoteuse de 3,5 à 4 L. Couvrez cette dernière et laissez cuire 4 heures à faible intensité.

2.	Retirez le couvercle de la mijoteuse et laissez le confit tiédir. Réfrigérez ce dernier dans des pots en verre à couvercle hermétique.

Note : La quantité de sucre nécessaire dans ce confit peut varier selon les préférences de chacun. Comme les ours dans le conte *Boucle d'or*, l'un des goûteurs a trouvé le confit trop sucré ; un autre, pas assez ; et d'autres encore l'ont trouvé parfaite. Lorsque vous aurez incorporé environ la moitié de la cassonade, goûtez le mélange ; ensuite, ajoutez-en un peu à la fois, au goût.

Compote de pommes maison

J'aime préparer cette recette, autant pour les parfums qui s'en dégagent pendant la cuisson que pour le résultat final. Je préfère une compote pas trop sucrée : c'est pourquoi je n'utilise que 60 ml (1/4 tasse) de sucre ; si vous préférez un goût plus sucré, mettez-en davantage.

Format de la mijoteuse :
4 L

Temps de cuisson :
5 à 6 h

Intensité : faible

Donne environ 1 L (4 tasses)

1,4 kg (3 lb) de grosses pommes à cuire, comme des Granny Smith ou des Rome Beauty, pelées, étrognées et coupées en dés
60 ml (1/4 tasse) de sucre ou d'un édulcorant naturel (ou au goût)
120 ml (1/2 tasse) de jus de pomme ou d'eau
15 ml (1 c. à table) de jus de citron frais
5 ml (1 c. à thé) de cannelle moulue
2,5 ml (1/2 c. à thé) de piment de la Jamaïque moulu

1. Mélangez les ingrédients dans la mijoteuse de 4 L. Couvrez cette dernière et laissez cuire de 5 à 6 heures à faible intensité ou jusqu'à ce que les pommes soient très tendres.
2. Retirez le couvercle de la mijoteuse et laissez tiédir. Servez à température ambiante ou versez dans des bocaux ou d'autres contenants hermétiques avant de réfrigérer. Bien entreposée, la compote se conservera jusqu'à 2 semaines.

Beurre de pomme

La longue cuisson lente nécessaire pour faire un beurre de pomme fait de la mijoteuse un candidat idéal pour préparer cette recette. Les pommes ne seront pas pelées afin que la pectine contenue dans la peau permette au beurre d'épaissir.

Format de la mijoteuse :
4 L

Temps de cuisson :
10 h

Intensité : faible pour 8 h ; élevée pour 2 h

Donne environ 1 L (4 tasses)

1,4 kg (3 lb) de grosses pommes à cuire, comme des Granny Smith, des Rome Beauty ou des Gala, étrognées, non pelées et coupées en huit
180 ml (3/4 tasse) de cassonade bien tassée
180 ml (3/4 tasse) de jus de pomme
Jus de 1 citron
15 ml (1 c. à table) de cannelle moulue
5 ml (1 c. à thé) de piment de la Jamaïque moulu
2,5 ml (1/2 c. à thé) de muscade moulue
1,25 ml (1/4 c. à thé) de gingembre moulu
1,25 ml (1/4 c. à thé) de clou de girofle moulu

1. Mélangez les pommes, la cassonade, le jus de pomme et le jus de citron dans la mijoteuse de 4 L. Couvrez cette dernière et laissez cuire 8 heures à faible intensité ou jusqu'à ce que les pommes soient très tendres.
2. Enlevez le couvercle de la mijoteuse. Réglez celle-ci à intensité élevée et incorporez les épices. En remuant une fois après 1 heure de cuisson, faites cuire 2 heures à découvert ou, si possible, jusqu'à ce que le mélange épaississe.
3. Écrasez les pommes dans une passoire en métal pour retirer la pelure, ou passez-les au presse-purée.
4. Lorsque le beurre de pomme sera à la température ambiante, il pourra être réfrigéré dans des pots hermétiques, où il se conservera pendant plusieurs semaines.

Beurre de pêche

Pour ceux qui ont la chance d'avoir des pêches mûres en abondance, voici une façon de garder un goût d'été durant tout l'automne.

Format de la mijoteuse :
4 L

Temps de cuisson :
4 à 6 h

Intensité : faible

**Donne environ 1 L
(4 tasses)**

1,8 kg (4 lb) de pêches mûres pelées (voir la note à la page 210), dénoyautées et coupées en dés
240 ml (1 tasse) d'eau
80 ml (1/3 tasse) de cassonade blonde bien tassée ou d'un édulcorant naturel (ou au goût)
5 ml (1 c. à thé) de jus de citron frais
2,5 ml (1/2 c. à thé) de gingembre moulu
1,25 ml (1/4 c. à thé) de clou de girofle ou de piment de la Jamaïque moulu

1. Mettez les pêches et l'eau dans un mélangeur ou un robot culinaire, puis réduisez en une purée lisse. Versez le mélange dans la mijoteuse de 4 L et incorporez la cassonade. Couvrez et laissez cuire de 4 à 6 heures à faible intensité.

2. Enlevez le couvercle de la mijoteuse, incorporez le jus de citron ainsi que le gingembre et le clou de girofle moulus. Laissez refroidir à découvert. Goûtez et, au besoin, rectifiez l'assaisonnement. Une fois refroidi, le beurre de pêche peut être réfrigéré dans des contenants hermétiques, où il se conservera pendant plusieurs semaines.

Beurre de citrouille

Il est fantastique d'avoir sous la main ce délicieux beurre à tartiner pendant l'automne et l'hiver. Sa saveur douce convient au pain grillé et aux bagels, et se marie bien aux brioches qui accompagne le thé. Utilisez les plus petites citrouilles, non les grosses dont on fait des décorations à l'Halloween. Vous pouvez également employer d'autres variétés de courges d'hiver, comme la Buttercup ou la kabocha. Ce beurre profitera d'un brassage vigoureux à mi-cuisson.

Format de la mijoteuse :
3,5 à 4 L

Temps de cuisson :
8 h

Intensité : faible

**Donne de 750 ml à 1 L
(3 à 4 tasses)**

1 petite citrouille pelée, épépinée et coupée en dés
1 petit oignon jaune haché
480 ml (2 tasses) de jus de pomme
240 ml (1 tasse) de cassonade blonde bien tassée ou d'un
  édulcorant naturel
15 ml (1 c. à table) de cannelle moulue
5 ml (1 c. à thé) de muscade moulue
5 ml (1 c. à thé) de piment de la Jamaïque moulu
5 ml (1 c. à thé) de sel

1. Dans la mijoteuse de 3,5 à 4 L, mélangez la citrouille, l'oignon, le jus de pomme et la cassonade. Couvrez et laissez cuire 8 heures à faible intensité ou jusqu'à ce que la citrouille soit très tendre.

2. Incorporez le sel et les épices. Mélangez bien. Écrasez le mélange de citrouille dans une passoire en métal ou passez-le au presse-purée pour obtenir une texture lisse (si vous préférez, réduisez-le en purée à l'aide d'un robot culinaire). Laissez refroidir à la température ambiante, puis réfrigérez dans des contenants hermétiques, où le beurre se conservera pendant plusieurs semaines.

Beurre de gingembre et de poire

Les saveurs de la poire et du gingembre composent une harmonie céleste, comme en témoigne ce beurre tout simplement divin. C'est un substitut intéressant du beurre de pomme. Tartinez-le sur du pain grillé et des bagels, ou utilisez-le comme garniture pour un quatre-quarts ou de la glace. Je préfère employer des poires Bartlett ou d'Anjou pour cette recette.

Format de la mijoteuse :
4 L

Temps de cuisson :
9 à 10 h

Intensité : faible pour 8 h ;
élevée pour 1 à 2 h

**Donne environ 1,5 L
(6 tasses)**

1,4 kg (3 lb) de poires mûres pelées, étrognées et coupées en dés
180 ml (3/4 tasse) de cassonade blonde bien tassée
180 ml (3/4 tasse) d'eau
15 ml (1 c. à table) de jus de citron frais
1 pincée de sel
5 ml (1 c. à thé) de gingembre frais, pelé et haché (ou au goût)
2,5 ml (1/2 c. à thé) de gingembre moulu

1. Mélangez les poires, la cassonade, l'eau, le jus de citron et le sel dans la mijoteuse de 4 L. Couvrez cette dernière et laissez cuire 8 heures à faible intensité.

2. Enlevez le couvercle de la mijoteuse et incorporez les gingembres frais et moulu. Réglez ensuite la mijoteuse à intensité élevée et laissez cuire 1 à 2 heures à découvert, en remuant de temps à autre, pour épaissir le mélange et amalgamer les saveurs.

3. Laissez refroidir complètement ; déposez ensuite dans des pots en verre ou tout autre contenant à couvercle hermétique et réfrigérez. Ainsi, le beurre se conservera plusieurs semaines.

Les desserts

• • •

« *Des poudings cuits à la vapeur ou de la compote de pommes, d'accord, mais un* gâteau au fromage ? » C'est le genre de commentaire que j'entends lorsque je raconte que je me sers de ma mijoteuse pour préparer des desserts, par exemple des gâteaux, des tourtes aux fruits, voire des gâteaux au fromage, et tout cela sans avoir à surveiller le four ou une casserole !

Faire des desserts à la mijoteuse est presque magique. Se distinguant de la chaleur sèche des modes de cuisson conventionnels, la chaleur moite de l'appareil transforme doucement les ingrédients en gâteries délicieuses. La mijoteuse donne des desserts moelleux — gâteaux, flans et autres — qui cuisent à tout coup sans brûler. De plus, j'aime particulièrement préparer des desserts à la mijoteuse pendant les chaudes journées d'été, lorsqu'il y a une abondance de fruits frais mais que je n'ai pas envie de me servir du four.

Certains desserts, comme les flans et les tourtes aux fruits, se préparent directement dans le plat de cuisson interne. D'autres, par exemple les gâteaux au fromage, cuiront dans un moule à gâteau qui sera posé dans la mijoteuse. Avant de commencer un tel dessert, assurez-vous de trouver un moule qui pourra s'insérer dans votre appareil. Je suis particulièrement attachée à mon moule à charnière de 17,5 cm (7 po) qui entre dans mes mijoteuses de 6 L (ronde ou ovale). Il existe cependant des moules plus petits, des plats de cuisson en verre, en céramique ou en aluminium qui feront également l'affaire. Certaines personnes utilisent même des boîtes de café ! De plus, il existe des modèles de moules qui sont spécialement conçus pour être utilisés dans une mijoteuse. Vous remarquerez que certaines recettes demandent d'installer une grille ou une chevrette pour placer le moule à gâteau au-dessus d'une petite quantité d'eau dans la mijoteuse. Pour ce faire, vous pouvez employer n'importe quel objet à l'épreuve de la chaleur, tels un petit bol, un trépied, un treillis ou n'importe quel support destiné à être utilisé dans la mijoteuse que proposerait un fabricant.

Pain d'épice aux pommes et aux pacanes

Ce gâteau dense et moelleux est particulièrement bon lorsqu'il est servi chaud, ce qui permet d'apprécier tous les parfums des épices. Afin d'y faire tenir un petit moule à gâteau, il vous faudra une mijoteuse de 6 L pour préparer ce pain d'épice. Dans cette recette et les autres qui demandent un produit de remplacement pour les œufs, je recommande Ener-G Egg Replacer, un produit qu'on trouve dans les boutiques d'aliments naturels.

Format de la mijoteuse :
6 L

Temps de cuisson :
3 1/2 à 4 h

Intensité : élevée

Donne 8 portions

480 ml (2 tasses) d'eau bouillante
420 ml (1 3/4 tasse) de farine tout usage non blanchie
10 ml (2 c. à thé) de levure chimique
2,5 ml (1/2 c. à thé) de sel
1,25 ml (1/4 c. à thé) de bicarbonate de soude
160 ml (2/3 tasse) de cassonade blonde bien tassée ou d'un édulcorant naturel
5 ml (1 c. à thé) de cannelle moulue
2,5 ml (1/2 c. à thé) de piment de la Jamaïque moulu
1,25 ml (1/4 c. à thé) de muscade moulue
3 pommes à cuire de grosseur moyenne, comme des Granny Smith ou des Rome Beauty, pelées, étrognées et finement râpées
15 ml (1 c. à table) de jus de citron frais
5 ml (1 c. à thé) d'extrait de vanille
1 gros œuf ou un produit de remplacement pour 1 œuf
30 ml (2 c. à table) d'huile de maïs ou d'une autre huile au goût léger
120 ml (1/2 tasse) de pacanes grossièrement hachées

1.   Mettez une grille ou une chevrette dans une mijoteuse de 6 L. Versez l'eau bouillante, couvrez la mijoteuse et réglez cette dernière à intensité élevée. Huilez légèrement le moule à gâteau qui entrera dans la mijoteuse.
2.   Au-dessus d'un grand bol, tamisez ensemble la farine, la levure chimique, le sel et le bicarbonate de soude. Ajoutez la cassonade et les épices, puis mélangez.
3.   Dans un autre grand bol, tout en remuant, mélangez les pommes et le jus de citron. Incorporez la vanille, l'œuf ou le succédané d'œuf et l'huile. Tout en en remuant bien, versez le mélange sec dans le mélange humide, environ un tiers à la fois. Incorporez les pacanes.
4.   Versez la préparation dans le moule à gâteau et couvrez-le hermétiquement avec un papier d'aluminium dans lequel vous percerez plusieurs trous pour laisser s'échapper la vapeur. Déposez le moule sur le support, couvrez la mijoteuse et faites cuire de 3 1/2 à 4 heures à intensité élevée ou jusqu'à ce qu'un cure-dent inséré dans le centre en ressorte sec.
5.   Enlevez le papier d'aluminium. Laissez tiédir 15 minutes avant de servir.

Pain aux bananes, aux épices et aux cerises séchées

Ce gâteau parfumé est incrusté de cerises séchées, que l'on trouve dans les épiceries fines. Si vous ne pouvez vous en procurer, prenez des canneberges séchées ou des raisins secs dorés ou encore, si vous préférez, ajoutez des noix hachées.

Format de la mijoteuse :
6 L

Temps de cuisson :
3 1/2 à 4 h

Intensité : élevée

Donne 8 portions

480 ml (2 tasses) d'eau bouillante
420 ml (1 3/4 tasse) de farine tout usage non blanchie
10 ml (2 c. à thé) de levure chimique
3,75 ml (3/4 c. à thé) de cannelle moulue
1,25 ml (1/4 c. à thé) de piment de la Jamaïque moulu
0,5 ml (1/8 c. à thé) de gingembre moulu
0,5 ml (1/8 c. à thé) de muscade moulue
2,5 ml (1/2 c. à thé) de sel
160 ml (2/3 tasse) de sucre ou d'un édulcorant naturel
3 grosses bananes mûres, écrasées
1 gros œuf ou un produit de remplacement pour 1 œuf
30 ml (2 c. à table) d'huile de maïs ou d'une autre huile au goût léger
5 ml (1 c. à thé) d'extrait de vanille
120 ml (1/2 tasse) de cerises séchées hachées

1. Mettez une grille ou une chevrette dans la mijoteuse de 6 L. Ajoutez l'eau bouillante, couvrez la mijoteuse et réglez-la à intensité élevée. Huilez légèrement le moule à gâteau qui entrera dans la mijoteuse.

2. Au-dessus d'un bol, tamisez ensemble la farine, la levure chimique, les épices et le sel. Ajoutez le sucre et mélangez.

3. Dans un grand bol, mélangez les bananes, l'œuf ou le succédané d'œuf, l'huile et la vanille. Tout en remuant, versez le mélange sec dans le mélange humide, environ un tiers à la fois. Incorporez les cerises.

4. Versez la préparation dans le moule à gâteau et couvrez-le avec un papier d'aluminium dans lequel vous percerez plusieurs trous pour laisser la vapeur s'échapper. Déposez le moule sur le support, couvrez la mijoteuse et faites cuire de 3 1/2 à 4 heures à intensité élevée ou jusqu'à ce qu'un cure-dent inséré dans le centre en ressorte sec.

5. Retirez le gâteau de la mijoteuse. Enlevez le papier d'aluminium et laissez tiédir 15 minutes avant de servir.

Gâteau au chocolat et au beurre d'arachide

Si vous êtes amateur de ces friandises au beurre d'arachide dans un enrobage chocolaté, ce gâteau devrait être la réponse à vos prières. Le chocolat dense se trouve à l'intérieur, enrobé d'un glaçage crémeux au beurre d'arachide. De plus, puisque cette recette se fait dans la mijoteuse, vous n'avez pas à vous inquiéter de faire brûler le gâteau dans le four, et la cuisson lente garantit un gâteau moelleux.

Format de la mijoteuse :
6 L

Temps de cuisson :
3 à 3 1/2 h

Intensité : élevée

Donne 8 portions

480 ml (2 tasses) d'eau bouillante

Gâteau
360 ml (1 1/2 tasse) de farine tout usage non blanchie
60 ml (1/4 tasse) de poudre de cacao non sucrée
10 ml (2 c. à thé) de levure chimique
1,25 ml (1/4 c. à thé) de sel
60 ml (1/4 tasse) de margarine non hydrogénée, ramollie
240 ml (1 tasse) de sucre cristallisé blanc ou d'un
    édulcorant naturel
113 g (4 oz) de chocolat mi-sucré, fondu
2 gros œufs ou un produit de remplacement pour 2 œufs
240 ml (1 tasse) de lait ou de lait de soja
5 ml (1 c. à thé) d'extrait de vanille

Glaçage
480 ml (2 tasses) de sucre glace
160 ml (2/3 tasse) de beurre d'arachide crémeux
    (n'utilisez pas le beurre nature)
80 ml (1/3 tasse) de tofu velouté, égoutté
30 ml (2 c. à table) de margarine non hydrogénée,
    ramollie
5 ml (1 c. à thé) d'extrait de vanille

Garniture facultative
240 ml (1 tasse) de fins copeaux de chocolat
    (voir page suivante)

1. Mettez une grille ou une chevrette dans la mijoteuse de 6 L. Versez l'eau bouillante, couvrez la mijoteuse et réglez cette dernière à intensité élevée. Huilez légèrement le moule à gâteau qui entrera dans la mijoteuse.

2. Pour le gâteau, mélangez la farine, le cacao, la levure chimique et le sel dans un bol de format moyen.

3. À vitesse maximale, dans le grand bol du mixeur, défaites la margarine en crème avec le sucre granulé. Incorporez le chocolat fondu, les œufs ou le succédané d'œuf, le lait et la vanille en continuant à battre jusqu'à ce que le mélange soit léger. À vitesse réduite, incorporez les ingrédients secs jusqu'à l'obtention d'un mélange homogène.

4. Versez le mélange dans le moule huilé et couvrez ce dernier avec un papier d'aluminium dans lequel vous percerez plusieurs trous pour permettre à la vapeur de s'échapper. Placez le moule sur le support, couvrez la mijoteuse et faites cuire de 3 à 3 1/2 heures à intensité élevée ou jusqu'à ce qu'un cure-dent inséré dans le centre en ressorte sec.

5. Retirez le gâteau de la mijoteuse. Enlevez le papier d'aluminium du moule. Laissez le gâteau refroidir de 15 à 20 minutes, puis retournez-le sur un plat pour le démouler. Laissez tiédir. (Si vous utilisez un moule à charnière, passez simplement un couteau autour du gâteau et démoulez.)

6. Pour le glaçage, mélangez les ingrédients dans un robot culinaire ou un mélangeur jusqu'à l'obtention d'une texture lisse et crémeuse. Réfrigérez au moins 1 heure pour laisser raffermir, puis glacez le gâteau. Si vous le désirez, garnissez avec les fins copeaux de chocolat.

Gâteau au chocolat et à la noix de coco

Voici une autre version du gâteau au chocolat, relevé cette fois avec de la noix de coco. J'utilise un moule à charnière de 17,5 cm (7 po) pour faire ce gâteau (de même que pour de nombreuses recettes de ce chapitre). Les résultats sont excellents.

Format de la mijoteuse :
6 L

Temps de cuisson :
3 à 3 1/2 h

Intensité : élevée

Donne 8 portions

480 ml (2 tasses) d'eau bouillante

Gâteau
60 ml (1/4 tasse) de margarine non hydrogénée, ramollie
240 ml (1 tasse) de sucre ou d'un édulcorant naturel
2 gros œufs ou un produit de remplacement pour 2 œufs
240 ml (1 tasse) de lait de coco, non sucré
5 ml (1 c. à thé) d'extrait de vanille
113 g (4 oz) de chocolat non sucré, fondu
360 ml (1 1/2 tasse) de farine tout usage non blanchie
60 ml (1/4 tasse) de poudre de cacao non sucrée
10 ml (2 c. à thé) de levure chimique
1,25 ml (1/4 c. à thé) de sel

Glaçage
120 ml (1/2 tasse) de noix de cajou crues, non salées
80 ml (1/3 tasse) de lait de coco non sucré
170 g (6 oz) de tofu velouté, égoutté
60 ml (1/4 tasse) de sirop d'érable pur
5 ml (1 c. à thé) d'extrait de vanille
240 ml (1 tasse) de noix de coco râpée non sucrée

Garniture facultative
240 ml (1 tasse) de noix de coco râpée non sucrée, grillée
(voir page suivante)

1. Mettez une grille ou une chevrette dans la mijoteuse de 6 L. Versez l'eau bouillante, couvrez la mijoteuse et réglez-la à intensité élevée. Huilez légèrement le moule à gâteau qui entrera dans la mijoteuse.

2. Pour le gâteau, défaites la margarine en crème avec le sucre dans le grand bol du mixeur. Incorporez les œufs ou le succédané d'œuf, le lait de coco, la vanille et le chocolat fondu tout en continuant à battre jusqu'à ce que le mélange soit léger.

3. Dans un bol de format moyen, mélangez la farine, le cacao, la levure chimique et le sel. À basse vitesse, incorporez ces ingrédients secs dans le mélange précédent et brassez jusqu'à l'obtention d'un mélange homogène.

4. Versez ce mélange dans le moule huilé et couvrez ce dernier avec un papier d'aluminium dans lequel vous percerez plusieurs trous pour permettre à la vapeur de s'échapper. Placez le moule sur le support, couvrez la mijoteuse et faites cuire de 3 à 3 1/2 heures à intensité élevée ou jusqu'à ce qu'un cure-dent inséré dans le centre en ressorte sec.

5. Retirez le gâteau de la mijoteuse. Enlevez le papier d'aluminium du moule. Laissez le gâteau refroidir pendant 15 minutes, puis retournez-le sur un plat pour le démouler. Laissez tiédir. (Si vous utilisez un moule à charnière, passez simplement un couteau autour du gâteau et démoulez.)

6. Pour le glaçage, pulvérisez les noix de cajou dans un mélangeur ou un robot culinaire. Ajoutez le lait de coco et actionnez l'appareil jusqu'à l'obtention d'une texture lisse. Ajoutez le tofu, le sirop d'érable et la vanille, et actionnez l'appareil jusqu'à l'obtention d'une texture lisse et crémeuse. Transvasez dans un bol et ajoutez la noix de coco. Réfrigérez au moins 1 heure pour que le glaçage se raffermisse.

7. Glacez le gâteau et, si vous le désirez, garnissez-le avec de la noix de coco grillée.

Comment faire griller la noix de coco

Préchauffer le four à 180 °C (350 °F). Disposez la noix de coco râpée sur une plaque à pâtisserie ou dans un moule peu profond. Faites dorer au four environ 10 minutes. Remuez de temps à autre pour obtenir une coloration uniforme. Laissez la noix de coco refroidir à la température ambiante avant de vous en servir.

Tiramisu au tofu

On utilise habituellement du mascarpone pour faire un tiramisu. Au lieu de cela, j'utilise du tofu et du fromage à la crème au tofu pour obtenir une stupéfiante version sans cholestérol de ce dessert classique.

Format de la mijoteuse :

6 L

Temps de cuisson :

2 1/2 à 3 h

Intensité : élevée

Donne 8 portions

Eau bouillante (au besoin)

Croûte
360 ml (1 1/2 tasse) de gaufrettes à la vanille broyées
60 ml (1/4 tasse) de margarine non hydrogénée, fondue

Gâteau
227 g (8 oz) de fromage à la crème au tofu
227 g (8 oz) de tofu velouté, égoutté
120 ml (1/2 tasse) de sucre cristallisé blanc
22,5 ml (1 1/2 c. à table) de fécule de maïs
30 ml (2 c. à table) de café filtre corsé
10 ml (2 c. à thé) d'extrait de brandy
1 pincée de sel

Garniture et sauce
Copeaux de chocolat (page 225)
120 ml (1/2 tasse) de sucre glace
30 ml (2 c. à table) de poudre de cacao
120 ml (1/2 tasse) de café filtre corsé ou d'expresso à
    température ambiante
60 ml (1/4 tasse) de brandy

1. Placez une grille ou une chevrette dans la mijoteuse de 6 L. Versez l'eau bouillante, couvrez la mijoteuse et réglez-la à intensité élevée. Huilez légèrement le moule à charnière qui entrera dans la mijoteuse.

2. Pour la croûte, mélangez les miettes de gaufrettes et la margarine dans un bol, tout en remuant avec une fourchette pour humidifier les miettes. Étendez uniformément ce mélange dans le fond et sur les côtés du moule huilé en pressant légèrement.

3. Pour le gâteau, utilisez un robot culinaire ou un batteur manuel et mélangez le fromage à la crème et le tofu jusqu'à l'obtention d'une texture lisse. Ajoutez le sucre granulé, la fécule de maïs, le café, l'extrait de brandy et le sel, en continuant à mélanger jusqu'à l'obtention d'une texture lisse. Versez ce mélange uniformément sur la croûte. Couvrez le moule avec un papier d'aluminium dans lequel vous percerez plusieurs trous pour laisser la vapeur s'échapper. Placez le moule sur le support dans la mijoteuse, couvrez cette dernière et faites cuire de 2 1/2 à 3 heures à intensité élevée ou jusqu'à ce que le gâteau soit ferme.

4. Retirez le moule de la mijoteuse, enlevez le papier d'aluminium et laissez tiédir. Réfrigérez ensuite pendant plusieurs heures, voire toute la nuit, avant de démouler.

5. Au moment de servir, retirez la paroi du moule à charnière en utilisant un couteau pour détacher le gâteau si nécessaire. Garnissez le gâteau de copeaux de chocolat.

6. Pour la sauce, mélangez le sucre glace, la poudre de cacao, le café et le brandy dans un petit bol. Remuez jusqu'à l'obtention d'une texture lisse. Ajoutez du sucre si vous désirez une sauce plus sucrée. Versez une bonne cuillérée de sauce dans chaque assiette à dessert avant d'y déposer une tranche de gâteau.

Gâteau au fromage citron-lime avec croûte au gingembre

Le goût vif et léger du citron se marie ici à une garniture crémeuse, ce qui fait de ce gâteau le dessert idéal après un repas épicé. Si vous n'avez pas de treillis ou de chevrette qui entre dans votre mijoteuse, utilisez un petit bol que vous placerez à l'envers pour surélever le moule.

Format de la mijoteuse :
6 L

Temps de cuisson :
2 1/2 à 3 h

Intensité : élevée

Donne 8 portions

Eau bouillante (au besoin)

Croûte
360 ml (1 1/2 tasse) de miettes de biscuits au gingembre
60 ml (1/4 tasse) de margarine non hydrogénée, fondue

Gâteau
227 g (8 oz) de fromage à la crème régulier ou au tofu
340 g (12 oz) de tofu velouté, égoutté
180 ml (3/4 tasse) de sucre
Jus et zeste de 1 citron
Jus et zeste de 1 lime
5 ml (1 c. à thé) d'extrait de vanille pur
30 ml (2 c. à table) de fécule de maïs

Garniture
120 ml (1/2 tasse) d'amandes effilées, grillées (page 197)

1.   Mettez une grille ou une chevrette dans la mijoteuse de 6 L. Versez environ 1,5 cm (1/2 po) d'eau bouillante, couvrez la mijoteuse et réglez-la à intensité élevée. Huilez légèrement le moule à charnière de 17,5 cm (7 po).

2.   Pour la croûte, mélangez les miettes de biscuits au gingembre et la margarine dans un bol, tout en remuant avec une fourchette pour humidifier les miettes. Pressez ce mélange légèrement dans le fond et sur les côtés du moule huilé.

3.   Pour le gâteau, utilisez un mélangeur, un robot culinaire ou un mixeur manuel. Mélanger le fromage à la crème, le tofu et le sucre jusqu'à l'obtention d'une texture lisse et crémeuse. Incorporez les jus et les zestes de citron et de lime, la vanille et la fécule de maïs, en mélangeant bien. Versez ce mélange uniformément sur la croûte. Couvrez le moule d'un papier d'aluminium dans lequel vous percerez plusieurs trous pour permettre à la vapeur de s'échapper. Placez le moule sur le support dans la mijoteuse, couvrez cette dernière et faites cuire de 2 1/2 à 3 heures à intensité élevée ou jusqu'à ce que le gâteau soit ferme.

4.   Retirez le moule de la mijoteuse, enlevez le papier d'aluminium et laissez tiédir. Réfrigérez ensuite pendant plusieurs heures, voire toute la nuit, avant de démouler.

5.   Pour servir, enlevez la paroi du moule à charnière, en utilisant un couteau pour détacher le gâteau si nécessaire. Garnissez le gâteau avec les amandes grillées.

Gâteau au fromage au chocolat et aux amandes

Ce somptueux gâteau au fromage dégage un arôme envoûtant qui vous donnera envie de le grignoter bien avant qu'il ne soit prêt !

Format de la mijoteuse :
6 L

Temps de cuisson :
2 1/2 à 3 h

Intensité : élevée

Donne 8 portions

Eau bouillante (au besoin)

Croûte
360 ml (1 1/2 tasse) de gaufrettes au chocolat broyées
60 ml (1/4 tasse) de margarine non hydrogénée, fondue

Gâteau
1 paquet de 227 g (8 oz) de fromage à la crème régulier
  ou au tofu
227 g (8 oz) de tofu velouté, égoutté
120 ml (1/2 tasse) de sucre
113 g (4 oz) de chocolat mi-sucré, fondu
22,5 ml (1 1/2 c. à table) de fécule de maïs
5 ml (1 c. à thé) d'extrait d'amande pur
1 pincée de sel

Garniture
120 ml (1/2 tasse) d'amandes effilées, grillées (page 197)
120 ml (1/2 tasse) de copeaux de chocolat (page 225)

1. Mettez une grille ou une chevrette dans la mijoteuse de 6 L. Versez environ 1,5 cm (1/2 po) d'eau bouillante, couvrez la mijoteuse et réglez-la à intensité élevée. Huilez légèrement le moule à charnière de 17,5 cm (7 po).

2. Pour la croûte, mélangez les miettes de gaufrettes et la margarine dans un bol, tout en remuant avec une fourchette pour humidifier les miettes. Étendez uniformément ce mélange dans le fond et sur les côtés du moule en pressant légèrement.

3. Pour le gâteau, utilisez un robot culinaire ou un mixeur manuel. Mélanger le fromage à la crème et le tofu jusqu'à l'obtention d'une texture lisse. Incorporez le sucre, le chocolat, la fécule de maïs, l'extrait d'amande et le sel. Mélangez de nouveau jusqu'à l'obtention d'une texture lisse. Versez ce mélange uniformément dans le moule. Couvrez le moule avec un papier d'aluminium dans lequel vous percerez plusieurs trous pour permettre à la vapeur de s'échapper. Placez le moule sur le support dans la mijoteuse, couvrez cette dernière et faites cuire de 2 1/2 à 3 heures à intensité élevée ou jusqu'à ce que le gâteau soit ferme.

4. Retirez le gâteau de la mijoteuse et enlevez le papier d'aluminium du moule. Laissez tiédir. Réfrigérez ensuite pendant plusieurs heures, voire toute la nuit, avant de démouler.

5. Avant de servir, enlevez la paroi du moule à charnière, en utilisant un couteau pour détacher le gâteau si nécessaire. Garnissez le gâteau d'amandes, surtout au centre, et disposez les copeaux de chocolat tout autour.

Renversé aux pêches et aux bleuets

Voici une recette simple où vous laissez simplement « tomber » les ingrédients dans la mijoteuse. Quelques heures plus tard, vous obtenez un dessert !

Format de la mijoteuse :
3,5 à 4 L

Temps de cuisson :
2 h

Intensité : élevée

Donne 4 portions

4 grosses pêches mûres, pelées (voir la note à la page 210), dénoyautées et coupées en dés
240 ml (1 tasse) de bleuets frais (myrtilles), triés
120 ml (1/2 tasse) de cassonade blonde bien tassée ou d'un édulcorant naturel
180 ml (3/4 tasse) de flocons d'avoine
80 ml (1/3 tasse) de margarine non hydrogénée, ramollie
5 ml (1 c. à thé) de cannelle moulue
1,25 ml (1/4 c. à thé) de sel

1. Mettez les pêches dans la mijoteuse de 3,5 à 4 L. Tout en remuant bien, incorporez les bleuets et 60 ml (1/4 tasse) de cassonade.
2. Dans un bol, mélangez les autres 60 ml (1/4 tasse) de cassonade, les flocons d'avoine, la margarine, la cannelle et le sel. Versez ce mélange sur les fruits.
3. Couvrez la mijoteuse en gardant un petit jeu pour laisser la vapeur s'échapper. Faites cuire environ 2 heures à intensité élevée. Si le dessert est trop liquide, retirez le couvercle et faites cuire 30 minutes de plus. Servez chaud.

Ce n'est pas toujours de la tarte !

Voici un petit lexique qui vous aidera à distinguer les différents desserts aux fruits qui peuvent être faits à la mijoteuse. Les différences, ici, sont toujours délicieuses !

Cobbler : Dessert aux fruits avec une garniture croustillante, cuit dans un moule à tarte ou un autre plat peu profond (carré ou rectangulaire).
Sablé : Dessert fait d'un étage de compote de fruits recouvert de pâte sablée.
Renversé : Dessert composé d'une couche de compote de fruits recouverte d'une pâte à gâteau ; on parle aussi de gâteau renversé.
Tourte aux fruits : Dessert aux fruits cuit dans un moule profond, avec une croûte épaisse sur le dessus (une sorte de tarte sans fond).

Cobbler aux bleuets

Cette tourte, facile à préparer, cuit assez rapidement (pour une recette à la mijoteuse). Il m'arrive d'en commencer la cuisson avant le repas du soir, et elle est prête à servir, chaude et parfumée, juste à la fin du repas — quand nous commençons à avoir envie d'une petite bouchée sucrée. Voici une façon parfaite de faire une tourte pendant les journées chaudes de l'été, alors que les bleuets sont à leur meilleur et que vous ne voulez pas travailler dans la chaleur des fourneaux.

Format de la mijoteuse :
3,5 à 4 L

Temps de cuisson :
1 1/2 h

Intensité : élevée

Donne 4 portions

750 ml (3 tasses) de bleuets frais (myrtilles), triés
120 ml (1/2 tasse) de sucre ou d'un édulcorant naturel
15 ml (1 c. à table) de fécule de maïs
60 ml (1/4 tasse) d'eau bouillante
180 ml (3/4 tasse) de farine tout usage non blanchie
5 ml (1 c. à thé) de levure chimique
1 pincée de sel
1 pincée de cannelle moulue
80 ml (1/3 tasse) de lait ou de lait de soja
15 ml (1 c. à table) d'huile de maïs ou d'une autre huile
   au goût léger

1.   Dans la mijoteuse de 3,5 à 4 L, mélangez les bleuets, 60 ml (1/4 tasse) de sucre et la fécule de maïs, tout en remuant pour bien enrober les bleuets. Réglez la mijoteuse à intensité élevée et versez l'eau bouillante. Remuez le tout.

2.   Dans un petit bol, mélangez la farine, 60 ml (1/4 tasse) de sucre, la levure chimique, le sel et la cannelle.

3.   Dans un autre petit bol, mélangez le lait et l'huile. Versez les ingrédients liquides sur les ingrédients secs, tout en mélangeant bien. Étendez ce mélange uniformément sur les bleuets. Couvrez la mijoteuse et faites cuire 1 1/2 heure à intensité élevée.

4.   Enlevez le couvercle, éteignez la mijoteuse et laissez reposer la tourte 20 minutes avant de servir.

Tarte aux pommes sans croûte

Ce mélange de pommes et de cannelle rappelle la tarte aux pommes, mais ne demande pas l'effort de préparer un fond de tarte. Je sers ce dessert réconfortant alors qu'il est chaud, avec de la glace à la vanille sans produits laitiers.

Format de la mijoteuse :
3,5 à 4 L

Temps de cuisson :
3 1/2 à 4 h

Intensité : faible

Donne 4 à 6 portions

4 pommes Granny Smith pelées, étrognées et émincées
30 ml (2 c. à table) de farine tout usage non blanchie
120 ml (1/2 tasse) de cassonade blonde bien tassée ou d'un édulcorant naturel
2,5 ml (1/2 c. à thé) de cannelle moulue
60 ml (1/4 tasse) de raisins secs dorés ou de canneberges sucrées et séchées (facultatif)
120 ml (1/2 tasse) de flocons d'avoine
30 ml (2 c. à table) de margarine non hydrogénée, ramollie
Glace à la vanille (régulière ou sans produits laitiers) pour le service

1. Dans un grand bol, mélangez les pommes, la farine, 60 ml (1/4 tasse) de cassonade, 1,25 ml (1/4 c. à thé) de cannelle et les raisins secs (si vous les utilisez). Remuez pour enrober les pommes, puis versez dans la mijoteuse de 3,5 à 4 L.
2. Dans un petit bol, mélangez les flocons d'avoine, 60 ml (1/4 tasse) de cassonade, 1,25 ml (1/4 c. à thé) de cannelle et la margarine. Versez ce mélange sur les pommes. Couvrez la mijoteuse et laissez cuire de 3 1/2 à 4 heures à faible intensité.
3. Servez chaud dans des coupes à dessert, garni d'une boule de glace à la vanille.

Pudding aux poires et au brandy Betty

Voici une variante intéressante du pudding aux pommes Betty, où on utilise des poires et du brandy (ou de l'extrait de brandy). Chaud accompagné d'une boule de glace à la vanille régulière ou sans produits laitiers, ce pudding est des plus délicieux Vous pouvez utiliser des poires d'Anjou, Bosc ou Bartlett.

Format de la mijoteuse :
3,5 à 4 L

Temps de cuisson :
3 h

Intensité : faible

Donne 6 à 8 portions

1 L (4 tasses) de cubes de pain blanc
180 ml (3/4 tasse) de cassonade blonde bien tassée ou d'un édulcorant naturel
60 ml (1/4 tasse) de sirop d'érable pur
30 ml (2 c. à table) d'huile de maïs ou d'une autre huile au goût léger
2,5 ml (1/2 c. à thé) de cannelle moulue
1,25 ml (1/4 c. à thé) de piment de la Jamaïque moulu
1,25 ml (1/4 c. à thé) de gingembre moulu
1,25 ml (1/4 c. à thé) de muscade moulue
0,5 ml (1/8 c. à thé) de sel
4 poires mûres de grosseur moyenne pelées, étrognées, et coupées en dés
30 ml (2 c. à table) de brandy ou 15 ml (1 c. à table) d'extrait de brandy
15 ml (1 c. à table) de jus de citron frais

1. Dans un grand bol, mélangez les cubes de pain, la cassonade, le sirop d'érable, l'huile, les épices et le sel.
2. Dans un autre bol, mélangez les poires, le brandy et le jus de citron.
3. Huilez légèrement la mijoteuse de 3,5 à 4 L. Faites alterner une couche de mélange de pain avec une couche de mélange de poires pour obtenir deux étages de chacun. Couvrez la mijoteuse et laissez cuire 3 heures à faible intensité ou jusqu'à ce que le pudding soit ferme. Servez chaud.

Pudding de pain perdu au gingembre et à l'ananas

Ce pudding de pain perdu réconfortant est parfumé avec du gingembre et de la cannelle. De plus, il est parsemé d'ananas, ce qui lui donne un véritable goût tropical. Un soupçon de noix de coco grillée complète le tout à merveille.

Format de la mijoteuse :
3,5 à 4 L

Temps de cuisson :
3 h

Intensité : faible

Donne 6 à 8 portions

1 L (4 tasses) de cubes de pain blanc
750 ml (3 tasses) d'ananas frais pelé, étrogné, coupé en dés, ou 2 boîtes de 454 g (16 oz) d'ananas broyé, bien égoutté
180 ml (3/4 tasse) de cassonade blonde bien tassée ou d'un édulcorant naturel
5 ml (1 c. à thé) de cannelle moulue
2,5 ml (1/2 c. à thé) de gingembre moulu
5 ml (1 c. à thé) d'extrait de vanille
0,5 ml (1/8 c. à thé) de sel
180 ml (3/4 tasse) de lait de coco non sucré
Noix de coco non sucrée et grillée (page 227 ; facultatif)

1. Pressez la moitié des cubes de pain dans le fond de la mijoteuse de 3,5 à 4 L légèrement huilée.
2. Dans un grand bol, mélangez l'ananas, la cassonade, la cannelle, le gingembre, la vanille et le sel. Incorporez ensuite le lait de coco.
3. Versez la moitié de ce mélange dans la mijoteuse, en pressant les morceaux de pain pour les humecter. Versez ensuite dans cet ordre le reste du pain et du mélange d'ananas, Couvrez la mijoteuse et laissez cuire 3 heures à faible intensité ou jusqu'à ce que le pudding soit ferme.
4. Éteignez la mijoteuse et laissez reposer le pudding à couvert pendant 20 minutes avant de servir. Si vous le désirez, garnissez avec la noix de coco grillée.

Pudding de pain perdu à la citrouille et au bourbon

Ce pudding est l'un des favoris de notre famille par temps froid. Il ravira vos convives pendant les fêtes de l'automne, si vous voulez profiter du bon goût de la citrouille sans avoir à préparer une tarte.

Format de la mijoteuse :
3,5 à 4 L

Temps de cuisson :
3 h

Intensité : faible

Donne 6 à 8 portions

1 L (4 tasses) de cubes de pain blanc
750 ml (3 tasses) de lait ou de lait de soja à la vanille
1 boîte de 454 g (16 oz) de citrouille
180 ml (3/4 tasse) de cassonade blonde bien tassée ou d'un édulcorant naturel
60 ml (1/4 tasse) de bourbon
5 ml (1 c. à thé) d'extrait de vanille pur
7,5 ml (1 1/2 c. à thé) de cannelle moulue
2,5 ml (1/2 c. à thé) de gingembre moulu
1,25 ml (1/4 c. à thé) de piment de la Jamaïque moulu
1,25 ml (1/4 c. à thé) de muscade moulue
1,25 ml (1/4 c. à thé) de sel

1. Pressez la moitié des cubes de pain dans le fond de la mijoteuse de 3,5 à 4 L légèrement huilée.

2. Dans une casserole, faites chauffer le lait jusqu'à ce qu'il soit très chaud, mais non bouillant. Retirez la casserole du feu et réservez.

3. Dans un grand bol, mélangez la citrouille, la cassonade, le bourbon, la vanille, les épices et le sel. Tout en remuant constamment, incorporez lentement le lait chaud. Versez doucement la moitié de ce mélange dans la mijoteuse en pressant les morceaux de pain pour les humecter. Ajoutez ensuite dans cet ordre le reste du pain et le reste du mélange de citrouille. Couvrez la mijoteuse et laissez cuire 3 heures à faible intensité ou jusqu'à ce que le pudding soit ferme.

4. Éteignez la mijoteuse et laissez reposer le pudding à couvert pendant 20 minutes avant de servir.

Pouding au riz brun, aux raisins secs et aux amandes grillées

J'utilise le riz brun parce qu'il est plus nutritif que le riz blanc, sans compter que son goût est plus riche. Cependant, si vous préférez une saveur plus traditionnelle, vous pouvez employer le riz blanc. Même si la présente recette incorpore des raisins secs, vous pouvez faire preuve d'audace et essayer différents fruits séchés, par exemple des tranches de banane ou des abricots hachés.

Format de la mijoteuse :
3,5 à 4 L

Temps de cuisson :
3 à 4 h

Intensité : faible

Donne 4 à 6 portions

600 ml (2 1/2 tasses) de riz brun, cuit
360 ml (1 1/2 tasse) de lait ou de lait de soja à la vanille
120 ml (1/2 tasse) de cassonade blonde bien tassée ou d'un édulcorant naturel
5 ml (1 c. à thé) d'extrait de vanille
2,5 ml (1/2 c. à thé) de cannelle moulue
1 pincée de sel
80 ml (1/3 tasse) de raisins secs dorés ou d'autres fruits secs
120 ml (1/2 tasse) d'amandes effilées et grillées (page 197)

1.   Dans la mijoteuse de 3,5 à 4 L légèrement huilée, mélangez les ingrédients, sauf les raisins secs et les amandes. Couvrez la mijoteuse et, tout en remuant une fois à mi-cuisson — ajoutez les raisins secs en même temps –, laissez cuire de 3 à 4 heures à faible intensité.
2.   Servez chaud ou froid garni d'amandes grillées.

Pouding au riz, à la vanille et aux fins copeaux de chocolat blanc

Puisque cette recette se prépare avec du riz cru, le temps de cuisson sera plus long que la recette précédente qui, elle, utilise du riz cuit. Toutefois, les deux préparations profiteront d'être remuées au moins une fois à mi-cuisson. C'est pourquoi, vous devriez choisir une journée où vous restez à la maison pour faire un pouding au riz. La garniture de chocolat blanc transforme cette recette réconfortante en gâterie gourmande, mais vous pouvez l'omettre et plutôt saupoudrer de cannelle.

Format de la mijoteuse :
3,5 à 4 L

Temps de cuisson :
6 h

Intensité : faible

Donne 4 à 6 portions

240 ml (1 tasse) de riz à grain long blanc, non cuit
1 L (4 tasses) de lait ou de lait de soja à la vanille
15 ml (1 c. à table) de margarine non hydrogénée
160 ml (2/3 tasse) de sucre ou d'un édulcorant naturel (ou au goût)
7,5 à 10 ml (1 1/2 à 2 c. à thé) d'extrait de vanille (ou au goût)
1,25 ml (1/4 c. à thé) de sel

Garniture
Copeaux de chocolat blanc (page 225) ou 2,5 ml (1/2 c. à thé) de cannelle moulue (facultatif)

1. Mélangez le riz, le lait, la margarine, le sucre, la vanille et le sel dans la mijoteuse de 3,5 à 4 L. Couvrez cette dernière et laissez cuire 6 heures à faible intensité ou jusqu'à ce que le riz soit tendre, et le lait, absorbé. Remuez au moins une fois, à mi-cuisson si possible.
2. Enlevez le couvercle pour laisser tiédir. Servez à la température ambiante ou réfrigérez dans un contenant hermétique. Servez garni de fins copeaux de chocolat blanc ou, si vous le désirez, saupoudrez de cannelle.

Gâteau-pudding au chocolat fondant

Servi chaud, ce dessert a la consistance du pudding mais, en refroidissant, il ressemble davantage à un gâteau. Quelle que soit votre préférence, il est facile à confectionner et parfaitement chocolaté. Servez-le avec de la glace à la vanille régulière ou sans produits laitiers.

Format de la mijoteuse :
6 L

Temps de cuisson :
3 h

Intensité : élevée

Donne 4 à 6 portions

480 ml (2 tasses) d'eau bouillante
240 ml (1 tasse) de sucre ou d'un édulcorant naturel
30 ml (2 c. à table) d'huile de maïs ou d'une autre huile au goût léger
360 ml (1 1/2 tasse) de lait ou de lait de soja au chocolat ou à la vanille
2,5 ml (1/2 c. à thé) d'extrait de vanille ou de la liqueur de votre choix
240 ml (1 tasse) de farine tout usage non blanchie
120 ml (1/2 tasse) de poudre de cacao non sucrée
10 ml (2 c. à thé) de levure chimique
1,25 ml (1/4 c. à thé) de sel
Amandes effilées grillées (page 197)

1. Mettez une grille ou une chevrette dans la mijoteuse de 6 L. Versez-y l'eau bouillante, couvrez la mijoteuse et réglez à intensité élevée. Huilez légèrement le moule à gâteau qui entrera dans la mijoteuse.

2. Dans un grand bol, fouettez le sucre et l'huile jusqu'à ce qu'ils soient bien mélangés. Incorporez le lait et la vanille.

3. Dans un petit bol, mélangez la farine, le cacao, la levure chimique et le sel. Incorporez les ingrédients secs dans les ingrédients humides pour qu'ils soient à peine humectés. Versez ce mélange dans le moule et couvrez ce dernier d'un papier d'aluminium où vous percerez plusieurs trous pour permettre à la vapeur de s'échapper. Placez le moule sur le support, couvrez la mijoteuse et faites cuire 3 heures à intensité élevée ou jusqu'à ce qu'un cure-dent inséré au centre du gâteau-pudding en ressorte sec.

4. Laissez reposer au moins 10 minutes avant de servir. Garnissez avec des amandes, et servez chaud ou à la température ambiante.

Merveilleuse fondue au chocolat

À l'instar des mijoteuses, les fondues connaissent un regain de popularité. Vous pouvez faire cette fondue directement dans votre mijoteuse ; elle ravira les amateurs de chocolat. Qu'y a-t-il de mieux qu'une délicieuse fondue aromatisée avec votre liqueur préférée, dans laquelle vous plongerez des morceaux de gâteau, des fruits ou toute autre friandise de votre choix ?

Format de la mijoteuse :
1 à 1,5 L

Temps de cuisson :
1 h

Intensité : élevée

Donne 6 portions

340 g (12 oz) de chocolat mi-sucré
360 ml (3/4 tasse) de lait ou de lait de soja à la vanille
30 ml (2 c. à table) de la liqueur de votre choix
 (facultatif ; Amaretto ou Frangelico sont de bons choix)
Assortiment de fruits frais, coupés en morceaux si nécessaire
 (fraises, bananes, cerises, ananas, etc.)
Gâteau ferme ou biscuits, coupés en morceaux
 (les bretzels sont aussi très amusants)

1. Cassez le chocolat en morceaux et mettez-le dans la mijoteuse de 1 à 1,5 L. Ajoutez le lait et, si vous l'utilisez, la liqueur. Faites cuire à intensité élevée environ 1 heure à découvert. Remuez de temps à autre jusqu'à l'obtention d'un mélange lisse. Ajoutez un peu de lait si la consistance est trop épaisse.

2. Apportez le « plat à fondue » (c'est-à-dire la mijoteuse) sur la table avec des fourchettes à fondue ou des brochettes en bois. Disposez les fruits et le gâteau dans des plats de service et mettez-les sur la table pour que les convives puissent faire leur choix. Il ne reste plus qu'à piquer les fruits ou le gâteau sur la brochette et à tremper dans le chocolat.

Pommes cuites à feu doux

Ce dessert, sain et facile à faire, remplit la maison d'un merveilleux arôme de tarte aux pommes. Je sers parfois ces pommes cuites en accompagnement de certains plats, tel le « Rôti braisé non traditionnel » (page 142).

Format de la mijoteuse :
3,5 à 6 L (selon la quantité de pommes)

Temps de cuisson :
3 à 4 h

Intensité : faible

Donne 4 à 6 portions

4 à 6 pommes à cuire, comme des Granny Smith ou des Rome Beauty, étrognées
Jus de 1 citron
60 ml (1/4 tasse) de cassonade blonde bien tassée ou d'un édulcorant naturel
5 ml (1 c. à thé) de cannelle moulue
30 ml (2 c. à table) de margarine non hydrogénée
120 ml (1/2 tasse) de jus de pomme

1. Pelez les pommes à partir du dessus jusqu'à environ un tiers de leur hauteur. Frottez la partie exposée avec le jus de citron pour éviter l'oxydation.

2. Mettez les pommes debout dans la mijoteuse de 3,5 à 6 L. Saupoudrez la cassonade et la cannelle, et déposez des morceaux de margarine sur le dessus. Versez le jus de pomme. Couvrez la mijoteuse et laissez cuire de 3 à 4 heures à faible intensité ou jusqu'à ce que les pommes soient tendres. Ces pommes sont délicieuses servies chaudes, froides ou à la température ambiante.

Pommes farcies aux canneberges et au beurre d'amande

Le centre de ces pommes cuites cache une surprise : un délicieux mélange de canneberges séchées, d'amandes et d'épices.

Format de la mijoteuse :
5,5 à 6 L

Temps de cuisson :
3 à 4 h

Intensité : faible

Donne 6 portions

6 pommes à cuire, comme des Granny Smith ou des Rome Beauty, étrognées
Jus de 1 citron
45 ml (3 c. à table) de farine tout usage non blanchie
45 ml (3 c. à table) de sucre ou d'un édulcorant naturel
2,5 ml (1/2 c. à thé) de cannelle moulue
0,5 ml (1/8 c. à thé) de sel
45 ml (3 c. à table) de beurre d'amande
15 ml (1 c. à table) de margarine non hydrogénée
120 ml (1/2 tasse) de canneberges sucrées et séchées
60 ml (1/4 tasse) d'amandes hachées
160 ml (2/3 tasse) de jus de canneberge
160 ml (2/3 tasse) d'eau

1.   Pelez les pommes à partir du dessus jusqu'à environ un tiers de leur hauteur. Frottez la partie exposée avec le jus de citron pour éviter l'oxydation.

2.   Dans un petit bol, mélangez la farine, le sucre, la cannelle, le sel, le beurre d'amande et la margarine jusqu'à l'obtention d'une texture granuleuse. Tout en mélangeant bien, incorporez les canneberges et les amandes hachées. Mettez cette farce au centre de chaque pomme, que vous placerez ensuite debout dans la mijoteuse de 5,5 à 6 L. Saupoudrez le reste de la farce sur les pommes.

3.   Mélangez le jus de canneberge et l'eau, et versez tout autour des pommes. Couvrez la mijoteuse et laissez cuire de 3 à 4 heures à faible intensité ou jusqu'à ce que les pommes soient tendres. Servez chaud.

Délicieuses poires pochées

Pour une variante plus sophistiquée, utilisez du vin rouge ou blanc à la place du jus de raisin blanc ou de canneberge. Utilisez les poires de votre choix, Bartlett ou d'Anjou, mais je préfère les Bosc, qui gardent mieux leur forme en cuisant.

Format de la mijoteuse :

4 L

Temps de cuisson :

3 à 4 h

Intensité : faible

Donne 4 portions

80 ml (1/3 tasse) de cassonade blonde bien tassée ou d'un édulcorant naturel
5 ml (1 c. à thé) de cannelle moulue
480 ml (2 tasses) de jus de raisin blanc ou de jus de canneberge
4 poires tout juste mûres
Jus de 1 citron

1. Dans la mijoteuse de 4 L, tout en remuant pour dissoudre la cassonade, mélangez cette dernière, la cannelle et le jus.
2. Pelez les poires à partir du haut jusqu'à mi-hauteur, en laissant la tige intacte. Frottez avec le jus de citron pour empêcher l'oxydation. Coupez une tranche au bas des poires pour que ces dernières puissent tenir debout. Mettez-les dans la mijoteuse. Couvrez et laissez cuire de 3 à 4 heures à faible intensité ou jusqu'à ce que les poires soient tout juste tendres. Évitez de trop faire cuire.
3. À l'aide d'une cuillère à égoutter, mettez les poires dans un plat afin les laisser refroidir. Réglez la mijoteuse à intensité élevée et, à découvert, faites réduire le liquide de moitié. Versez le liquide réduit dans un bol résistant à la chaleur et laissez-le tiédir.
4. Pour servir, disposez une poire entière dans une petite assiette et versez du liquide de cuisson par-dessus. Pour un meilleur goût, servez à la température ambiante.

Les petits-déjeuners et les pains

• • •

Pour de nombreuses personnes, le petit-déjeuner se résume à prendre quelque chose d'« instantané », mais certainement pas un repas qui aura cuit plusieurs heures à la mijoteuse. Pourtant, si vous le préparez la veille, un petit-déjeuner cuit à la mijoteuse représente sûrement un choix de rechange commode à un petit-déjeuner pris sur le pouce.

Plusieurs des recettes présentées dans ce chapitre sont faites avec des grains entiers nutritifs qui peuvent cuire toute la nuit et être prêts à consommer au matin. D'autres ne demandent que quelques heures de cuisson ; alors, à moins d'avoir un lève-tôt dans la maisonnée qui peut mettre la mijoteuse en marche avant que tout le monde se lève, la solution la plus simple consiste à brancher votre mijoteuse dans une minuterie électrique (vous pourrez en trouver une dans une quincaillerie). Cette minuterie vous permettra de mettre votre mijoteuse en marche jusqu'à deux heures après l'heure du coucher (les aliments ne doivent pas être laissés à la température ambiante plus de deux heures).

Les pains proposés dans ce chapitre sont des pains rapides qui peuvent cuire dans la mijoteuse. Le pain brun bostonien, traditionnellement cuit à la vapeur dans une marmite, est tout désigné pour la mijoteuse, mais vous verrez que le pain à la semoule de maïs, le pain à la citrouille et même le délicieux pain aux canneberges et aux noix donnent aussi de bons résultats avec cette méthode de cuisson.

Barres de céréales à l'érable, aux amandes, aux canneberges et aux dattes

Les barres de céréales (muesli) faites à la maison sont plus économiques que celles du commerce, sans compter qu'elles ont meilleur goût puisque vous utilisez les ingrédients frais qui vous plaisent. Vous pouvez également les varier à volonté. Par exemple, remplacez les canneberges par des bleuets séchés, les dattes par des raisins, la noix de coco par un autre ingrédient qui vous plaît. Le mélange à barres de céréales est facile à préparer à la mijoteuse, car vous n'avez pas à craindre qu'il brûle au four.

Format de la mijoteuse : 4 L	1,3 L (5 tasses) de flocons d'avoine
	240 ml (1 tasse) d'amandes en julienne
	180 ml (3/4 tasse) de canneberges sucrées et séchées
Temps de cuisson : 3 1/2 h	180 ml (3/4 tasse) de noix de coco râpée, non sucrée
	120 ml (1/2 tasse) de dattes coupées en petits morceaux
	120 ml (1/2 tasse) de graines de sésame
	160 ml (2/3 tasse) de sirop d'érable pur
Intensité : élevée pour 1 1/2 h ; faible pour 2 h	60 ml (1/4 tasse) d'huile de maïs ou d'une autre huile au goût léger
	1,25 ml (1/4 c. à thé) de cannelle moulue
	1 pincée de sel

Donne environ 1,9 L (8 tasses)

1. Mélangez les ingrédients dans la mijoteuse de 4 L légèrement huilée. Tout en remuant de temps à autre, faites cuire à découvert 1 1/2 heure à intensité élevée.

2. Réglez ensuite la mijoteuse à faible intensité et laissez cuire 2 heures de plus à découvert, tout en remuant de temps à autre, jusqu'à l'obtention d'un mélange sec et croustillant.

3. Étendez la préparation sur une plaque à pâtisserie pour la laisser refroidir complètement. Conservez-la dans des contenants hermétiques. Elle aura meilleur goût si elle est consommée au cours des 2 semaines suivantes.

Gruau à l'ancienne aux pommes et aux raisins

La cuisson à la mijoteuse donne un gruau une consistance très crémeuse. Pour contenter ceux qui préfèrent les flocons d'avoine à texture plus ferme, on garnit de muesli au moment de servir, ce qui ajoute une note sucrée aux céréales chaudes. Utilisez une minuterie électrique pour mettre la mijoteuse en marche 1 heure environ après le coucher, afin que le gruau soit prêt au réveil.

Format de la mijoteuse :
3,5 à 4 L

Temps de cuisson :
6 h

Intensité : faible

Donne 6 portions

360 ml (1 1/2 tasse) de flocons d'avoine
1 L (4 tasses) d'eau froide
5 ml (1 c. à thé) de sel
5 ml (1 c. à thé) de cannelle moulue
1 pomme à cuire de grosseur moyenne, comme une Granny Smith ou une Rome Beauty, pelée, étrognée et râpée
45 ml (3 c. à table) de raisins secs
120 ml (1/2 tasse) de muesli (ou au goût)

1.   Dans la mijoteuse de 3,5 à 4 L légèrement huilée, mélangez les ingrédients, sauf le muesli. Couvrez la mijoteuse et laissez cuire 6 heures à faible intensité.

2.   Versez le gruau dans des bols. Garnissez de muesli. Servez chaud.

Garnitures favorites pour les céréales chaudes

Sirop d'érable
Muesli
Noix grillées hachées
Raisins secs
Graines de tournesol
Graines de lin moulues
Graines de sésame grillées
Canneberges séchées

Pomme, poire et/ou pêche fraîches en petits morceaux
Baies des champs fraîches
Tranches de banane
Prunes séchées en petits morceaux
Cannelle et sucre
Confitures de fruits
Mélasse noire non sulfurée

Pilaf matinal à l'orge et au kamut

Mélangez ce délicieux petit-déjeuner la veille et laissez-le cuire toute la nuit et, par un matin froid d'hiver, réveillez-vous avec son parfum réconfortant. Faites tremper le kamut dans l'eau de 6 à 8 heures afin de le ramollir quelque peu.

Format de la mijoteuse :
3,5 à 4 L

Temps de cuisson :
6 à 8 h

Intensité : faible

Donne 4 portions

80 ml (1/3 tasse) de kamut, trempé 6 à 8 heures dans l'eau
80 ml (1/3 tasse) d'orge perlé
60 ml (1/4 tasse) de flocons d'avoine
30 ml (2 c. à table) de semoule de maïs
120 ml (1/2 tasse) d'un mélange de fruits séchés, hachés
2,5 ml (1/2 c. à thé) de cannelle moulue
2,5 ml (1/2 c. à thé) de sel
1 L (4 tasses) d'eau
5 ml (1 c. à thé) d'extrait de vanille
Sirop d'érable pur au moment de servir

1. Dans la mijoteuse de 3,5 à 4 L, mélangez le kamut, l'orge, les flocons d'avoine et la semoule de maïs. Ajoutez les fruits secs, la cannelle et le sel. Incorporez l'eau et la vanille. Couvrez la mijoteuse et laissez cuire de 6 à 8 heures à faible intensité.

2. Remuez, puis versez dans des bols en ajoutant un filet de sirop d'érable.

Crème de grains de blé aux canneberges et à la cardamome

Mélangez les ingrédients la veille pour que le petit-déjeuner soit prêt le matin suivant. Ces céréales chaudes parfumées sont délicieuses avec un peu de sirop d'érable ou de cassonade et une giclée de lait de soja à la vanille. Si vous préférez, vous pouvez remplacer la cardamome par de la cannelle ou du piment de la Jamaïque.

Format de la mijoteuse :
3,5 à 4 L

Temps de cuisson :
6 à 8 h

Intensité : faible

Donne 4 portions

120 ml (1/2 tasse) de grains de blé
60 ml (1/4 tasse) de blé concassé
120 ml (1/2 tasse) de flocons d'avoine
1 L (4 tasses) d'eau
2,5 ml (1/2 c. à thé) de sel
1,25 ml (1/4 c. à thé) de cardamome moulue
120 ml (1/2 tasse) de canneberges sucrées et séchées

1. Dans la mijoteuse de 3,5 à 4 L, mélangez les grains de blé, le blé concassé, les flocons d'avoine et l'eau. Incorporez le sel et la cardamome. Couvrez la mijoteuse et laissez cuire de 6 à 8 heures à faible intensité.
2. Incorporez les canneberges juste avant de servir.

Mélange fruité au millet

Le goût moelleux et subtil du millet se marie avec des fruits frais et séchés dans un plat alléchant qui commence bien une journée.

Format de la mijoteuse :	
	4 L
Temps de cuisson :	
	6 h
Intensité : faible	

Donne 4 portions

240 ml (1 tasse) de millet
240 ml (1 tasse) de fruits séchés hachés (au goût)
1 poire mûre pelée, étrognée et coupée en petits morceaux
5 ml (1 c. à thé) de gingembre frais, pelé et râpé
750 ml (3 tasses) de jus de pomme
240 ml (1 tasse) d'eau
2,5 ml (1/2 c. à thé) de sel

1. Mettez le millet dans un petit poêlon sec. Tout en remuant constamment, faites-le griller à feu moyen pendant environ 5 minutes. Faites attention à ne pas le brûler.
2. Versez le millet dans la mijoteuse de 4 L et ajoutez le reste des ingrédients. Couvrez et laissez cuire 6 heures à faible intensité.

Congee à go go

Le *congee* est un gruau de riz servi au petit-déjeuner en Chine, mais on peut également le consommer à d'autres moments de la journée. Servez-le accompagné de condiments que les convives ajouteront selon leurs préférences. Presque toutes les variétés de riz peuvent être utilisées pour faire un congee ; cependant, le riz arborio donnera la texture la plus crémeuse.

Format de la mijoteuse :
3,5 à 4 L

Temps de cuisson :
6 à 8 h

Intensité : faible

Donne 6 portions

240 ml (1 tasse) de riz arborio ou d'une autre variété de riz
1 petit oignon jaune haché
240 ml (1 tasse) de chou napa finement râpé
15 ml (1 c. à table) de gingembre frais, pelé et haché
1 gousse d'ail émincée
1,5 L (6 tasses) de bouillon de légumes (voir « Remarques sur le bouillon de légumes », page 44)
15 ml (1 c. à table) de tamari ou d'une autre sauce soja
Oignons verts émincés pour la garniture
Arachides rôties à sec et hachées pour la garniture
Tamari ou sauce soja au moment de servir

1. Dans la mijoteuse de 3,5 à 4 L, mélangez le riz, l'oignon, le chou, le gingembre et l'ail. Incorporez le bouillon et 15 ml (1 c. à table) de tamari. Couvrez et laissez cuire de 6 à 8 heures à faible intensité ou jusqu'à ce que la texture soit épaisse et crémeuse.
2. Au moment de servir, versez le *congee* dans des bols à soupe et garnissez d'oignons verts et d'arachides. Mettez la bouteille de tamari sur la table pour que les convives puissent en ajouter à leur goût.

Gruau de semoule de maïs aux amandes et aux dattes

La semoule de maïs se prête à de nombreux rôles. Elle peut se parer pour le souper dans une polenta ou entrer dans la préparation d'un pain à la semoule de maïs. Elle peut aussi être servie en gruau au petit-déjeuner. Dans cette recette, le gruau ordinaire s'ennoblit par l'ajout d'amandes grillées, de dattes hachées et d'un soupçon de sirop d'érable.

Format de la mijoteuse :
3,5 à 4 L

Temps de cuisson :
6 h

Intensité : faible

Donne 4 portions

360 ml (1 1/2 tasse) de semoule de maïs de mouture moyenne ou grossière
1,3 L (5 tasses) d'eau
3,75 ml (3/4 c. à thé) de sel
120 ml (1/2 tasse) de dattes hachées
120 ml (1/2 tasse) d'amandes en julienne grillées (page 197)
Sirop d'érable pur au moment de servir

1. Mélangez la semoule de maïs, l'eau, le sel et les dattes dans la mijoteuse de 3,5 à 4 L. Couvrez cette dernière et laissez cuire 6 heures à faible intensité.
2. Quand le gruau est prêt à servir, incorporez les amandes. Versez dans des bols et, si vous le désirez, parfumez avec du sirop d'érable.

Pudding de pain perdu pour les lève-tôt

Des morceaux de pommes et de saucisse de soja parsèment cette casserole qui peut être préparée à l'avance et mise dans la mijoteuse juste avant l'heure du coucher. Cette recette cuit en 6 heures et, si vous souhaitez continuer à dormir, il est préférable de la préparer dans une mijoteuse qui possède une fonction réchaud. Vous pouvez la servir lors d'un brunch, d'un déjeuner ou pour un souper léger.

Format de la mijoteuse :
4 L

Temps de cuisson :
6 h

Intensité : faible

Donne 4 à 6 portions

1,1 L (4 1/2 tasses) de pain français ou italien en cubes
3 grosses pommes à cuire, comme des Granny Smith ou des Rome Beauty, étrognées, pelées et coupées en dés
5 ml (1 c. à thé) de cannelle moulue
2,5 ml (1/2 c. à thé) de piment de la Jamaïque moulu
60 ml (1/4 tasse) de cassonade blonde bien tassée
1,25 ml (1/4 c. à thé) de sel
480 ml (2 tasses) de lait ou de lait de soja
60 ml (1/4 tasse) de sirop d'érable pur
340 g (12 oz) de saucisse de soja émiettée

1. Pressez la moitié des cubes de pain dans le fond de la mijoteuse de 4 L légèrement huilée.
2. Dans un grand bol, mélangez les pommes, la cannelle, le piment de la Jamaïque, la cassonade et le sel. Ajoutez le lait et le sirop d'érable, puis mélangez.
3. Versez délicatement la moitié du mélange de pommes sur le pain et pressez légèrement pour l'humecter. Garnissez avec la moitié de la saucisse et dans l'ordre les restes de pain, de saucisse et du mélange de pommes. Pressez de nouveau le pain pour être sûr qu'il est bien humecté. Couvrez la mijoteuse et laissez cuire 6 heures à faible intensité.

Compote de fruits

Cette compote nutritive et savoureuse, faite avec des fruits frais et séchés, est une bonne façon de commencer la journée.

Format de la mijoteuse : 4 L	1 bâton de cannelle, cassé en morceaux
	2,5 ml (1/2 c. à thé) de clous de girofle entiers
	2,5 ml (1/2 c. à thé) de baies de piment de la Jamaïque
Temps de cuisson : 4 h	2 pommes Granny Smith, étrognées, pelées et coupées en dés
	2 poires mûres pelées, étrognées et coupées en dés
	227 g (8 oz) d'un mélange de fruits séchés, grossièrement hachés
Intensité : faible	113 g (4 oz) de pruneaux séchés dénoyautés, coupés en deux
	60 ml (1/4 tasse) de sucre ou d'un édulcorant naturel
Donne 6 portions	Zeste râpé et jus de 1 orange
	480 ml (2 tasses) d'eau

1. Mettez la cannelle, les clous de girofle et le piment de la Jamaïque sur une toile à beurre carrée de 15 cm (6 po). Attachez ce petit paquet d'épices à l'aide d'un fil pour en faire un baluchon.

2. Mélangez les ingrédients, y compris le sac d'épices, dans la mijoteuse de 4 L. Couvrez cette dernière et laissez cuire 4 heures à faible intensité ou jusqu'à ce que les fruits soient tendres, et le liquide, sirupeux.

3. Laissez refroidir le mélange, puis réfrigérez dans un bol couvert plusieurs heures ou jusqu'au moment de l'utiliser. Jetez le baluchon d'épices. La compote est meilleure lorsqu'elle est servie à la température ambiante et qu'elle est consommée durant la semaine qui suit sa préparation.

Pain brun bostonien

Ce pain moelleux et succulent contient des noix nutritives, de la mélasse et des raisins. Il est idéal pour commencer une journée. Tartinez-le de beurre d'amande et garnissez-le de graines de lin moulues pour en faire une boule d'énergie.

Format de la mijoteuse :
6 L

Temps de cuisson :
3 1/2 à 4 h

Intensité : élevée

Donne 1 pain

480 ml (2 tasses) d'eau bouillante
300 ml (1 1/4 tasse) de lait ou de lait de soja
22,5 ml (1 1/2 c. à table) de vinaigre de cidre
480 ml (2 tasses) de farine tout usage non blanchie
240 ml (1 tasse) de semoule de maïs de mouture moyenne
  ou grossière
5 ml (1 c. à thé) de sel
5 ml (1 c. à thé) de bicarbonate de soude
180 ml (3/4 tasse) de mélasse noire non sulfurée
120 ml (1/2 tasse) de noix de Grenoble grossièrement
  hachées
120 ml (1/2 tasse) de raisins secs

1. Mettez une chevrette ou une grille à l'intérieur de la mijoteuse de 6 L et versez-y l'eau. Réglez la mijoteuse à intensité élevée. Huilez légèrement le moule à gâteau qui entrera dans la mijoteuse.

2. Dans un petit bol ou une tasse à mesurer, mélangez le lait et le vinaigre. Réservez.

3. Dans un grand bol, mélangez la farine, la semoule de maïs, le sel et le bicarbonate de soude. Ajoutez la mélasse et le mélange de lait aigri tout en remuant pour humecter les ingrédients secs. En quelques mouvements rapides, incorporez les noix et les raisins secs.

4. Versez ce mélange dans le moule préparé et placez ce dernier sur le support dans la mijoteuse. Couvrez la mijoteuse et faites cuire à intensité élevée de 3 1/2 à 4 heures ou jusqu'à ce qu'un cure-dent inséré au centre du pain en ressorte sec. Laissez tiédir dans le moule pendant 10 minutes avant de trancher. Ce pain est excellent lorsqu'il est servi chaud, peu après la fin de la cuisson.

Pain à la citrouille et aux pacanes

Ayez ce pain sous la main pendant la période des fêtes ; il comblera les invités surprise ou vous pourrez l'offrir à ceux qui vous reçoivent. Il fait un joli présent lorsqu'il est enveloppé dans une pellicule plastique enrubannée. Servez-le chaud ou froid, nature ou tartiné d'un beurre de noix, ou encore de fromage à la crème au tofu.

Format de la mijoteuse :
5,5 à 6 L

Temps de cuisson :
3 h

Intensité : élevée

Donne 1 pain

480 ml (2 tasses) d'eau bouillante
60 ml (1/4 tasse) d'huile de maïs ou d'une autre huile
   au goût léger
120 ml (1/2 tasse) de cassonade blonde bien tassée
240 ml (1 tasse) de purée de citrouille en conserve
2 gros œufs ou un produit de remplacement pour 2 œufs
420 ml (1 3/4 tasse) de farine tout usage non blanchie
10 ml (2 c. à thé) de levure chimique
2,5 ml (1/2 c. à thé) de sel
120 ml (1/2 tasse) de pacanes hachées

1. Mettez une chevrette ou une grille dans la mijoteuse de 5,5 à 6 L et ajoutez-y l'eau bouillante. Réglez la mijoteuse à intensité élevée. Huilez légèrement un petit moule à pain ou un autre plat de cuisson qui entrera dans la mijoteuse.

2. Dans un bol, mélangez l'huile, la cassonade, la citrouille et les œufs (ou le succédané).

3. Au-dessus d'un grand bol, tamisez ensemble la farine, la levure chimique et le sel. Incorporez ce mélange aux ingrédients humides, en mélangeant bien. Ajoutez les noix.

4. Versez la préparation dans le moule huilé et couvrez d'un papier d'aluminium dans lequel vous percerez quelques trous pour permettre à la vapeur de s'échapper. Placez le moule sur le support dans la mijoteuse ; couvrez cette dernière et faites cuire à intensité élevée 3 heures ou jusqu'à ce que le pain soit ferme et qu'un cure-dent inséré en son centre en ressorte sec.

Pain à la semoule de maïs sucré à l'érable

Le pain à la semoule de maïs est délicieux à tout moment du jour. Il peut être servi en accompagnement du chili ou d'un autre ragoût, pour le déjeuner ou le souper, ou encore au petit-déjeuner avec une tasse de thé bien chaud ou de café. Pour en faire une gourmandise, tartinez-le avec du beurre de pomme.

Format de la mijoteuse :
5,5 à 6 L

Temps de cuisson :
3 à 4 h

Intensité : élevée

Donne 1 pain

480 ml (2 tasses) d'eau bouillante
300 ml (1 1/4 tasse) de semoule de maïs de mouture moyenne
   ou grossière
240 ml (1 tasse) de farine tout usage non blanchie
12,5 ml (2 1/2 c. à thé) de levure chimique
5 ml (1 c. à thé) de sel
240 ml (1 tasse) de lait ou de lait de soja
60 ml (1/4 tasse) de sirop d'érable pur
60 ml (1/4 tasse) d'huile de maïs

1. Mettez une chevrette ou une grille dans la mijoteuse de 5,5 à 6 L, puis versez-y l'eau bouillante. Réglez la mijoteuse à intensité élevée. Huilez légèrement le moule à gâteau qui entrera dans la mijoteuse.

2. Dans un grand bol, mélangez la semoule de maïs, la farine, la levure chimique et le sel.

3. Dans un petit bol ou une tasse à mesurer, mélangez le lait, le sirop d'érable et l'huile. En quelques mouvements rapides, mélangez les ingrédients liquides aux ingrédients secs.

4. Versez la préparation dans le moule huilé et placez ce dernier sur le support dans la mijoteuse. Couvrez et faites cuire à intensité élevée de 3 à 4 heures ou jusqu'à ce qu'un cure-dent inséré au centre de la préparation en ressorte sec. Servez chaud ou tiède.

Pain aux canneberges et aux noix de Grenoble

En raison du nombre élevé de bons ingrédients qui y entrent, ce pain est tout indiqué pour le petit-déjeuner. Pour le rendre plus nutritif encore, tartinez les tranches de beurre de noix et garnissez-les de graines de lin moulues.

Format de la mijoteuse : 5,5 à 6 L	480 ml (2 tasses) d'eau bouillante
	80 ml (1/3 tasse) d'huile de maïs ou d'une autre huile au goût léger
Temps de cuisson : 3 à 4 h	120 ml (1/2 tasse) de cassonade blonde bien tassée
	1 grosse banane mûre, écrasée
	2 gros œufs ou un produit de remplacement pour 2 œufs
	420 ml (1 3/4 tasse) de farine tout usage non blanchie
Intensité : élevée	10 ml (2 c. à thé) de levure chimique
	2,5 ml (1/2 c. à thé) de sel
	120 ml (1/2 tasse) de noix de Grenoble hachées
Donne 1 pain	120 ml (1/2 tasse) de canneberges sucrées et séchées

1.   Mettez une chevrette ou une grille dans la mijoteuse de 5,5 à 6 L. Versez l'eau bouillante dans la mijoteuse et réglez cette dernière à intensité élevée. Huilez légèrement un petit moule à pain ou un autre plat de cuisson.

2.   Dans un grand bol, mélangez bien l'huile, la cassonade, la banane et les œufs (ou le succédané).

3.   Dans un autre bol, tamisez ensemble la farine, la levure chimique et le sel. Tout en mélangeant bien, incorporez les ingrédients secs aux ingrédients humides. Ajoutez les noix et les canneberges.

4.   Versez la préparation dans le moule huilé et couvrez ce dernier d'un papier d'aluminium dans lequel vous percerez quelques trous pour permettre à la vapeur de s'échapper. Placez le moule sur le support dans la mijoteuse ; couvrez cette dernière et faites cuire à intensité élevée de 3 à 4 heures ou jusqu'à ce qu'un cure-dent inséré au centre de la préparation en ressorte sec. Laissez tiédir de 10 à 15 minutes avant de démouler.

Les boissons chaudes servies à même un bol à punch électrique

• • •

Les rencontres hivernales de toutes sortes donnent une occasion en or de servir des boissons chaudes. Que vous prépariez un pichet de cidre fumant à l'Halloween, une chope de bière épicée pour trinquer lors des fêtes ou un punch à la pêche épicé au gingembre « à tout hasard », les boissons chaudes peuvent égayer vos réunions. La mijoteuse est parfaite pour les préparer, puisqu'elle les gardera à la bonne température toute la soirée et que vous pouvez la déposer directement sur la table où sera servi le repas. Vous n'aurez plus à surveiller ce qui bout sur la cuisinière.

Un vin chaud épicé se déguste en tout temps, particulièrement lors d'une soirée intime devant un feu de foyer. Les boissons présentées dans ce chapitre peuvent être servies à même la mijoteuse, et à la bonne température, dans des tasses ou des chopes à l'épreuve de la chaleur. Puisque la mijoteuse conserve la température de service adéquate pendant plusieurs heures, c'est comme si vous possédiez un bol à punch électrique. Elle s'avère aussi commode lorsque vous sortez quelques heures, par exemple pour une promenade familiale en traîneau, et que vous souhaitez vous réchauffer dès votre retour à la maison. Grâce au bol à punch électrique, il est aussi merveilleux de ne pas s'inquiéter d'avoir à réchauffer ou à remplir de nouveau les verres de boisson chaude lors des fêtes.

Moka chaud épicé

Inspiré d'un dessert italien où l'on verse de l'expresso chaud sur une cuillérée de gelato, ce mélange exquis offre le café et le dessert dans un seul plat. Selon ce que vous préférez, ajoutez le brandy ou non ; ce moka est délicieux de toutes les façons.

Format de la mijoteuse :
3,5 à 4 L

Temps de cuisson :
1 à 2 h

Intensité : faible

**Donne environ 1,6 L
(6 1/2 tasses)**

1 L (4 tasses) de glace au chocolat régulière ou sans produits laitiers (la marque Tofutti est un bon choix)
1 L (4 tasses) de café chaud
120 ml (1/2 tasse) de brandy ou plus (facultatif)
Cannelle moulue pour la garniture

1. Mettez la glace dans la mijoteuse de 3,5 à 4 L. Tout en remuant pour la faire fondre, versez le café chaud dessus. Couvrez la mijoteuse et laissez chauffer de 1 à 2 heures à faible intensité. Incorporez le brandy (si vous l'utilisez).
2. Pour servir, versez dans des tasses et saupoudrez de cannelle.

Note : S'il y a un plus grand nombre d'invités, vous pouvez facilement doubler cette recette.

Tisane à la pêche et au gingembre

Cette boisson chaude, parfumée et délicieuse, pourra être conservée à la température de service adéquate pendant de nombreuses heures. Pour une version moins « épicée », omettez simplement le brandy au gingembre. Si vous n'arrivez pas à trouver la tisane à la pêche, utilisez n'importe quelle autre sorte de tisane, par exemple une tisane au citron, et même du thé orange pekoe. Vous pouvez également employer de la tisane au gingembre pour accentuer le goût de cette plante herbacée.

Format de la mijoteuse :
3,5 à 4 L

Temps de cuisson :
1 à 2 h

Intensité : faible

**Donne environ 1,9 L
(8 tasses)**

60 ml (1/4 tasse) de tisane à la pêche en vrac
1 L (4 tasses) d'eau bouillante
8 tranches de gingembre frais
120 ml (1/2 tasse) de cassonade blonde bien tassée
1 L (4 tasses) de jus de pêche
60 ml (1/4 tasse) de jus de citron frais
120 ml (1/2 tasse) de brandy au gingembre
Citron en tranches fines pour la garniture (facultatif)

1. Dans une théière ou un autre contenant résistant à la chaleur, faites infuser la tisane à la pêche environ 10 minutes dans l'eau bouillante.

2. Versez l'infusion dans la mijoteuse en la passant dans un tamis pour retenir les feuilles au besoin, puis ajoutez le gingembre frais, la cassonade, le jus de pêche et le jus de citron. Couvrez la mijoteuse et laissez chauffer de 1 à 2 heures à faible intensité.

3. Au moment de servir, retirez le gingembre du punch et ajoutez le brandy au gingembre. Si votre mijoteuse possède cette fonction, passez en mode « réchaud », sinon maintenez-la à faible intensité pour le service. Si vous le désirez, laissez flotter les tranches de citron sur le mélange.

Punch torride à la canneberge

Ce punch aux couleurs éclatantes fait un malheur dans toutes les réunions. Pour une version plus mordante, ajoutez une généreuse rasade de vodka dans la mijoteuse au moment de servir.

Format de la mijoteuse :
3,5 à 4 L

Temps de cuisson :
1 à 2 h

Intensité : faible

**Donne environ 1,9 L
(8 tasses)**

2 bâtons de cannelle, cassés en morceaux
5 ml (1 c. à thé) de clous de girofle entiers
5 ml (1 c. à thé) de baies de piment de la Jamaïque
1 L (4 tasses) de jus de canneberge
480 ml (2 tasses) de jus de pomme
120 ml (1/2 tasse) de cassonade blonde bien tassée
30 ml (2 c. à table) de jus de citron frais
1 orange de taille moyenne, tranchée

1.   Mettez la cannelle, les clous de girofle et le piment de la Jamaïque dans une toile à beurre de 15 cm (6 po). Attachez ce petit paquet d'épices avec du fil pour en faire un baluchon.

2.   Mélangez le jus de canneberge, le jus de pomme et la cassonade dans la mijoteuse de 3,5 à 4 L. Remuez jusqu'à ce que la cassonade soit dissoute. Incorporez le jus de citron et ajoutez le baluchon d'épices. Couvrez la mijoteuse et laissez chauffer de 1 à 2 heures à faible intensité.

3.   Juste avant de servir, jetez le sac d'épices et disposez les tranches d'orange à la surface du punch. Servez chaud.

Cidre chaud aux épices

Le premier froid piquant de l'automne est un prétexte suffisant pour préparer un bol de ce cidre réconfortant.

Format de la mijoteuse :
3,5 à 4 L

Temps de cuisson :
2 h

Intensité : faible

Donne 1,9 L (8 tasses)

2 bâtons de cannelle
5 ml (1 c. à thé) de clous de girofle entiers
5 ml (1 c. à thé) de baies de piment de la Jamaïque
1,9 L (8 tasses) de cidre de pomme
120 ml (1/2 tasse) de cassonade blonde bien tassée
1 orange de grosseur moyenne, tranchée

1. Mettez la cannelle, les clous de girofle et le piment de la Jamaïque dans une toile à beurre carrée de 15 cm (6 po). Attachez ce petit paquet d'épices avec du fil pour former un baluchon.

2. Mélangez le cidre et la cassonade dans la mijoteuse de 3,5 à 4 L. Remuez jusqu'à ce que la cassonade soit dissoute. Ajoutez le baluchon d'épices. Couvrez la mijoteuse et faites chauffer 2 heures à faible intensité.

3. Avant le service, jetez le sac d'épices et disposez les tranches d'orange à la surface du cidre. Servez chaud.

Vin chauffé

Tous ceux qui ont essayé de garder du vin chaud dans une casserole sur la cuisinière pendant une fête apprécieront la commodité de cette recette à la mijoteuse. Mélangez tous les ingrédients, mettez l'appareil en marche, puis oubliez tout le reste. Les invités peuvent se servir eux-mêmes, et le vin demeure à la température idéale de service pendant des heures.

Format de la mijoteuse : 3,5 à 4 L	**12 clous de girofle**
	1 grosse orange
Temps de cuisson : 2 à 3 h	**2 bâtons de cannelle de 10 cm (4 po)**
	180 ml (3/4 tasse) de cassonade blonde bien tassée
Intensité : faible	**2 bouteilles de 750 ml (26 oz) de vin rouge sec**

**Donne environ 1,9 L
(8 tasses)**

1. Enfoncez les clous de girofle dans l'orange et déposez cette dernière dans la mijoteuse de 3,5 à 4 L.

2. Ajoutez la cannelle, la cassonade et le vin. Remuez pour dissoudre la cassonade. Couvrez la mijoteuse et laissez chauffer de 2 à 3 heures à faible intensité.

3. Retirez les bâtons de cannelle avant de servir. Servez chaud.

Glögg suédois

Il existe plusieurs versions de cette boisson chaude suédoise — chacune plus forte en alcool que la précédente. Certaines emploient de l'aquavit, une boisson scandinave parfumée aux graines de carvi, tandis que d'autres utilisent de la vodka mélangée avec du porto ou du vin rouge, voire du brandy. Puisque le goût sera masqué par les épices, vous pouvez utiliser les spiritueux les moins chers.

Format de la mijoteuse :
3,5 à 4 L

Temps de cuisson :
2 h

Intensité : faible

**Donne environ 1,9 L
(8 tasses)**

12 clous de girofle
3 gousses de cardamome pilées
2 bâtons de cannelle
3 tranches de gingembre frais
240 ml (1 tasse) de sucre
1 bouteille de 750 ml (26 oz) de vin rouge sec
Zeste râpé de 1 orange de grosseur moyenne
1 bouteille de 750 ml (26 oz) de porto
480 ml (2 tasses) de vodka ou de brandy
80 ml (1/3 tasse) de raisins secs dorés
80 ml (1/3 tasse) d'amandes en julienne

1. Mettez les clous de girofle, la cardamome, la cannelle et le gingembre dans une toile à beurre carrée de 15 cm (6 po). Attachez ce petit paquet d'épices avec du fil pour former un baluchon.
2. Mélangez le sucre et le vin dans la mijoteuse de 3,5 à 4 L. Remuez pour bien dissoudre le sucre. Ajoutez le baluchon d'épices, le zeste d'orange et le porto. Couvrez la mijoteuse et laissez chauffer 2 heures à faible intensité.
3. Juste avant de servir, incorporez la vodka, les raisins secs et les amandes. Servez chaud, en mettant quelques raisins secs et amandes dans chaque portion.

Hot punch au saké, au gingembre et au citron

Si vous cherchez à faire un punch vraiment différent, voici peut-être ce qu'il vous faut. Le saké est un vin de riz japonais ; dans le présent cas, il se marie au gingembre et au citron, ce qui donne un goût sophistiqué au punch. Pour conserver le thème asiatique, servez ce grog dans des tasses à thé japonaises.

Format de la mijoteuse :
3,5 à 4 L

Temps de cuisson :
2 h

Intensité : faible

**Donne 1,9 L
(8 tasses)**

30 ml (2 c. à table) de gingembre confit
30 ml (2 c. à table) de cassonade blonde bien tassée
Jus et zeste râpé de 1 citron
1 L (4 tasses) de saké
1 L (4 tasses) de soda au gingembre

Dans la mijoteuse de 3,5 à 4 L, mélangez le gingembre, la cassonade, le jus et le zeste du citron. Versez ensuite le saké et le soda au gingembre. Remuez pour dissoudre la cassonade. Couvrez la mijoteuse et laissez chauffer 2 heures à faible intensité. Servez chaud.

Wassail du temps des fêtes

Inspirée d'une recette scandinave (le *wassail* était utilisé pour porter un toast ou plus précisément pour boire à la santé de quelqu'un), cette version pour la mijoteuse utilise du rhum brun à la place du sherry. Les tranches d'orange remplacent les petites pommes grillées et, bien sûr, la mijoteuse fait office de bol à punch.

Format de la mijoteuse :
3,5 à 4 L

Temps de cuisson :
2 h

Intensité : faible

**Donne environ 1,9 L
(8 tasses)**

4 bâtons de cannelle
5 ml (1 c. à thé) de clous de girofle entiers
240 ml (1 tasse) d'eau
180 ml (3/4 tasse) de cassonade blonde bien tassée
1 boîte de 170 ml (6 oz) de limonade concentrée surgelée, puis dégelée
750 ml (3 tasses) de jus de pomme ou de cidre
2 bouteilles de 341 ml (12 oz) de bière de type ale
180 ml (3/4 tasse) de rhum brun
1 orange de grosseur moyenne, tranchée

1. Mettez la cannelle et les clous de girofle dans une toile à beurre carrée de 15 cm (6 po). Attachez ce petit paquet d'épices avec du fil pour former un baluchon.

2. Mélangez l'eau et la cassonade dans la mijoteuse de 3,5 à 4 L. Remuez pour dissoudre la cassonade. Incorporez la limonade concentrée. Versez le jus de pomme et la bière, et ajoutez le baluchon d'épices. Couvrez la mijoteuse et laissez chauffer 2 heures à faible intensité.

3. Juste avant de servir, jetez le sac d'épices et incorporez le rhum. Disposez les tranches d'orange à la surface du punch et servez chaud.

Les origines du toast

Le terme « toast » serait apparu au XVIIe siècle en Angleterre, où l'on disposait un petit morceau de pain grillé dans un gobelet de vin (ce qui était supposé en améliorer la saveur). Le gobelet circulait parmi les invités jusqu'à la personne qui devait être honorée. Cette dernière prenait la dernière gorgée de vin et mangeait le pain trempé. Dans le *wassail* traditionnel, on mettait une rôtie et des pommes grillées.

Punch santé sans alcool

Ce punch, dans une version rafraîchissante et sans alcool, est fait avec du jus de fruits relevé d'épices. Il est tout indiqué pour boire à la « santé » de quelqu'un.

Format de la mijoteuse :
3,5 à 4 L

Temps de cuisson :
2 h

Intensité : faible

Donne environ 1,9 L (8 tasses)

5 ml (1 c. à thé) de clous de girofle entiers
5 ml (1 c. à thé) de baies de piment de la Jamaïque
2 bâtons de cannelle, coupés en tronçons de 5 cm (2 po)
1,5 L (6 tasses) de jus de pomme
480 ml (2 tasses) de jus de canneberge
1 boîte de 170 ml (6 oz) de jus d'orange concentré surgelé, puis dégelé
1 orange tranchée

1. Mettez les clous de girofle, le piment de la Jamaïque et la cannelle dans une toile à beurre carrée de 15 cm (6 po). Attachez ce petit paquet d'épices avec du fil pour former un baluchon.

2. Dans la mijoteuse de 3,5 à 4 L, mélangez le jus de pomme, le jus de canneberge et le jus d'orange concentré. Ajoutez le baluchon d'épices. Couvrez la mijoteuse et laissez chauffer environ 2 heures à faible intensité.

3. Jetez le baluchon d'épices. Disposez les tranches d'orange à la surface du punch. Servez chaud.

Index

Autre livre de même sujet
aux Éditions AdA

Pour obtenir une copie
de notre catalogue,
commmuniquez avec :

AdA

1385, boul. Lionel-Boulet
Varennes, Québec
J3X 1P7
Téléc : (450) 929-0220
info@ada-inc.com
www.ada-inc.com

Pour l'Europe, voici les coordonnées :
France : D.G. Diffusion Tél. : 05.61.00.09.99
Belgique : D.G. Diffusion Tél. : 05.61.00.09.99
Suisse : Transat Tél. : 23.42.77.40